T3-BNJ-798

LES POÈMES DU SERVITEUR

DE LA LECTURE CRITIQUE A L'HERMÉNEUTIQUE

DU MÊME AUTEUR

Aux Éditions du Cerf :

Le couple humain dans l'Écriture, « Lectio Divina » n° 31, n^lle éd.
1964. (Repris dans la coll. « Foi vivante » n° 118, 1969).
Le ministère de la nouvelle alliance, « Foi vivante » n° 37 (1967).
De la mort à la vie éternelle, « Lectio Divina » n° 67 (1971).
Documents araméens d'Égypte, « Littératures anciennes du Proche-
Orient » n° 5 (1972).
Écouter l'Évangile, coll. « Lire la Bible » n° 40 (1974).

Chez d'autres éditeurs :

Introduction aux livres saints, Éd. Belin, Paris, 1954 (éd. refondue,
1963).
Pages bibliques, Éd. Belin, Paris, 1964 (épuisé).
Sens chrétien de l'Ancien Testament, Éd. Desclée, Tournai-Paris,
1962.
La Bible, Parole de Dieu, Éd. Desclée, Tournai-Paris, 1965.
Bible et théologie, coll. « Le mystère chrétien », Desclée, Tournai-
Paris, 1965.
Réflexions sur le problème du péché originel, « Cahiers de l'actualité
religieuse », Éd. Casterman, Tournai-Paris, 1968.
*Péché originel et rédemption, examinés à la lumière de l'épître aux
Romains*, Éd. Desclée, Tournai-Paris, 1973.
Le monde à venir, coll. « Croire et comprendre », Éd. du Centurion,
Paris, 1974.
L'espérance juive à l'heure de Jésus, coll. « Jésus et Jésus Christ »
n° 6, Éd. Desclée, Tournai-Paris, 1978.

En co-direction avec A. George : *Introduction critique au Nouveau
Testament*, Ed. Desclée, 1976-1977, 5 vol. (Participations aux
vol. 1 et 5).

Collaboration à des ouvrages collectifs :

Introduction à la Bible, sous la direction de A. Robert et A. Feuillet,
Éd. Desclée, Tournai-Paris, 1957-59 (épuisé).
Introduction critique à l'Ancien Testament, sous la direction de
H. Cazelles, Éd. Desclée, 1973.
Vocabulaire de Théologie biblique, sous la direction de X. Léon-
Dufour, Éd. du Cerf, 2e éd. révisée et augmentée, 1970.
En coll. avec J. Loew : *Parole de Dieu et communautés humaines*,
Ed. C.L.D., 1980.

LECTIO DIVINA

103

PIERRE GRELOT

Professeur à l'Institut catholique de Paris

LES POÈMES DU SERVITEUR

DE LA LECTURE CRITIQUE A L'HERMÉNEUTIQUE

LES ÉDITIONS DU CERF

29, bd Latour-Maubourg, Paris

1981

BS
1520
.G73

Nihil obstat : H. Cazelles : 17.12.80
F. Refoulé : 18.12.80

Imprimatur : P. Faynel, v. é.

© Les Éditions du Cerf, 1981
ISBN : 2-204-01611-X

PRÉFACE

On ne peut faire correctement la théorie de l'exégèse
biblique sans la pratiquer soi-même. Inversement, il est néfaste
de la pratique sans s'interroger sur ses implications et s'efforcer
de la théoriser avec rigueur. Pourquoi donc ne joindrait-on pas
les deux opérations dans le même volume ? Tel est le souci qui
préside à la présente étude.

Le problème de la méthode en exégèse est classique depuis
longtemps. Au moyen âge, il avait trouvé sa formulation la
plus commune dans la doctrine des quatre sens de l'Écriture,
issue elle-même de l'époque patristique. Aux temps modernes,
la théologie a dû en modifier les termes. Jadis, partant d'une
théorie de l'inspiration biblique, elle en déduisait les conditions
dans lesquelles *le* sens — ou mieux : *les* sens de l'Écriture
pouvaient être mis correctement en lumière. Mais la pratique
de la critique biblique, introduite dans l'exégèse depuis le xixᵉ
siècle, modifia profondément cette perspective théologique en
opérant une mutation dans la notion même de « sens littéral ».
Il fallut quelque temps pour que les théologiens s'adaptent à
cette situation et accordent à la critique un statut officiel et
reconnu. Depuis l'encyclique *Divino afflante Spiritu* (1943) et
la constitution conciliaire *Dei verbum* (1964), il est devenu
clair que c'est chose faite dans le Catholicisme. Pour le lecteur
qui participe à la foi chrétienne, l'interprétation de l'Écriture
obéit donc à des principes où le recours à la critique et la
référence à la tradition théologique de l'Église se conjoignent,
pour rejoindre le sens littéral des textes et, à partir de lui, ces
« autres sens » qui constituent comme un halo tout autour.

Mais entre-temps, le problème s'est déplacé. L'essor de la
critique dans l'exégèse allemande du xixᵉ siècle a soulevé en
effet une autre question qui s'est cristallisée dans le mot
d'*herméneutique*. En bref, puisque la critique a pour but de

retrouver le sens littéral que des auteurs ont intentionnellement attaché à leurs textes dans le cadre historique où ceux-ci ont pris forme, comment faut-il s'y prendre pour que ses enquêtes débouchent sur des résultats qui en fassent aussi apparaître la valeur actuelle ? Car l'exégèse ne peut se contenter de devenir un musée consacré à l'archéologie de la foi : elle n'est pas une simple histoire des croyances, des pratiques ou des sentiments religieux. Sur les fondations qu'elle pose, il faut qu'une réflexion théologique puisse se construire : une réflexion qui ne soit ni la simple répétition de formules anachroniques et désuètes, ni une production de formulaires nouveaux qui ne rejoindraient plus l'expérience fondatrice où la foi doit rester enracinée. On voit sans peine l'importance de la question ainsi soulevée. Les rapports entre la lecture critique et l'effort poursuivi par l'herméneutique sont au cœur du travail théologique, si celui-ci veut à la fois garder le contact avec les textes bibliques et traduire la révélation dans les catégories mentales et linguistiques de notre temps.

L'envahissement de la culture moderne par les « sciences humaines » a-t-il réellement modifié la position de cette question ? Certains le pensent et le disent. Donnons-leur la parole, pour voir de quoi il retourne exactement. A les en croire, la notion même d'herméneutique serait en voie de déclassement. Elle serait trop liée à une mentalité pré-scientifique, encore imbue des préjugés philosophiques qui ont imposé à la foi le carcan d'une onto-théologie dépassée. Sous ce chapeau, on met pêle-mêle les Pères de l'Église et les théologiens médiévaux, la Scolastique post-tridentine et la spéculation de type idéaliste qui a eu cours dans le Protestantisme libéral, la théologie dialectique issue de Karl Barth et l'interprétation « existentiale » préconisée par Rudolf Bultmann... Que reste-t-il de tout cela depuis que les sciences humaines ont relayé, dans leur modernité, ce qui se donnait jadis comme un « savoir » ? Sciences de la société, sciences du langage, sciences du psychisme humain, science des religions, science de l'Histoire (avec un H), etc. : l'homme comme phénomène est cerné de toutes parts, enserré dans un réseau d'analyses qui démontent patiemment ses mécanismes et auxquelles n'échappe aucun aspect de son expérience. Ni le phénomène religieux en général, ni le fait juif et chrétien, ni la Bible autour de laquelle celui-ci s'est construit sous sa forme duelle, ne se situent en dehors de leurs enquêtes. On n'en est donc plus au temps où l'homme pouvait, à la suite des philosophes grecs, être défini par sa *nature* stable et cernable grâce à la métaphysique, quitte à voir dans la « nature » une création de Dieu et à reconnaître sa vocation au *Sur*-naturel. A cette représentation abstraite qui procède d'un raisonnement déductif, les sciences humaines ont substitué celle de *structure,* intimement liée à leurs procédures inductives. Puisque ce nouveau regard sur l'homme caractérise la culture « moderne », il faut lui ouvrir la porte pour repenser en fonction de lui l'exposition de la foi chrétienne. Et puisque la foi se réfère à la Bible comme à sa source fondamentale, il faut appliquer les mêmes méthodes à la Bible pour que le travail qu'on fait sur elle ne soit pas suranné. Comme il s'agit d'un texte, il ne s'agit plus de l'*interpréter* suivant les canons d'une herméneutique dépassée : il faut apprendre à le *lire* avec tous les moyens que les sciences humaines peuvent fournir. Cette *lecture,* soumise aux règles de l'objectivité scientifique, a quelques chances d'échapper au subjectivisme des herméneutes de jadis. Il se peut que ma description verse dans la caricature ; mais elle touche pourtant à une mentalité qui, en fait, existe ici ou là et prétend au monopole de la « modernité ». L'exégèse biblique serait-elle dans l'obligation de se soumettre à son verdict : se soumettre, ou se démettre ?

Ainsi présenté, le dilemme est illusoire, car il oppose des méthodes et des opérations qui ne se situent pas sur le même plan. La situation réelle est beaucoup plus simple : stimulée par les sciences humaines, l'exégèse biblique doit et peut en faire son profit, de même qu'elle a, dans le passé, assimilé beaucoup d'autres choses pour les mettre au service de ses propres enquêtes. La « lecture » qu'elle fait de la Bible est en réalité une écoute : l'écoute de la Parole de Dieu au-delà des paroles humaines qui en répercutent l'écho dans des textes où la « communauté croyante » a toujours cherché la nourriture de sa foi. Peu importent les moyens employés, pourvu qu'on les ajuste au but poursuivi et aux textes auxquels ils sont appliqués. L'histoire même de la communauté croyante est très instructive sur ce point. L'exégèse biblique — et donc aussi l'interprétation qui en découle — s'est toujours trouvée au point de rencontre de la foi et des cultures. Elle est confrontée aujourd'hui aux sciences humaines, comme elle le fut jadis au

Stoïcisme et au Platonisme chez les Pères de l'Église, à l'Aristotélisme redécouvert par les théologiens du xiiie siècle, à la méthode historique à partir du xixe : j'ai naguère présenté succinctement ce fait essentiel dans une étude sur « L'exégèse biblique au carrefour [1] ». Le tout est de savoir ce que les lecteurs de la Bible peuvent faire des instruments nouveaux que l'évolution des cultures met à leur disposition. Il n'y a pas de drame ni de révolution à prévoir. A moins que les promoteurs des méthodes « montantes » n'adoptent une attitude totalitaire, mesurant mal leurs limites, présumant de leurs possibilités réelles, perdant le souci d'articuler leurs pratiques sur d'autres pratiques qui abordent les textes sous d'autres angles, par d'autres voies, avec d'autres moyens. Ce fut le cas de la critique historique naissante au xixe siècle. Depuis lors, le monstre a été dompté, et il s'est avéré qu'on pouvait en atttendre des services inappréciables. Il suffit pour l'instant de ne pas présenter comme incompatibles les sciences humaines et la philosophie, de ne pas outrer les oppositions en estimant qu'on doit choisir entre la « lecture » et l'« herméneutique »... Comme si toute lecture n'impliquait pas, dans ses résultats, un effort d'interprétation qui aboutit à des propositions précises, et comme si toute interprétation ne se faisait pas au sein d'une lecture, toujours menée avec les moyens pratiques que la culture du temps met à la disposition des lecteurs ! On peut abandonner ce genre de discussion aux abstracteurs de quintessence — pour reprendre l'expression de Rabelais.

Je n'entrerai donc pas ici dans ces débats stériles. Je m'efforcerai seulement de pratiquer l'exégèse biblique d'une façon honnête mais rigoureuse. Non avec un esprit totalitaire, mais avec un souci de totalité — ce qui ne revient pas au même. Avant de poser certains principes méthodologiques dans la finale du livre, je ferai une longue enquête qui me conduira, de la lecture « historique » de certains textes telle qu'un homme d'aujourd'hui peut l'entreprendre, aux diverses « herméneutiques » auxquelles ce texte a donné lieu dans le passé chez des lecteurs juifs et chrétiens : la confrontation de leurs lectures peut être éclairante, me semble-t-il, pour comprendre comment se pose le problème de l'interprétation en exégèse biblique.

---

1. « L'exégèse biblique au carrefour », *Nouvelle Revue Théologique* 108 (1976), pp. 416-434 et 481-511.

*
* *

Pour réaliser ce projet, j'ai choisi une série de textes qui se trouve justement au centre de ce qu'on peut appeler « le conflit des interprétations » : les « Poèmes du Serviteur de YHWH », extraits de la IIᵉ Partie d'Isaïe (Is 40-55). Ils sont en effet un objet de conflit dans l'ordre des opinions critiques et dans celui des interprétations théologiques. En critique biblique tout d'abord, leur évaluation donne lieu aux hypothèses les plus diverses. Il est même rare qu'un tel désaccord se manifeste entre les exégètes également attachés à la méthode historique la plus classique : dès qu'on cherche à expliquer leur origine littéraire et leur portée primitive, le *consensus* exégétique n'existe plus. En second lieu, dans le passé, ils ont été lus et interprétés de façons radicalement différentes par les Juifs et par les Chrétiens. Or, il s'agissait là de textes qui se reliaient à des points importants de leur foi — plus importants, il est vrai, chez les Chrétiens que chez les Juifs. Mais la lecture critique d'aujourd'hui ne rejoint guère ces lectures anciennes, même quand elle se soucie de ne pas s'en couper ! L'occasion qu'ils fournissent est donc excellente, moins pour tester la valeur respective des unes et des autres que pour comprendre, si possible, la raison de leurs différences.

Assurément, mon essai de lecture « historique » ne sera pas neutre : comment en serait-il autrement ? Je choisirai parmi les hypothèses possibles celle qui me paraît la meilleure pour rendre compte de la littéralité des textes, dans le cadre social et à l'époque où chaque pièce détachée, qu'on peut y discerner, a dû remplir une fonction précise — mais quelle fonction exactement ? Je dois faire ici un aveu. J'avais touché rapidement à la question du « Serviteur de YHWH » en présentant les « figures du médiateur de salut » dans mon livre : *Sens chrétien de l'Ancien Testament* [2]. J'avais pris alors une option interprétative que je contredirai ici point par point. Non pour le plaisir de changer d'idées, mais parce que je pense que je m'étais trompé en prenant pour le sens originel des textes ce que je considère aujourd'hui comme une interprétation survenue en un second temps dans la tradition juive. Après avoir exposé ma

2. *Sens chrétien de l'Ancien Testament*, Tournai-Paris 1962, pp. 377-379.

lecture « historique » de ces textes en tenant grand compte de la distinction entre leurs petites « unités », je tenterai donc de voir comment ils ont été ensuite lus et relus au cours des âges, dans le Judaïsme ancien d'abord, dans le Christianisme primitif ensuite, dans le Judaïsme post-chrétien enfin — du moins jusqu'à l'époque où fut fixé le Targoum du livre d'Isaïe. J'appliquerai aux sources ainsi analysées la même rigueur critique qu'à l'enquête historique qui aura ouvert mon travail. Je retracerai de la sorte l'histoire des interprétations anciennes des Poèmes, ou, si l'on veut, l'histoire de leurs « lectures » juives et chrétiennes. Celle-ci peut instruire le lecteur d'aujour-d'hui sur le travail qu'ont effectué ses lointains prédécesseurs : il y trouve un sujet de réflexion fort utile. Mon but n'est pas d'opposer ces lectures entre elles mais simplement de les comprendre, chacune avec son esprit, ses motifs, ses métho-des, ses procédés pratiques. L'expérience de la lecture « historique », telle que je la conçois, ne conduit pas à mépriser les autres mais plutôt à les valoriser dans leur originalité propre, car elles ont toutes été « créatrices » de sens. Or, n'est-ce pas ce qu'on requiert aussi de la « lecture » d'aujourd'hui pour qu'elle fasse parler les textes, en mesurant la distance qui nous en sépare, mais en faisant aussi ressortir leur actualité ?

Au terme d'un tel travail et en m'appuyant sur lui, je crois possible d'aboutir à quelques principes généraux qui concernent les rapports entre la lecture critique et l'herméneutique. Ce but est-il modeste ou ambitieux ? Je ne sais. Mais les textes que j'ai choisis comme « banc d'essai » sont assez importants pour que leur étude fournisse un exemple topique de cette « herméneuti-que plurielle » que la lecture critique ne contredit pas — pourvu du moins qu'elle ne s'enferme pas, elle non plus, dans sa tour d'ivoire en ignorant ce qu'on a pu dire avant elle et en prétendant qu'elle détient la clef de tout. Finalement, la « lecture croyante » peut englober toutes les autres, quelle qu'en soit la diversité, car cette lecture globale et intuitive n'a d'autre ambition que d'être à l'unisson des textes au plan de la foi qu'ils traduisaient, tout en respectant les limites éventuelles de cette foi. Ne faut-il pas espérer que les lectures croyantes de jadis puissent se récapituler ainsi dans la foi de l'Église d'aujourd'hui ?

Pâques 1980

TABLE DES SIGLES ET ABRÉVIATIONS

Dans les références bibliques, les abréviations employées pour le nom des livres sont celles de la Bible de Jérusalem, identiques à celles de la *TOB* (sauf Is pour Isaïe). Les chapitres et versets sont ainsi indiqués : Is 40,3-10 = Isaïe, chap. 40, versets 3 à 10 ; Is 42,4-5.8-9 = Isaïe, chap. 42, versets 4-5 et 8-9 ; Is 40 — 55 = Isaïe, chap. 40 à 55 ; Is 42,7 — 43,9 = Isaïe, chap. 42, verset 7, à chap. 4 , verset 9.

Pour les Pseudépigraphes de l'Ancien Testament, 1 Hen = Livre d'Hénoch (araméen — grec — éthiopien). Pour les textes de Qumrân, les sigles habituels sont utilisés : 1QS = Règle de la Communauté de la 1re Grotte ; 1QH = Hymnes de la Grotte 1 ; 1QIs^a et 1QIs^b = Rouleaux *a* et *b* d'Isaïe provenant de la Grotte 1. Les chiffres en petites capitales sont ceux des colonnes, suivis par ceux des lignes.

Pour la littérature rabbinique, les sigles sont réduits au minimum : Tg = Targoum ; bT = Talmud de Babylone ; jT = Talmud de Jérusalem. Les références renvoient à leurs traductions ou à leurs citations modernes pour faciliter le travail des lecteurs qui ne sont pas familiarisés avec cette littérature.

Les citations des Pères de l'Église ne recourent aux abréviations que lorsque les ouvrages ont déjà été mentionnés avec leur titre complet.

Sigles des revues et collections :

ATD	Das Alte Testament Deutsch (Göttingen)
BJ	*Bible de Jérusalem* (Paris, nouvelle éd., 1973)
BKAT	Biblischer Kommentar Altes Testament (Neukirchen)
CBQ	*Catholic Biblical Quartely* (Washington)

CNT	Commentaire du Nouveau Testament (Neuchâtel-Paris)
HThK	Herders Theologischer Kommentar zur Neuen Testament (Fribourg-en-B.)
JBL	*Journal of Biblical Literature* (Philadelphie)
KEK	Kritisch-exegetischer Kommentar über das N.T. (Göttingen)
LXX	Septante
NRT	*Nouvelle Revue Théologique* (Louvain)
NTD	Das Neue Testament Deutsch (Göttingen)
RSR	*Recherches de Science Religieuse* (Paris)
TM	Texte massorétique
VT	*Vetus Testamentum* (Leyde)

Les autres revues et collections sont citées en toutes lettres.

Transcription des lettres sémitiques :

Les conventions habituelles sont respectées grâce aux signes diacritiques : ' = *'alef*; ḥ = *ḥeth* ; ṭ = ṭeth (*t* emphatique) ; ᶜ = ᶜ*aïn* (laryngale forte) ; ṣ = *ṣadé (s* emphatique) ; š = *shin ;* ś = *sin* (entre *s* et *sh*). La prononciation adoucie des consonnes *b g d k t* n'est jamais signalée par l'adjonction d'un *h,* qui entraînerait des équivoques ; mais celle du *p* est marquée par l'emploi du *f.* La transcription des voyelles est faite suivant un usage assez courant : *a* = *pataḥ* (a bref), *è* = *sègol* : *ē* = *ṣéré* ; *ā* = *qāmèṣ* ; *ō* = *ḥōlèm* : *ū* = *ou* long. L'accent circonflexe indique la présence d'une Mater lectionis. Le *shewa* et les semi-voyelles sont mis en exposant.

SOMMAIRE

Troisième Partie :

HERMÉNEUTIQUE ET LECTURE CRITIQUE

INTRODUCTION

Les « Poèmes du Serviteur » (Is 42,1-7 ; 49,1-9*b* ; 50,4-11 ; 52, 13 — 53,12) sont assez généralement mis à part dans la IIe partie d'Isaïe. Ils constituent un cas privilégié pour étudier les rapports entre la lecture critique des textes bibliques et l'herméneutique. En effet, au point de vue critique, ils ont fait l'objet de tant d'hypothèses contradictoires depuis un siècle que toute approche « historique » exige des précautions rigoureuses mais n'en suppose pas moins un choix parmi les multiples propositions déjà formulées. Quant au point de vue herméneutique, on a la chance de posséder à leur sujet plusieurs interprétations anciennes, juives d'un côté, chrétiennes de l'autre, qui diffèrent autant les unes des autres que les hypothèses énoncées par les critiques. En tâchant d'expliquer d'abord leur texte *prout sonat*, en fonction des circonstances dans lesquelles il a été composé, puis en confrontant le résultat de cette première étude avec les « lectures » juive et chrétienne, on voit aussitôt surgir un problème de fond : Dans quelle mesure une telle diversité d'interprétations peut-elle se réclamer du texte lui-même, pour autant qu'on puisse en déterminer de façon sûre la fonction et le sens originaires ? Dans quelle mesure provient-elle au contraire de facteurs extra-textuels qu'il faut cerner pour comprendre les procédures de l'herméneutique elle-même ?

L'étude entreprise ici comprendra trois parties : I. Une proposition de lecture « historique » aussi rigoureuse que possible : c'est alors que j'opérerai mon choix « critique ». II. Une enquête sur les interprétations anciennes du texte : celle qui est représentée par la version grecque du livre d'Isaïe ; celle qu'on peut déceler à travers les allusions de quelques textes juifs pré-chrétiens ; celle qui filtre à travers les citations et allusions du Nouveau Testament ; celle qu'atteste le Targoum araméen d'Isaïe, appuyé latéralement par quelques textes rabbiniques. III. Une réflexion sur les principes et les procédés pratiques mis en œuvre pour fonder ces interprétations, afin de comprendre pourquoi il existe une telle faille entre elles et la lecture « historique ». Les auteurs chrétiens de l'époque patristique et médiévale pourront être laissés de côté, car leur exégèse dépend entièrement de celle du Nouveau Testament sur laquelle elle brode des variations de détail. Les auteurs juifs postérieurs au Targoum et à l'époque des *Amora'îm* ne font pareillement que reprendre les exégèses devenues traditionnelles. La tension entre les exégèses chrétienne et juive reflète le plus souvent celle de deux apologétiques qui cherchaient à montrer la cohérence de leurs croyances respectives avec les Écritures auxquelles elles se référaient. En cours de route, les questions de méthode retiendront mon attention dans l'analyse des textes traduits ou utilisés, car elles prépareront les conclusions de mon enquête. L'une des difficultés de celle-ci provient de la nécessité de « faire bref », pour parcourir l'ensemble du dossier sans accabler le lecteur par un déploiement excessif d'érudition. Le genre que j'adopte est grevé par cette hypothèque. Autrement, il faudrait accorder à l'enquête un nombre considérable de pages, alourdies par de longues notes bibliographiques ou justificatives. Mais personne ne me lirait plus ! Peut-être même ai-je dépassé parfois la mesure qui conviendrait pour ne pas lasser mes lecteurs, mais j'espère qu'ils me le pardonneront.

PREMIÈRE PARTIE

ENQUÊTE CRITIQUE

Chap. I. ESSAI DE LECTURE HISTORIQUE

CHAPITRE PREMIER

ESSAI DE LECTURE HISTORIQUE

La lecture traditionnelle du livre d'Isaïe ne dissociait pas les Poèmes du Serviteur de leur contexte littéraire. A partir du moment où la critique eut reconnu l'originalité du Second Isaïe et sa composition vers la fin de l'Exil, la question de sa composition se trouva ouvertement posée. Dans ce cadre, la mise à part des Poèmes fut effectuée par B. Duhm dans son commentaire du livre[1] (1re édition en 1892 ; rééditions en 1901, 1914, 1922). Depuis lors, les études de ces textes se sont multipliées. Tout y est devenu objet de discussion : Faut-il séparer les Poèmes de leur contexte actuel en y voyant des morceaux indépendants, comme l'a fait Duhm, ou au contraire les y rattacher et les expliquer en fonction de lui ? Si on les y rattache, comment se fait-il qu'ils ont entre eux des affinités remarquables ? Mais si on les en sépare, quelles sont leurs limites exactes ? Ont-ils tous été écrits par le même auteur, qui pourrait être le Second Isaïe, ou bien faut-il y distinguer des couches rédactionnelles différentes, dues à l'éditeur du livre ou à des scribes plus tardifs ? Les quatre textes qu'on propose de mettre à part concernent-ils le même personnage qui porterait le titre énigmatique de « Serviteur de YHWH » ? ou bien faut-il envisager que ce titre, assez général, s'applique à des personnages différents, de sorte que les quatre textes n'ont pas tous le même objet ? Si on admet que le « Serviteur » est le

---

1. B. DUHM, *Das Buch Jesaia,* Göttingen Handkommentar zum Alten Testament, III/1, Göttingen 1892. J'utilise ici la 4e édition de 1922, reproduction pure et simple de la 3e.

même partout, ne faut-il pas au moins mettre à part le texte
autobiographique d'Is 50,4-9, qui pourrait se rapporter au
prophète auquel on doit l'ensemble du livre ? Ce « Serviteur de
YHWH » désigne-t-il un personnage individuel, ou bien faut-il
y voir la personnification d'une communauté ? Dans ce dernier
cas, de quelle communauté s'agit-il : Israël pris en bloc, ou
bien le « Reste des justes » qui jouerait un rôle particulier dans
le salut de la nation ? S'il s'agit d'un personnage individuel,
faut-il le placer dans le passé, le présent ou l'avenir ? Dans ce
dernier cas, est-ce un personnage concret dont le prophète
tracerait en quelque sorte le portrait anticipé, ou bien une figure
idéale qu'il évoque d'une façon purement symbolique ? Toutes
ces hypothèses ont été soutenues : on peut s'en rendre compte
en parcourant les bibliographies qui figurent dans les études
critiques sérieuses et les Manuels, par exemple le commentaire
très fouillé que Chr. R. North avait consacré aux Poèmes
([2]1956), le commentaire du Second Isaïe de P.-E. Bonnard
(1972), la notice de L. Monloubou dans l'*Introduction critique
à l'Ancien Testament* (1973), le livre de J. Coppens sur *La
relève prophétique du messianisme royal* (1974), — pour s'en
tenir aux ouvrages de langue française [2]. Mais cette bibliographie s'accroît d'année en année : on ose à peine s'aventurer sur
un terrain aussi miné où les hypothèses contraires s'affrontent,
apparemment avec de bons arguments. Cette situation me
dispensera d'en établir l'inventaire complet : il y faudrait un
livre. J'irai donc droit au but en exposant la lecture « historique » qui me semble la plus juste.

Son point de départ me sera fourni par un article important
de H. Cazelles, publié en 1955 [3]. Acceptant l'hypothèse
classique qui tient pour l'unité d'inspiration et d'auteur des

---

2. Chr. R. NORTH, *The Suffering Servant in Deutero-Isaiah : An
Historical and Critical Study*[2], Londres 1956. — P.-E.BONNARD, *Le Second
Isaïe, son disciple et leurs éditeurs (Isaïe 40-55)*, Études bibliques, Paris
1972, p. 37s. — L. MONLOUBOU, « Les livres prophétiques postérieurs »,
dans *Introduction critique à l'Ancien Testament*, sous la direction de
H. Cazelles, Tournai-Paris 1973, pp. 434-439. — J. COPPENS, *Le messianisme et sa relève prophétique : Les anticipations prophétiques, leur
accomplissement en Jésus*, Gembloux 1974. (La bibliographie, qu'on peut
regarder comme exhaustive à cette date, est dispersée dans les notes des pp.
41-113.)

3. H. CAZELLES, « Les Poèmes du Serviteur : Leur place, leur structure,
leur théologie », *Recherches de Science Religieuse* 43 (1955), pp. 5-51.

quatre passages, quitte à discuter l'origine de tel ou tel verset,
H. Cazelles soulignait la relation des Poèmes avec le contexte
où l'éditeur du livre les a enchâssés : « Si leur début rompt
toujours le développement, ils s'achèvent au contraire dans une
liaison si étroite avec le contexte subséquent que l'on ne peut
guère déterminer leur fin sans recourir à un procédé indirect : il
faut chercher où reprend le développement qu'ils ont interrompu. Ils sont donc étroitement liés à leur contexte par la
place, le vocabulaire et les idées, et cependant ils paraissent y
avoir été interpolés [4]. » Au terme d'une analyse soigneuse,
H. Cazelles estimait donc pouvoir reconnaître trois morceaux
primitifs, dont le dernier aurait été disloqué par l'éditeur :

> Poème A : Ire Partie, 42,1-4 ; IIe Partie, 42,5-7.
> Poème B : Ire Partie, 49,1-4 ; IIe Partie, 49,5-9a.
> Poème C : Ire Partie, 50,4-9a + 52,13 — 53,7a ; IIe Partie,
>   53,7b-12.

Dans cette hypothèse de lecture, le texte de 50,10-11 était
regardé comme une addition secondaire. Quand à l'identification du Serviteur, H. Cazelles proposait d'y reconnaître un
« nouveau David » grâce auquel se réaliseraient « l'alliance
éternelle, les faveurs à David maintenues » (Is 55, 3b). Cette
dernière remarque invitait à rapprocher des Poèmes le court
passage qui figure vers la fin du recueil : Is 55,3-5. Ces mêmes
vues ont été reprises dans un livre récent du même auteur sur
Le Messie de la Bible (1978)[5]. C'est en partant de là, mais
sans me lier à toutes les options critiques proposées dans
l'article de 1955 et dans le livre de 1978, que je testerai à mon
tour ces textes qui livrent si difficilement leur secret. Ne
pouvant en entreprendre un commentaire détaillé dans un
espace restreint, je formulerai seulement ma proposition de
lecture « historique », étroitement liée aux circonstances dans
lesquelles les Poèmes ont été composés. Elle sera accompagnée
d'une traduction. Après avoir énoncé quelques principes

---

4. *Ibid.*, p. 18 : Cette hypothèse générale est acceptée par C. STUHL-
MUELLER, « Deutero-Isaiah (chap. 40-55) : Major Transitions in the
Prophet's Theology and Contemporary Scholarship », *CBQ* 42 (1980),
pp. 21-24.

5. H. CAZELLES, *Le Messie de la Bible,* coll. « Jésus et Jésus Christ »,
Tournai-Paris 1978, pp. 141-148.

d'orientation qui commandent ma propre recherche, j'analyse-
rai les textes pour voir si mon hypothèse de lecture est
cohérente et éclairante. J'aborderai alors la question la plus
débattue : celle de l'identification du Serviteur, étroitement liée
au principe de la lecture « historique » auquel je suis fermement
attaché.

I. PRINCIPES D'ORIENTATION

Je retiens ici quelques questions générales sur lesquelles
toute étude critique doit prendre position : Tous les Poèmes se
rapportent-ils au même objet ? Concernent-ils un personnage de
l'avenir ou un contemporain de l'auteur ? Quel est le nombre
des Poèmes indépendants ? Aucune certitude sur ces trois points
ne peut être acquise sans une analyse des textes, mais l'analyse
elle-même est orientée par des principes fondamentaux qui en
conditionnent plus ou moins les résultats.

1. Y a-t-il unité d'objet entre les Poèmes ?

Je reviendrai plus loin sur la délimitation exacte des Poèmes.
Quelle qu'elle soit, on ne peut pas poser en principe qu'ils
concernent tous le même personnage, uniformément qualifié de
« Serviteur de YHWH ». Voici deux exemples pris dans la
bibliographie récente. J. Coppens, qui identifie le « Serviteur-
Israël » (49,3) avec les « les exilés babyloniens régénérés par
les épreuves de captivité [6] », mais qui n'en fait pas moins de lui
une figure symbolique où dominent les traits mosaïco-
prophétiques [7], tient Is 50,4-9a pour une confidence autobiographique de l'auteur des poèmes deutéro-isaïens [8]. P.-E.
Bonnard croit reconnaître Cyrus dans Is 42,1-9 ; mais il
applique 49,1-6 à Israël, comme d'ailleurs 49,7-13 ; par contre,
50,4-11 lui paraît autobiographique, tandis que 52,13 — 53,12
reviendrait au thème du Serviteur-Israël [9]. D'autres critiques
vont plus loin : ils soupçonnent la présence d'additions et de

---

6. J. COPPENS, *Le messianisme et sa relève prophétique*, p. 79.

7. *Ibid.*, p. 111.

8. *Ibid.*, p. 50.

9. P.-E. BONNARD, *Le Second Isaïe*, pp. 43-45 (et commentaire du texte,
in loco).

gloses, là où les textes présentent des parallèles d'expression [10] (49,6 serait une surcharge, empruntée secondairement à 42,6-7) ou des morceaux qui semblent détonner [11] (cas de 50,10-11).

A mon avis, aucune de ces dislocations ne s'impose. Le montage final du *Message de consolation* (Is 40 — 55) a juxtaposé des morceaux de genres divers sans les regrouper rigoureusement par sujets ni respecter pleinement leur ordre chronologique [12]. Mais la dispersion des Poèmes en plusieurs endroits du recueil laisse subsister entre eux des affinités qui ne sont pas fortuites.

a) Le fait qu'ils aient été insérés dans des contextes où ils interrompent le fil du discours, comme l'a montré H. Cazelles, suggère déjà qu'ils peuvent provenir d'un groupe de textes qui a été disloqué secondairement : 42,1-7 sépare 41,29 de 42,8-9, qui en est la suite ; 49,1-9*a* s'insère entre 48,21 et 49,9*b*-12, par-dessus 48,22 où tous les commentateurs s'entendent pour reconnaître une glose ; 50,4-9*a* sépare 50,3 de 50,9*b*, qui en est la suite logique ; par contre, 50,10-11, où le Serviteur est mentionné explicitement, est intercalé entre 50,9*b*,qui est une fin de poème et 50,12 qui est le début d'un autre ; quant à 52,13 — 53,12, c'est un long morceau qui prend place dans une finale particulièrement complexe, car 52,11-12 paraît se poursuivre en 55,12-13 après l'insertion du Poème du Serviteur souffrant (52,12 — 53,12), de l'apostrophe à Jérusalem (54,1-17) et de plusieurs pièces de moindre longueur (réunies dans 55,1-11). Ce mode d'assemblage provient du travail rédactionnel de l'éditeur final : il ne préjuge pas de l'origine des textes particuliers.

---

10. K. ELLIGER, *Deutero-Jesaja* (40,1 — 45,7), BKAT 11/1, Neukirchen 1978, sépare 42,1-4 de 42,5-9, où il voit un *Kyroslied* dont le héros diffère de celui du premier Poème. Mais la séquence 41,29... 42,8 n'est pas reconnue.

11. Dans son article de 1955, H. Cazelles regarde 50,10-11 comme une addition qu'il élimine des Poèmes.

12. Je ne puis vous renvoyer ici aux commentaires du livre. A titre indicatif, j'ai consulté ceux de B. Duhm (éd. de 1922), P. Volz (1932), Aa. Bentzen (1943), S. Smith (Schweich Lectures 1940, publié en 1944), Chr. R. North (1964), C. Westermann (ATD 1966), J.L. McKenzie (Anchor Bible 1968), P.-E. Bonnard (1972), K. Elliger (1978). Le moins qu'on puisse dire est que l'unanimité ne règne pas entre les critiques pour l'analyse littéraire du livre et l'appréciation du genre de ses morceaux composants.

b) Les doutes énoncés à propos de l'origine de certains versets n'emportent pas la conviction. Il est arbitraire d'attribuer au rédacteur final la « glose » de 49,6 parce que ce verset recoupe 42,6-7 : le contact montre plutôt que les deux passages concernent bien le même personnage. Il est pareillement gratuit de regarder 50,10-11 comme une « glose sapientielle » : le morceau qui précède (50,4-9*a*) ne mentionne justement pas le Serviteur, que cette glose inviterait après coup à écouter. Inversement, la glose prétendue montre que 50,4-9*a* concerne bien le Serviteur lui-même, en dépit de la tonalité particulière du morceau. Ce passage autobiographique possède effectivement un précédent moins accentué dans 49,4, où le Serviteur fait déjà allusion aux difficultés que rencontre l'accomplissement de sa mission. En général, l'hypothèse de la glose ou de l'addition devrait être réservée aux cas désespérés où tout autre explication s'avère impossible.

c) Si l'on regarde tous les Poèmes comme provenant de la même source, on observe de l'un à l'autre le développement d'une situation dont on peut presque suivre les étapes. Après la présentation sans ombre de la mission du Serviteur (42,1-7), on trouve une réitération de cette mission dans une atmosphère déjà troublée (49,1-6 suivi de 49,7), puis une situation franchement dégradée où le Serviteur se heurte à des ennemis qui l'attaquent ouvertement (50,4-9a suivi de 50,10-11), et enfin l'évocation d'une destinée tragique dont le prophète parle au passé (52,13 — 53,12). Toutes ces remarques permettent d'envisager comme une hypothèse de travail raisonnable l'unité globale des pièces actuellement dispersées en quatre endroits du livre.

2. *Les Poèmes concernent-ils un personnage de l'avenir ou un contemporain ?*

La question présente touche déjà au problème de l'identification du Serviteur : il est impossible de la trancher avant l'analyse précise des textes. Mais elle touche aussi à un problème plus général qui reparaît constamment dans les textes prophétiques. Quand il s'agit d'oracles tournés vers l'avenir, on discute à perte de vue pour savoir s'il faut leur appliquer une clef de lecture « historique » *ou* « eschatologique ». Or, à l'époque des grands prophètes d'action profondément engagés dans la vie sociale de leur temps, ce dilemme résulte d'une question mal posée. Tout oracle de promesse ouvre évidemment l'avenir en tant qu'il est l'« Avenir de Dieu », si bien que le *terme* de son dessein et la réalisation *plénière* de ce à quoi il s'engage en constitue nécessairement l'horizon. Mais l'oracle se réfère d'abord aux circonstances concrètes du temps où le prophète remplit sa mission : c'est par là que la parole de celui-ci possède une valeur d'*actualité* perceptible par ses auditeurs directs. Après coup, les relectures du texte le projetteront dans un futur indéterminé pour sauvegarder sa valeur, au-delà d'un présent qui n'en a pas épuisé le sens puisqu'il ne l'a pas entièrement « accompli ».

Prenons quelques exemples pour fixer les idées. L'oracle royal d'Is 9,1-6 fut vraisemblablement lié aux circonstances historiques [13] où le jeune Ézéchias fut associé au trône, vers 728 ; mais cela n'empêche pas qu'il ait été relu ensuite comme porteur permanent de promesse pour la dynastie davidique, puis reporté sur le roi idéal de l'avenir après la chute de la monarchie : ce processus montre le passage de la lecture « historique » à la lecture « eschatologique » — dans la mesure où le mot « eschatologie » représente exactement l'idée du « terme » des temps, que vise l'attente d'Israël. On peut en dire autant d'Is 11,1-9 : cet oracle ne fut pas nécessairement lié à la réaction d'Isaïe contre la politique d'Ézéchias pour lui opposer le portrait du roi parfait [14], mais il put représenter, au contraire, l'espérance ouverte par sa prise de pouvoir après la mort d'Achaz. Chez Jérémie, il est vraisemblable que l'oracle relatif à l'alliance nouvelle (31,31-34) fut primitivement lié au renouvellement de l'alliance effectué par Josias, avant d'être transféré dans un avenir indéterminé après la ruine de Jérusalem (cf. l'addition du v. 31 : « ...et de la maison de Juda »). Il est également probable que l'avènement de Sédécias, auquel Jérémie semble avoir été attaché comme prophète

---

13. H. CAZELLES, *Le Messie de la Bible,* pp. 97s.

14. *Ibid.,* pp. 103s. : l'oracle d'Isaïe serait postérieur à l'humiliation de la dynastie davidique qu'entraîna la politique d'Ézéchias. Mais il me semble que l'oracle trace autant un programme de gouvernement qu'il ne décrit une figure d'avenir. C'est pourquoi je le rapporterais volontiers au début du règne d'Ézéchias. On sait que cette époque fut marquée par un essai de réforme qu'appuya le prophète Michée (cf. Jr 26,17-19). On pourrait rapporter aux mêmes circonstances l'oracle royal d'Is 32,1-5.

officiel, lui inspira l'oracle relatif au « Germe juste » dont le nom sera « Yʜᴡʜ-est-notre-justice » (Jr 23,8-9) [15], le nom de Sédécias signifiant « Yʜᴡʜ-est-ma-justice ». Mais on ne s'étonne guère de voir Zacharie l'invoquer implicitement au moment où l'espoir de restauration dynastique se fait jour avec Zorobabel (Za 4,8 ; cf. 6,12).

Cette attention au présent pour le montrer tourné vers l'avenir dans une espérance constamment renouvelée, est une des lois qui caractérisent les promesses prophétiques. Dès lors, il est tout indiqué de se demander, non seulement dans quel contexte général les Poèmes du Serviteur ont été composés, mais aussi à quelles circonstances particulières chacun d'eux s'accroche concrètement. La finalité de l'espérance traduite par les textes, première forme de ce qui deviendra plus tard l'eschatologie, est inscrite ainsi au cœur de l'histoire elle-même : pourquoi le Serviteur serait-il donc une pure figure d'avenir, la représentation imaginaire d'un médiateur de salut réservé pour des temps lointains, et non un personnage réel inséré dans l'expérience présente où le dessein de Dieu se dévoile en se déroulant par étapes ? Ce n'est pas là une conception exacte de la prophétie. Il est donc tout indiqué de chercher, par principe, à faire une lecture « historique » des Poèmes, avant de les expliquer dans une perspective « eschatologique » (pour autant que ce terme soit bien choisi au temps de leur composition). Personnification d'une collectivité ou personnage individuel : cette question mérite en effet d'être posée. Mais en tout cas, le Serviteur est un acteur de l'histoire *au*

---

15. Il y a deux éditions de cet oracle : Jr 23,5-6 et 33,15-16. Mais la seconde est certainement postérieure à la ruine de Jérusalem (cf. H. Cazelles, *Le Messie de la Bible*, pp. 117-119). Elle enchâsse l'oracle primitif dans un petit ensemble (33,14-26) qui lie à la restauration de la royauté davidique celle des institutions cultuelles et du sacerdoce lévitique, en reprenant le thème de Jr 31,35-36. L'horizon est celui de la fin de l'exil, qui n'est pas encore un fait d'actualité (33,26c). Il s'agit donc d'une addition due à un éditeur du livre. Quant à la première édition de l'oracle, je ne pense pas qu'elle soit dirigée *contre* Sédécias. On sait que celui-ci portait le nom de Mattanyah, quand Nabuchodonosor fit de lui le roi de Juda après la soumission de Yôyakin (2 R 24,17) : c'est le suzerain babylonien qui lui imposa le nom de Ṣidqiyahû. Jérémie, me semble-t-il, réagit à cet événement qui montre la vassalité du roi de Juda en reprenant le thème attaché à son nouveau nom dans un oracle qui envisage l'avenir de la dynastie davidique et du *peuple* d'Israël : Yʜᴡʜ est *notre* justice.

présent, si la littéralité des textes qui le concerne oriente effectivement l'esprit vers le présent.

3. *Combien y a-t-il de Poèmes du Serviteur ?*

Voici encore une question très discutée. Pour la résoudre, il importe de distinguer le « montage » final du *Message de consolation,* le travail rédactionnel qui a pu intervenir entre la composition des pièces qui le composent et ce « montage » lui-même, et finalement l'origine des morceaux particuliers. Le montage final et le travail rédactionnel sont des opérations réalisées — par le prophète lui-même ou bien par un disciple proche de lui — sur des textes déjà mis en écrit. Mais la composition originelle, sans doute mémorisée avant d'être écrite, a dû donner lieu à des textes *oraux* prononcés devant un public déterminé, adaptés par leurs formes aux fonctions qu'ils avaient à remplir. L'immense majorité des pièces recueillies dans le *Message de consolation* est dans le même cas [16] : pourquoi les Poèmes feraient-il exception ? Le fait qu'ils figurent en quatre endroits du recueil (ou même cinq, si l'on tient compte de 55,3-5) résulte de l'agencement final du livre : il laisse donc intacte la question du nombre des Poèmes, dont la composition s'est sûrement étagée dans le temps. H. Cazelles, on l'a vu, mettait en question l'agencement final en rattachant le troisième Poème (50,4-9*a*) au suivant (52,13ss.) pour en faire une pièce unique en deux Parties [17], tandis qu'il attribuait

---

16. Les commentateurs ne sont pas d'accord pour délimiter les morceaux recueillis dans le livre. Je suis ici les principes posés par O. EISSFELDT, *Einleitung in das Alte Testament*[3], Tübingen 1964, pp. 455-457, pour en identifier les « petites unités ». Mais je ne le suis plus du tout, quand il estime que l'art de l'auteur suppose un public de lecteurs et non d'auditeurs (p. 457), à la différence des prophètes pré-exiliens : oracles courts, pièces lyriques et discours plus amples gardent l'allure *oratoire* qui convient aux prédicateurs. Je me sépare aussi des critiques qui retrouvent dans le livre des ensembles assez vastes, soigneusement composés. Par exemple, pour les seuls Poèmes du Serviteur, P.-E. Bonnard estime que 42,1-9 entre dans l'ensemble constitué par 41,21 — 42,27 ; 49,1-9 se rattacherait à l'ensemble formé par 49,1-26 ; 50,4-11 ferait corps avec 50,1-3 ; seul 52,13 — 53,12 serait un poème complet. Ces assemblages me paraissent au contraire relever du travail rédactionnel qui a donné au recueil sa forme finale, de même que l'unité apparente de Jr 2 — 6 ou Jr 30 — 31 est attribuable au travail d'édition (commencé dès le rouleau de 605-604, cf. Jr 36).

17. Voir le résultat donné dans la traduction du texte, *RSR* 1955, pp. 52-55.

à un travail rédactionnel plus tardif le court texte de 50,10-11. Il me semble au contraire que les trois morceaux bien structurés qu'il nommait Poème A, B et C, portent la marque du travail d'édition qui les a réunis.

Plutôt qu'à de vastes compositions logiquement enchaînées, ne vaut-il pas mieux songer à des textes courts qui seraient bien dans le style des anciens « prophètes d'action » : oracles, discours, exhortations, etc.? A moins qu'il ne s'agisse de déclarations autobiographiques — dont il faudra expliquer la présence dans le recueil. Pour distinguer ces morceaux séparés, il ne faut pas se laisser guider seulement par leur contenu, mais surtout par les indices littéraires qui signalent leurs débuts et différencient leurs genres : appels initiaux qui introduisent des poèmes nouveaux (« Ainsi parle YHWH... ») et qui peuvent correspondre à des formes identifiables (« Écoutez... ») ; changements de locuteurs ou d'interlocuteurs (discours en « Je » ou en « Nous », adresses en « Vous », passages à la 3e personne) ; changements de sujets abordés et tonalités différentes... C'est à partir des observations de ce genre, ou mieux de leurs recoupements, qu'il me paraît possible de distinguer une dizaine de Poèmes. Mais l'analyse seule pourra justifier cette façon de voir.

II. ANALYSE DES TEXTES

Voici, en bref, l'analyse générale que je propose :

A. 1. Discours du prophète : présentation du Serviteur (42,1-4).
   2. Discours du prophète : oracle adressé au Serviteur (42,5-7).
B. 3. Discours du Serviteur (49,1-6), divisé en trois sections.
   4. Oracle d'encouragement adressé au Serviteur (49,7).
   5. Oracle sur la mission du Serviteur (49,8-9).
C. 6. Discours autobiographique du Serviteur persécuté (50,4-9a).
   7. Exhortation à écouter le Serviteur (50,10-11).
D. 8. Discours sur la souffrance du Serviteur (52,13-15 + 53,11b-12).
   9. Discours en « nous » sur le même thème (53,1-11a).

E. 10. Le Serviteur, dépositaire de l'espérance nationale
(55,3-5).

Je présenterai les pièces dans l'ordre où elles ont été recueillies,
bien que celui-ci ne corresponde pas nécessairement à leur
ordre chronologique. Leur traduction n'est donnée que pour
faciliter la lecture de leur présentation. La place manque pour
justifier en détail les options critiques qu'elle suppose, quand le
texte hébreu présente des difficultés que tous les exégètes
connaissent bien. Le style adopté vise à la concision et à
l'économie des mots ; mais il cherche aussi à faire apparaître
les rapports entre des propositions que l'hébreu se contente de
coordonner à l'aide de la conjonction *w-* : tel est le sens du
recours éventuel à des participes français, là où l'hébreu
présente des verbes à un mode personnel. C'est une option dans
la façon de rendre le texte : la littéralité matérielle n'est pas
toujours le meilleur moyen d'en faire sentir les corrélations
internes [18]. Par contre, il faut se garder de manipuler les formes
verbales en projetant dans le futur ce qui est « accompli ».

A) **Première série** (42,1-7)

Ce petit ensemble juxtapose deux textes distincts : 1. un
discours adressé par le prophète, au nom de Dieu, à des
interlocuteurs dont la qualité n'est pas précisée ; il y est
question du Serviteur à la 3ᵉ personne ; 2. un oracle adressé au
Serviteur lui-même (adresse en « tu »).

1. *Discours présentant le Serviteur* (42,1-4)

Ce discours présente le Serviteur aux interlocuteurs du
prophète. Le début abrupt (« Voici mon Serviteur... ») paraît
supposer une ouverture qui n'a pas été conservée, exactement
comme en 52,13 (formules parallèles : *hēn* et *hinnēh*). Il
pourrait s'agir de la formule ordinaire : « Ainsi parle YHWH »

---

18. Cette option est discutable — comme toutes les options. Pour faciliter
la comparaison entre le texte hébreu et les versions grecque ou araméenne, il
vaudrait mieux recourir à un littéralisme strict où les expressions hébraïques
seraient décalquées. Mais on peut rêver de rendre une traduction lisible et
d'imiter, si possible, la concision de l'hébreu.

(cf. 43,1.14.16 ; 44,2.6.24, etc.). L'omission peut être imputée au travail rédactionnel de présentation finale. La place choisie pour insérer ce texte, qui sépare 41,29 et 42,8, s'explique par la tonalité générale des morceaux qui le précèdent. La mention du Serviteur-Israël en 41,8-9 a pu appeler la présentation du Serviteur en 42,1, et la proximité du discours sur la victoire de Cyrus (41,25-29 + 42,8-9) fait penser que les événements de 539/38 — prise de Babylone et décret libérateur des Juifs — sont encore tout récents. Il n'y a cependant pas de raison déterminante qui oblige à identifier le Serviteur soit à la collectivité israélite, soit à Cyrus. Au contraire, le fait de la présentation du personnage en public (« *Voici* mon Serviteur... ») par le prophète parlant au nom de Dieu (« Voici *mon* Serviteur... ») fait penser à une réunion où le prophète, s'adressant au même auditoire que dans les discours précédents, intervient pour accréditer la mission d'un nouveau-venu. Rien n'indique que la réunion doive être située en Babylonie. Une multitude d'indices épars dans tout le livre montre que le prophète est en Judée ou à Jérusalem [19] : c'est de là qu'il envisage les problèmes du retour. Quant à la mission du

---

19. Les critiques placent généralement en Babylonie « le grand inconnu de l'Exil » ; cf. L. MONLOUBOU, dans H. CAZELLES, *Introduction critique à l'Ancien Testament*, Tournai-Paris 1973, p. 430, qui reprend l'hypothèse de G. von Rad : le prophète aurait prêché « durant les cultes populaires de lamentation organisés par les exilés » (*Théologie de l'A.T.*, trad. fr., t. 2, p. 409, note 4 de la p. 408). Mais n'y avait-il aucune réunion de ce genre dans les populations restées sur place ? Le recueil des *Lamentations* n'en provient-il pas ? Ne faut-il pas y placer aussi l'édition de Jérémie et la suite du travail effectué autour du Deutéronome, qui restait la « loi du Temple » en ruines ? Les chap. 50,1 — 51,58 de Jérémie, qui ont des affinités avec le Second Isaïe, ne voient-ils pas la chute de Babylone d'aussi loin que lui ? La connaissance des institutions babyloniennes dans le *Message de consolation* reste sommaire : une allusion à la procession cultuelle du Nouvel-An (Is 46,1-2, avec une réminiscence possible dans la mise en scène d'Is 40,3-5) ; une allusion aux pratiques d'incantation et d'astrologie (47,2-13) ; l'emploi du terme technique désignant les préfets (*sāgan = šaknu*, Is 41,25, mais aussi Jr 51,23.28.57). Un homme de Jérusalem pouvait connaître tout cela, car les relations avec l'ancienne métropole n'étaient pas rompues. Les allusions à Cyrus ne dépassent pas ce qu'un Judéen pouvait connaître par la rumeur publique — ou par des nouvelles venues de « là-bas ». Bref, je ne vois aucune raison de placer le prophète parmi les exilés. Des apostrophes directes à Jérusalem ou à Sion (40,2.9 ; 41,27 ; 44,26.28 ; 46,13 ; 49,14 ; 51,3.11.16 ; 52,1.2.7.8.9. ; 54,1-17) montrent au contraire qu'il est sur place.

Serviteur, le discours divin prononcé par le prophète en évoque l'origine dans le passé (v. 1*bc*) et l'exécution dans l'avenir (vv. 1*d* à 4*c*). Le « soutien » garanti par Dieu peut s'entendre au présent et au futur (« je le soutiens » ou « je le soutiendrai ») :

> [1] Voici mon Serviteur : je le soutiens ; mon Élu : mon âme s'est complue [en lui].
> J'ai mis mon Esprit sur lui. Il exposera le droit aux nations.
> [2] Sans crier ni hausser le ton, sans faire entendre sa voix au dehors,
> [3] sans briser le roseau fléchi ni éteindre la mèche faiblissante,
> il exposera le droit fidèlement, [4] ne faiblira pas et ne fléchira pas,
> jusqu'à ce qu'il applique le droit dans le pays et que les îles attendent sa loi.

Notes critiques. — V. 1*b* : « en lui » n'est pas répété dans l'hébreu car le même mot (*bô*) servait de complément au verbe précédent. — Vv. 1*d* et 3*c* : je traduis le verbe *yôṣi'* par « exposer » (litt. « faire sortir ». « faire paraître ». « produire » au sens juridique, comme dans Ps 37,6). — Vv. 2 et 3*ab* : tous les verbes sont à l'inaccompli et visent des actions à venir, parallèles à l'exposition du droit. — Vv. 1*d* et 4*b* : *mišpāṭ* ne désigne pas ici le « jugement », mais le « droit » issu de Dieu lui-même, comme en Is 40, 27 et 51,4 ; il s'agit du droit qui redresse les torts et rétablit l'ordre divin des choses (cf. H. Cazelles, *Le Messie de la Bible*, p. 142). — V. 4*b* : je traduis *yāśîm* par « appliquer » plutôt que par « établir » ; il s'agit d'une activité pratique qui fait passer dans les faits la publication (*yôṣi'*) du droit. On notera qu'au v. 1*d*, 1QSIs[a] a lu : « il exposera son droit ». — V. 4*c* : le parallèle du droit et de la loi (*tôrah*) assure le sens juridique des deux mots, comme dans 51,4 où il s'agit plus clairement encore de la loi de Dieu et du droit qui est « la lumière des peuples » (en 51,5, les « îles » espèrent en Dieu et sont tendues vers son « bras », avec le même verbe qu'en 42,4*d*).

La qualité de *Serviteur* de Dieu s'applique aussi bien à un prophète (cf. 1 R 18,36 ; Am 3,7 ; Jr 7,25, etc.) qu'à Moïse (Ex 14,31 ; Dt 34,5) et à des chefs politiques (Jos 24,29) comme le roi David (2 Sm 7,8 ; 1 R 8,24s. ; Jr 33,26). Celle d'*Élu* a un champ d'application aussi vaste ; mais le vocabulaire technique de l'élection, appliqué au peuple d'Israël (Dt 7,6-7, etc.), aux lévites (Dt 18,5 ; 21,5, etc.), à David (1 Sm 16,8-10 ; Ps 89,20), à Moïse (Ps 106,23), à la ville de Jérusalem (Ps 132,13s.)…, ne concerne jamais les prophètes d'une façon directe. Dans le Second Isaïe, le titre vise fréquemment le peuple d'Israël, pris collectivement (Is 41,8-9 ; 43,10.20 ; 44,2 ; 45,4 ; 48,10)) ; mais cet Élu est un Serviteur aveugle et sourd (42,18-19), à la différence de celui d'Is 42,1-4. Le don de l'Esprit (42,1c) permet-il davantage de préciser sa fonction ? Si on se fie aux parallèles de l'histoire deutéronomique et des recueils prophétiques, il s'applique aussi bien aux prophètes (1 R 18,12 ; Ez 3,12.14 ; cf. Jl 3,1-2) qu'aux chefs de guerre (Jg 3,10 ; 6,34 ; 11,6.29 ; 1 Sm 11,6) et aux rois (1 Sm 10,1 ; 16,13), en attendant le descendant idéal de David (Is 11,2). Ce trait n'est donc pas déterminant. C'est la définition de la mission reçue qui permet seule de savoir si le Serviteur-Élu a une fonction d'ordre prophétique ou politique.

L'attitude décrite dans le v. 2 contredit l'image classique du prophète, crieur public de Dieu. La mansuétude à l'égard des faibles, évoqués à l'aide des images du roseau fléchi et de la mèche faiblissante (v. 3ab), contraste expressément avec la fermeté dans l'accomplissement de la tâche à accomplir (v. 4a) ; mais il s'agit bien plus d'une règle de comportement que d'un programme d'action. Reste l'exposition (ou la publication) du droit (vv. 1d et 3c) puis sa mise en application dans le pays, qui ne désigne pas ici la terre entière mais la terre sainte (v. 4b). L'opération se fera face aux nations et aux habitants des îles, c'est-à-dire des rives lointaines ; mais elle comportera deux étapes : d'abord l'application locale du droit, puis une attente de la loi du Serviteur jusque sur les rives lointaines. Le paysage s'élargit ainsi à la mesure de l'espérance d'Israël ; mais on ne saurait parler d'un universalisme qui mettrait toutes les nations sur un pied d'égalité dans le dessein de Dieu. Quant au droit et à la loi, ce sont ceux dont parle Is 51,4-5 en employant les mêmes termes :

> [4] Soyez attentifs à moi, ô mon peuple, et prêtez-moi l'oreille, ô ma nation !
> Car une Loi sortira de moi et je hâterai mon droit comme lumière des peuples.
> [5] Ma justice est proche, mon salut est sorti et mes bras jugeront les peuples.
> Les îles espéreront en moi et seront tendues vers mon bras.

Notes critiques. — Malgré la longueur du v. 4cd, il n'y a pas lieu de corriger le texte et de changer la place de l'accent ; *'argî$^{a°}$* = « hâter », verbe dérivé de *règa'*. — V. 5ab : on pourrait lier les deux dernières expressions et comprendre : «une fois mon salut sorti, mes bras jugeront les peuples». Mais la suite montre qu'il ne s'agit pas ici du jugement de condamnation : le verbe *šāfaṭ* désigne le gouvernement grâce auquel le droit (*mišpāṭ*) entrera en action.

L'affinité de vocabulaire entre ce texte et celui d'Is 42, 1*d*.4*bc* montre que le Serviteur est présenté en cet endroit comme l'artisan de l'œuvre divine qui introduira le salut de Dieu dans le monde. Il y a identité entre la loi du Serviteur de YHWH et celle de Dieu lui-même. Le droit qu'il exposera est le droit coutumier donné par lui à son peuple : c'est ce droit qui est capable d'illuminer tous les autres peuples. C'est pourquoi « les îles » l'attendent. La fonction ainsi décrite ressemble beaucoup à une mission socio-politique, mais on ne relève dans le texte aucun trait proprement royal. Le Serviteur n'est pas davantage présenté comme un législateur, un « nouveau Moïse », ni à plus forte raison comme un prêtre, spécialiste de la Tôrah : il devra seulement mettre la Tôrah et le droit en application dans le pays [20].

2. *Oracle adressé au Serviteur*

La présentation du Serviteur à la foule a pu avoir lieu au cours d'une cérémonie cultuelle dont la nature ne peut être déterminée. Ce cadre serait le meilleur pour expliquer ici la présence de l'oracle qui suit (42,5-7). Dans ce texte en « tu », le prophète mandate le Serviteur en vue d'une tâche déterminée, qui est étroitement liée à la fin de la captivité de Babylone :

> [5] Ainsi a parlé le Dieu YHWH
> qui crée les cieux et les déploie, étale la terre et ses fructifications,
> donne l'haleine à ceux qui l'occupent le souffle à ceux qui y marchent :

---

20. Je rejoins ici la position de H. CAZELLES, *Le Messie de la Bible*, p. 142. Je me sépare donc totalement de celle de P.-E. BONNARD, *Le Second Isaïe*, pp. 123-125, qui veut retrouver Cyrus derrière le Serviteur d'Is 42, 1-7. Son argument essentiel est celui du contexte antécédent (p. 123). Or, cet argument ne prend pas en considération l'activité rédactionnelle qui a assemblé avec subtilité des pièces primitivement indépendantes. En outre, on a alors un discours de «présentation» prononcé en l'absence de l'intéressé (42,1-4) et on ne comprend pas qu'un discours puisse lui être directement adressé (42,5-7).

[6] « Moi, Yʜwʜ, je t'ai appelé selon la justice et saisi par la main ;
je t'ai façonné et établi comme alliance du peuple, comme lumière des nations,
[7] pour ouvrir les yeux aveugles, faire sortir du cachot le prisonnier,
de la maison d'arrêt ceux qui habitent les ténèbres. »

Notes critiques. — V. 5*a*. « Dieu » ne traduit pas ici *'élôhîm*, mais *'ēl* avec l'article (cf. l'arabe *'allāh*). — V. 6. D'après le TM, les trois verbes « saisir », « façonner » (de *yāṣar* comme en 43,7, plutôt que de *nāṣar*, « garder »), « établir » (de *nātan*, « donner » = « placer »), sont à l'inaccompli précédé de *wᵉ*. Mais ils suivent un verbe au parfait (« je t'ai appelé ») et le verbe « façonner » n'a de sens que s'il se rapporte à un acte passé, concomitant avec la mission du Serviteur. Il suffit pour cela de lire avec les versions un *wa-* conversif, en gardant le consonantisme des trois verbes. — V. 6*c*. Je ne pense pas qu'on puisse donner à *bᵉrît* le sens de « Émancipation du peuple », en tablant sur la racine *brr* (D.R. Hillers, dans *JBL* 97 [1978], pp. 175-182). Je suis J.J. Stamm, dans *Probleme biblischer Theologie*, Munich 1971, pp. 510-524. — V. 6*d*. L'absence d'article dans la construction génitivale avant « peuple » et « nations » montre que la construction entière est indéterminée, non que le peuple et les nations le soient, surtout si l'on tient compte du style poétique qui allège la phraséologie.

L'expression « le Dieu Yʜwʜ » est exceptionnelle, mais les deux mots peuvent se lire en apposition ; quant à l'évocation de son acte créateur, elle constitue un thème courant dans le Second Isaïe (40,26 ; 43,24 ; 45,12.18 ; 48,13). Le livre insiste aussi constamment sur son intervention dans l'histoire : c'est à ce titre que le prophète énonce ici en son nom la vocation particulière du Serviteur qu'il vient de présenter. Elle a commencé dans le passé par un appel (v. 6*a*), puis par un geste d'investiture : saisir par la main (45,1, pour Cyrus ; sans préposition en 41,13, pour Israël personnifié). L'emploi du verbe « façonner » dans un contexte de vocation a un parallèle très précis en Jr 1,5, plus parlant ici que celui de Gn 2,7. L'essentiel est le but en vue duquel le destinataire de l'oracle a été ainsi créé par Dieu : c'est de devenir « alliance du peuple, lumière des nations » (v. 6*d*). Ce rôle ne convient aucunement à Cyrus [21], bien que celui-ci soit l'« Oint » de Yʜwʜ (45,1*a*)

---

21. La difficulté est ressentie par les critiques qui identifient le Serviteur d'Is 42,1-7 avec Cyrus : « Cyrus ne pourra pas être par lui-même l'alliance qui soudera l'humanité (*bᵉrît ʿam* = ''l'alliance de la multitude'' ?) et le flambeau qui éclairera les peuples ; il sera simplement le serviteur du

pour accomplir une tâche politique dont l'objectif final est la libération d'Israël (45,4 ; cf. 44,29). L'opposition entre les mots « peuple » et « nations » montre l'humanité partagée en deux : Israël est le seul peuple mis à part et lié au Dieu unique par une alliance (bᵉrît). La mission du Serviteur fait qu'il personnifie en quelque sorte cette alliance. En comprenant le verbe qui précède au sens propre de « donner » et non au sens métaphorique d'« établir », on aurait d'ailleurs une phrase excellente : « Je t'ai façonné (dans le sein maternel : cf. Jr 1,5) et *donné* comme alliance du peuple, comme lumière des nations. » Dieu a « donné » le Serviteur au peuple et aux nations pour qu'il remplisse à leur égard une double tâche : l'alliance pour les uns, l'illumination pour les autres. Rien ne dit que son rôle de « lumière des nations » soit à entendre comme s'il devait universaliser l'alliance elle-même. Dans le Second Isaïe, Israël est le témoin de Dieu devant les nations (43,12 ; 44,8) pour que celles-ci se tournent vers lui (45,14-15.22-24) ; mais c'est la vue du salut d'Israël qui doit les en persuader. La réussite future de la mission du Serviteur fera éclater aux yeux de tous cette œuvre divine dont la libération des déportés est le premier acte : Israël reste bien au centre de la perspective.

Faut-il entendre l'expression « alliance du peuple » comme si le Serviteur était un nouveau Moïse ? Je ne pense pas que ce soit le cas. Moïse n'est pas « alliance du peuple » et Dieu ne contracte même pas une alliance avec lui : en tant que médiateur, il proclame le dessein d'alliance de Dieu et effectue les rites qui le réalisent (cf. Ex 19,5 ; 24,4-8). La situation de David est, au total, plus proche de celle où le Serviteur va se trouver : Dieu « conclut une alliance pour David son élu », il « fait serment à David son serviteur » (Ps 89,4 ; cf. 89,35-36).

Serviteur Israël (45,6) et ce sera Israël qui deviendra lumière du monde (49,6), alliance de l'humanité (49,8)» (P.-E. BONNARD, *Le Second Isaïe*, p. 126). C'est là une déduction logique que le texte ne justifie aucunement. Aussi J. Coppens en vient-il à regarder comme des additions ultérieures les éléments communs à Is 42,6-7 et 49,8-9*a* qui font du Serviteur une «alliance de peuple» (*Le messianisme et sa relève prophétique*, pp. 44-45). On ne peut pas écarter a priori la présence d'éléments rédactionnels dans le texte actuel, mais dans le cas présent l'allègement proposé est arbitraire : si le texte peut s'expliquer autrement, il n'y a pas de raison d'en extraire des «gloses» interprétatives.

Cette alliance sera précisément rappelée par le Second Isaïe en 55,3*d*. Toutefois il faudrait que le Serviteur présente des traits explicitement royaux pour qu'on puisse le présenter comme un nouveau David : le fait d'être « saisi par la main » dans un geste d'investiture ne parlerait en ce sens que s'il était confirmé par d'autres indices. Or, l'objet de la mission évoquée dans le v. 7 reste limité. Sous un revêtement métaphorique qui exige une élucidation, il comporte deux points qui sont en rapport avec la situation des Juifs au temps de l'Exil. L'ouverture des yeux aveugles (et non : « des yeux des aveugles », comme traduit la *BJ*) s'entend au mieux en fonction d'Is 42,18-19, où l'image vise les Israélites aveuglés qui n'ont pas compris le sens de la catastrophe nationale, ne se sont pas convertis à une pratique sincère de la Tôrah, ne sont pas tendus vers l'accomplissement futur des promesses de Dieu : « Qui est aveugle, si ce n'est mon serviteur ?... Tu as vu de grandes choses et tu n'as rien retenu... » C'est devant ces mêmes hommes que le prophète a présenté le Serviteur de YHWH (vv. 1-4) ; c'est à leur égard que Dieu confie à ce Serviteur une mission précise : dessiller leurs yeux, pour qu'ils ne restent pas ancrés dans les péchés ancestraux (cf. 42,21.24) ou dans un pessimisme sans espérance. Ils peuvent aussi bien se trouver en Babylonie qu'en Judée. Si le prophète prêche en Judée, c'est d'abord là qu'il faut les chercher.

Le second rôle du Serviteur est évoqué à l'aide de l'image des prisonniers libérés (v. 7*bc*). Cette image est en rapport plus direct avec la condition des Juifs en exil. Il faut cependant faire la part de l'amplification oratoire : la vie des exilés dans les villages où ils s'étaient progressivement installés, d'après Jr 29 et divers textes d'Ézéchiel, n'était pas celle du prisonnier dans le cachot ou l'obscure maison d'arrêt. Depuis 562, la famille royale de Juda avait même retrouvé une situation honorable à la cour du roi de Babylone (2 R 25,27-30). Mais la condition des exilés restait dure. Quant aux Judéens qui demeuraient encore dans le pays, ils étaient soumis à la domination de l'aristocratie samaritaine qui exploitait leur misère au nom du suzerain babylonien. Dans ces conditions, la métaphore de la sortie de prison n'était pas trop forte pour évoquer le changement de situation que la victoire de Cyrus avait entraîné pour le peuple juif en 538. Cela ne veut pas dire que le Serviteur de YHWH visé ici soit Cyrus lui-même : le v. 6*d* contredit cette hypothèse. Mais il paraît clair que l'homme en question est nanti d'une fonction socio-politique qui fera de lui l'artisan de cette libération : c'est ce que le prophète lui annonce en lui faisant part de sa mission divine. Sous ce rapport, l'oracle qui lui est adressé complète les indications données dans le discours qui le présentait à la foule (42,1-4). Les deux textes seraient également dénués de portée pratique, s'ils concernaient un absent ou un personnage idéal de l'avenir. Ils ont au contraire un excellent *Sitz im Leben*, s'ils se rapportent à un personnage dont le rôle est en rapport immédiat avec la restauration nationale consécutive à l'édit de Cyrus : le premier lui apporte une caution prophétique, alors qu'il pouvait apparaître jusque-là comme un simple chargé de mission au service du gouvernement perse ; le second lui notifie une vocation qui est en rapport direct avec la réalisation du dessein de Dieu. On peut songer au temps où arrivèrent à Jérusalem les premières caravanes de rapatriés qui songeaient à reconstruire le Temple (Esd 1 et 3). Mais ce point devra être examiné de plus près à propos des Poèmes suivants.

B) Deuxième série (49,1-9*a*)

Cette deuxième série de textes se laisse aisément analyser. Débutant d'une façon brusque par un appel à l'attention (49,1), elle comporte ensuite deux formules qui marquent des introductions d'oracles (vv. 7*a* et 8*a*). Elle renferme donc trois morceaux distincts (Poèmes 3, 4 et 5). Il n'y aurait lieu de soulever une question d'authenticité que s'il était impossible de les expliquer dans la perspective ouverte par les deux Poèmes précédents, en respectant leur sens obvie.

3. *Discours du Serviteur* (49,1-6)

Ce texte autobiographique s'ouvre par des expressions qui caractérisent tout début de discours : « écoutez-moi... », « soyez attentifs... » (49,1*ab*). L'interpellation des « îles » et des « peuplades éloignées » est une amplification oratoire qui n'est pas sans rapport avec la présentation du Serviteur en 42,4*c* et l'oracle qui lui a été adressé (42,6). Mais elle n'en laisse pas moins place à l'auditoire concret auquel le Serviteur parle directement. Ce n'est pas un « discours du trône », car le personnage ne présente ici aucun trait proprement royal. Ce n'est pas non plus un discours d'entrée en fonction, car le v. 4*ab* montre que la mission entreprise — dans la ligne ouverte par les deux Poèmes d'Is 42,1-4 et 42,5-7 — s'est déjà heurtée à des difficultés importantes. La parenté littéraire du discours avec les textes qui proviennent du Second Isaïe soulève une question réelle : comment se fait-il qu'on trouve le même style des deux côtés, si l'auteur du texte autobiographique n'est plus le même ? Il est assez aisé de résoudre cette question. En effet, les textes du chap. 42 ont montré que le prophète était désormais attaché à la personne du Serviteur — non identifié pour l'instant —, comme jadis certains prophètes étaient attachés à la personne des rois en qualité de conseillers. Rien n'empêche donc que le Second Isaïe ait participé directement à la rédaction d'un discours prononcé en public par le Serviteur et suivi d'oracles qui lui étaient personnellement destinés. Par contre, Is 50,4-9*a* dénotera un style différent, indice d'un autre rédacteur ou peut-être d'une composition toute personnelle.

Ici, l'interpellation initiale (49,1*ab*) fait inclusion avec la finale (49,6*de*), qui rappelle elle-même l'oracle précédent du prophète (42,6*d*). Ce dernier indice fait penser que l'auditoire est le même dans les deux cas : le Serviteur peut faire allusion à un texte que le public connaît déjà pour l'avoir entendu prononcer à une date plus ancienne. Le discours du Serviteur comporte trois mouvements distincts : le rappel de sa vocation (vv. 1*c*-3), l'évocation d'une situation difficile où il a dû renouveler sa confiance en Dieu (vv. 4 + 5*cd*, qu'on peut déplacer sans le supprimer comme une glose), l'énoncé d'un nouvel oracle adressé au Serviteur pour confirmer sa vocation et même l'étendre (vv. 5*ab* + 6).

[1] Écoutez-moi, îles, et soyez attentives, peuplades éloignées !

YHWH m'a appelé dès le sein, dès le ventre maternel il a mentionné mon nom.
[2] Ayant fait de ma bouche comme une épée tranchante, il m'abrita dans l'ombre de sa main ;
ayant fait de moi une flèche aiguisée, il me cacha dans son carquois ;

[3] puis il me dit : « Tu es mon Serviteur, Israël, toi par qui je m'illustrerai. »

[4] Et moi j'ai dit : « J'ai peiné en vain, usé ma force pour rien, pour du vent !
Pourtant mon droit est auprès de YHWH, mon salaire, auprès de mon Dieu,
[5e] et je serai glorifié aux yeux de YHWH. » Et mon Dieu a été ma force.

[5a] Or, maintenant YHWH a dit, lui qui me façonna dès le sein comme son Serviteur
pour ramener Jacob vers lui et pour qu'Israël lui soit réuni :
[6] (...) « C'est trop peu que tu sois mon Serviteur pour restaurer les tribus de Jacob
et ramener les rescapés d'Israël : je t'établirai comme lumière des nations
pour que mon salut advienne jusqu'aux extrémités de la terre. »

Notes critiques. — V. 3. Le mot « Israël », absent d'un seul Ms. recensé par Kennicot, est attesté par toutes les versions. Son origine est mise en doute par les critiques qui retiennent l'interprétation individuelle du Poème : son insertion serait le premier indice de l'interprétation collective qui fut de règle dans le Judaïsme ancien. Il contredit effectivement le v. 5d, où Israël s'oppose comme une collectivité au Serviteur individuel (voir le commentaire). — V. 5d. Le texte consonantique est légèrement troublé (*lô'* pour *lô*), mais les corrections restent conjecturales. — V. 5ef. Ce distique ne paraît pas être à sa place, car il s'enchaîne mal avec le texte qui précède : « ...pour qu'Israël lui soit réuni et que je sois glorifié... et mon Dieu *fut* ma force ». Plutôt que de l'omettre, (cf. encore C. STUHLMUELLER, *art. cit.*, p. 25) on peut le rattacher au v. 4 en supposant un déplacement ; mais toutes les versions le gardent à sa place actuelle. — V. 6a. L'intrusion du v. 5ef a fait répéter ici : « Et il a dit », mot inutile si on déplace le distique en question. — V. 6c. Les « rescapés », litt. « les préservés », avec le *Qerêy* du TM.

L'appel à l'attention (v. 1ab) est rédigé dans un vocabulaire qui est celui du Second Isaïe. La vocation (v. 1cd) est décrite avec des expressions qui rappellent celle de Jérémie (Jr 1,5), mais cela ne veut pas dire que le Serviteur soit un prophète : il suffit que Dieu l'ait marqué avant sa naissance pour la mission qui va être précisée dans la suite (cf. la prédestination de Samson, Jg 13,7). La conscience de cette vocation s'explique par la notification que le prophète en a faite dans l'oracle précédent (42,5-7). La double métaphore du v. 2 montre que le Serviteur constitue pour Dieu un instrument choisi, tenu en

réserve jusqu'au temps où sa mission commencerait. L'allusion
à la bouche s'explique, si on tient compte de ce qui a été dit en
42,1*d*-2.3*c*, à propos de l'exposition du droit. Dans le v. 3, le
mot « Israël » est-il une glose interprétative, insérée très tôt
dans le texte hébraïque pour expliciter son application à la
collectivité israélite ? La source de la glose serait à chercher
dans Is 41,8 ; 44,1 ; 45,4 (cf. 43,10). Le rôle du Serviteur à
l'égard de Jacob et d'Israël (v. 5*ad*) donne une base assez
solide à cette hypothèse : la glose en question serait le témoin
le plus ancien de l'interprétation retenue par la version grecque
et tous les témoins du Judaïsme ancien. Toutefois l'hypothèse
n'est pas absolument assurée : la relation étroite qui existe entre
une communauté nationale et son chef ne permettrait-elle pas
de donner à celui-ci, à un titre éminent, le nom de la
communauté elle-même ? Le chef chargé de la restauration de
cette communauté n'incorpore-t-il pas en lui, pour ainsi dire,
l'Israël idéal par qui YHWH s'illustrera ? C'est là, semble-t-il,
la meilleure explication du mot « Israël », si on estime qu'il
appartient au texte primitif. Mais il n'y a pas lieu de partir de là
pour imaginer que le prophète met dans la bouche d'une
collectivité personnifiée une déclaration autobiographique que
les vv. 5-6 vont explicitement contredire.

En lisant le Poème comme un discours du chef dont la
mission a été précédemment définie, on constate que ses trois
strophes s'enchaînent logiquement. Cette mission a commencé
dans l'espérance : la restauration nationale est l'œuvre par
laquelle Dieu lui-même va s'illustrer aux yeux de toutes les
nations (cf. Is 44,23, avec le même verbe). Tel est le contenu
de la strophe 1. Mais l'exécution de la mission reçue s'est
heurtée ensuite à des obstacles qui ont pu faire croire à son
échec (v. 4*ab*) ; le Serviteur a donc dû y faire face avec toute sa
foi, pour garder quand même sa confiance en Dieu (vv. 4 *cd* +
5*ef*). Ce contenu de la strophe 2 ne serait pas modifié, si on
estimait que le déplacement du v. 5*ef* est inutile et si on
réussissait à lui donner un sens dans le contexte où il figure
actuellement. Ce serait possible pour le v. 5*e*, mais le verbe au
parfait (en 5*f*) resterait très énigmatique. Il semble que le
recours à Dieu, noté en 4*cd*-5*a*, justifie l'attitude de courage
que le Serviteur a trouvée dans sa foi. La strophe 3 (vv. 5*ad* +
6) est la réponse de Dieu à cette situation critique. Le Serviteur
rappelle d'abord la vocation dont il a pris conscience après

l'oracle rapporté en 42,6 : le texte combine ici une reprise du verbe « façonner » (42,6c) et une allusion au « sein maternel » (49,1c), en insistant sur l'aspect moral de la mission reçue (ramener Israël vers Dieu). Mais la suite est la citation d'un nouvel oracle qui a confirmé et amplifié les précédents. L'aspect socio-politique de la tâche à accomplir — « restaurer les tribus de Jacob et ramener les "préservés" d'Israël » — n'est que le point de départ d'une œuvre divine bien plus vaste : il faut que le « Salut » de Dieu atteigne les extrémités de la terre. L'expression « lumière des nations » s'entend ici comme dans l'oracle de 42,6b, où jouait déjà la dialectique « Israël/Nations ». Il serait encore abusif de parler d'un universalisme religieux sans restriction. Le « Salut » de Dieu, manifestation de sa « Justice » victorieuse (51,5a.6ef; 52,7b.10), concerne avant tout son peuple : en sauvant ce peuple et en le ramenant de tous les pays où il a été dispersé, Dieu va s'illustrer (49,3b) et révéler sa gloire aux yeux de toutes les nations (cf. 52,10). C'est donc la réussite de la double tâche confiée au Serviteur qui fera de lui la « lumière des nations ». Ainsi compris, le texte autobiographique reste profondément enraciné dans les circonstances qui accompagnèrent le premier retour des Sionistes en Terre sainte. Les deux oracles qu'il cite (vv. 3 et 6) viennent évidemment du prophète auquel on doit les textes de 42,1-7. Mais on constate que la mission du Serviteur s'est déjà heurtée à des difficultés réelles (v. 4ab).

4. *Oracle de réconfort adressé au Serviteur* (49,7)

Le petit oracle qui suit est en rapport étroit avec la tentation de découragement dont le texte autobiographique du Serviteur vient de faire la confidence (v. 4ab). Il n'y a pas lieu de mettre en doute son authenticité pour en faire une addition tardive qui n'appartenait pas à la collection primitive des Poèmes [22]. Bien

---

22. C'est la position de J. COPPENS, *Le messianisme et sa relève prophétique*, p. 60, qui remarque : « Le poème ne contient aucun des thèmes importants que nous rencontrons dans les trois autres chants. Son vocabulaire est particulier et distinct de celui dont on se sert pour présenter le Serviteur. » Mais le vocabulaire n'est pas davantage celui du Second Isaïe. Il ne convient donc pas d'en faire « un fragment du Livre de la consolation » (C. STUHL-MUELLER, *art. cit.*, CBQ 1980, p. 23).

au contraire, il répond à la situation que le Serviteur a évoquée, en précisant même les raisons de son amertume et de son insuccès. Mais le prophète, en s'adressant au Serviteur, lui annonce un retournement de la situation :

> [7] Ainsi parle Yhwh, le rédempteur d'Israël, son Saint,
> à celui qui est méprisé en sa personne, abominable à la nation, esclave des despotes :
> « Des rois en te voyant se lèveront, des princes se prosterneront,
> à cause de Yhwh qui est fidèle, du Saint d'Israël qui t'a choisi. »

Notes critiques. — V. 7c. Au lieu de l'énigmatique $b^e z\bar{o}h$ (TM), lu $b\bar{o}z\bar{e}h$ par la Septante, on retient la lecture $b^e z\hat{u}y$ de 1QIs^a (avec les autres versions grecques et le Syriaque); $b^e z\hat{u}y$ *nèfèš* (= personnellement méprisé) reçoit un suffixe (*nafšô*) dans la Septante et le Syriaque. — V. 7c. Au lieu du participe actif $m^e t\bar{a}^{\,c} \bar{e}b$, on lit le part. passif avec la Septante, le Targoum et la Vulgate (qui construit à tort : « ad abominatam gentem »). — V. 7ef. Litt. : « des rois verront et ils se lèveront, des princes, et ils se prosterneront. »

Comment faut-il se représenter ici le mépris subi par le Serviteur, « abominé par la nation » et « esclave des despotes » ($m\bar{o}\check{s}^e l\hat{\imath}m$, comme en 52,5, passage prosaïque où Israël est en cause)? Les partisans de l'interprétation collective appliquent le texte à la communauté juive qui a dû passer par la honte et les épreuves de l'exil. Mais dans la logique des suggestions faites plus haut, on peut aussi bien songer aux difficultés rencontrées par les premiers rapatriés, dans les années qui suivirent l'édit de Cyrus (cf. Esd 4,1-5) : des fonctionnaires officiels furent soudoyés pour faire échec aux projets des chefs juifs, à l'instigation des despotes locaux et des Samaritains, qu'on reconnaîtrait volontiers derrière la « nation » (*gôy,* sans article) mentionnée ici. Il est tout indiqué de placer le Serviteur parmi ces rapatriés [23], sans l'identifier pour le moment. L'oracle de

---

23. Dans ce verset, je pense que *nèfèš* ou *nafšô* rend l'idée de la « personne » vivante, comme dans les cas où le mot équivaut à un réfléchi. Le « mépris » expérimenté rappelle celui dont ont été victimes Yôyakin (Jr 22,28) et le peuple d'Israël (Jr 49,15) (cf. H. Cazelles, dans *RSR,* 1955, p. 28). Mais cela ne veut pas dire que le prophète songe directement à Yôyakin, réhabilité par les Babyloniens depuis 562, ou à la communauté d'Israël : les expressions qu'il emploie visent l'homme auquel il s'adresse publiquement dans des circonstances difficiles.

réconfort lui est personnellement adressé. En annonçant le retournement de la situation (v. 7ef) et en fondant cette promesse sur la fidélité de Dieu qui a choisi le Serviteur (cf. 42,1b), il confirme l'oracle antécédent que le Serviteur avait cité dans sa déclaration autobiographique (49,6). Cet oracle avait pour auteur le même prophète, étroitement lié à l'activité du chef juif qui a entrepris la restauration nationale. Le petit texte de 49,7 le complète dans une perspective plus directement politique.

5. Autre oracle adressé au Serviteur (49,8-9ab)

Le dernier oracle de cette série ne fait plus allusion aux difficultés rencontrées par le Serviteur. Il n'est aucunement nécessaire de voir dans le v. 8cd une addition empruntée par l'éditeur à l'oracle de 42,6 : la reprise du texte n'est que partielle (« alliance du peuple »), comme c'était déjà le cas dans 49,6d (« lumière des nations »). Ce double fait littéraire montre au contraire la cohérence des divers oracles prophétiques dont le Serviteur est le bénéficiaire : le prophète prend ici appui sur son premier oracle (42,5-7) pour appuyer la tâche actuelle du Serviteur ; mais l'accent est mis sur l'aspect social et national de sa mission :

> [8] Ainsi parle YHWH :
> « Au temps de grâce je t'ai exaucé, au jour du salut, je t'ai assisté.
> Je t'ai façonné et établi comme alliance du peuple,
> pour restaurer le pays, distribuer les héritages dévastés,
> [9ab] dire aux prisonniers : "Sortez", à ceux qui sont dans les ténèbres : "Montrez-vous". »

Notes critiques. — V. 8d. Les deux verbes sont à lire avec un w- conversif (cf. LXX, Vulg., etc.). Le TM, entendu comme un futur, est une interprétation secondaire qui transforme en promesse d'avenir ce qui rappelait un fait passé (cf. 42,6). — Je ne vois pas de raison qui oblige à bouleverser l'ordre de tout le texte en lisant les vv. 5ad-6 après les vv. 8-9ab (C. STUHLMUELLER, *art. cit.*, p. 25).

Le parallélisme entre 42,7 et 49,6 montrait déjà que la mission du Serviteur était en relation étroite avec la fin de l'exil. Le nouvel oracle confirme le fait en précisant la nature de cette mission : le Serviteur doit « restaurer le pays » et « distribuer les héritages » dévastés (v. 8*fg*). Il ne s'agit pas d'une mission proprement politique : la soumission des Juifs à l'empire perse l'exclurait tout à fait. Mais puisque Cyrus lui-même a été investi, d'après le prophète, d'une fonction qui le qualifie à son insu, en tant que « Oint » de YHWH, pour opérer la libération d'Israël (45,1.4), on comprend que la tâche pratique du chef des Juifs « au temps de grâce (*rāṣôn*) » et au « jour du salut », c'est-à-dire au moment où fut promulgué l'édit de Cyrus, comporte des aspects sociaux et nationaux très importants. Le récit d'Esd 1 et le document reproduit dans Esd 6,1-12 ne mentionnent que la restauration du culte dans le Temple national des Juifs, à Jérusalem. Mais ils prévoient aussi le rapatriement d'une caravane importante : comment celle-ci pourrait-elle se réinstaller en Judée sans recouvrer les terres nécessaires à sa subsistance et rebâtir des édifices en ruines ? C'est exactement ce que dit le petit oracle qui termine la seconde série : il complète ainsi les données du livre d'Esdras. Il fait comprendre du même coup la raison d'être des oppositions auxquelles se sont alors heurtés les chefs juifs. Revenant à Jérusalem avec des familles volontaires (Esd 1,5), ils entreprirent de repeupler la ville en ruines (cf. Is 48,13-26 ; 54,1-10). Ils durent donc user de leur pouvoir officiel pour « restaurer le pays » et distribuer des terres aux rapatriés (49,8*ef*), rétablissant ainsi le droit traditionnel (cf. 42,1*b*.3*c*.4*b*) fixé par la Tôrah divine (42,4*c*). Cela ne pouvait que susciter la réaction des autorités mises en place par les Babyloniens en 587. Dès lors, il est tout indiqué de chercher l'un de ces chefs juifs derrière le Serviteur des Poèmes.

Quant à la date du présent oracle, elle peut donner lieu à deux hypothèses. Comme le texte ne fait allusion à aucune opposition, on pourrait le rapprocher de 42,1-4 et 42,5-7, en le plaçant dans le même contexte historique ; sa place actuelle dans le livre serait due au seul éditeur, qui ne manifeste pas un grand souci de l'ordre chronologique des textes. Mais on connaît trop mal la suite des événements résumés dans Esd 1,1-11 et 4,1-5 pour exclure l'époque des oppositions déclarées auxquelles font allusion 49,4 et 49,7. Dans ce cas, le prophète insisterait sur un aspect de la mission qui existait depuis le premier jour mais qui était précisément contesté. Quoi qu'il en soit, le Serviteur doit accomplir la tâche pour laquelle Dieu l'a désigné [24].

C) Troisième série (50,4-9a et 50,10-11)

Comme je l'ai dit en commençant, le texte de 50,4-9a a été inséré par l'éditeur entre 50,3 et 50,9b, de telle sorte qu'il coupe le petit discours prophétique commencé en 50,1. Cet agencement artificiel a été rendu possible par l'enchaînement aisé de 50,9b sur 50,9a. L'auteur du texte autobiographique ne se nomme pas (50,4-9a). En outre, son style diffère notablement de celui du Second Isaïe. Ce dernier trait empêche d'y voir une confidence du prophète lui-même [25]. Toute l'œuvre de celui-ci respire d'ailleurs l'enthousiasme et l'espérance, à l'inverse de ce texte qui a pour arrière-plan une période de crise grave. En outre, on ne comprendrait plus que le compilateur de l'ensemble ait placé à sa suite l'exhortation de 50,10-11, qui mentionne explicitement le Serviteur en des termes excluant toute interprétation collective. La corrélation des deux morceaux invite donc à reconnaître dans le premier un texte dû au Serviteur. Bien que l'auteur du livre n'y ait pas mis la main — à la différence de 49,1-6 —, il l'a recueilli et mis en bonne place pour donner un sens concret à l'exhortation qui le suit.

6. *Plainte du Serviteur persécuté* (50,4-9a)

Depuis le morceau autobiographique de 49,1-6, la situation a évolué : elle a passé des difficultés et des tracasseries à la persécution ouverte. Le début du texte est très mal conservé : on ne peut en donner qu'une traduction approximative au rythme douteux. On distingue néanmoins trois développements

---

24. Le v. 49,9b constitue la suite du discours commencé en 48,20-21 (cf. H. CAZELLES, *art. cit.*, pp. 16-17). Mais la suture est habile et les lectures ultérieures du texte nivelleront toute aspérité en cet endroit. C'est pourquoi ce fait littéraire, lié à la *Redaktionsgeschichte* du texte, n'est pas reconnu par beaucoup de commentateurs (v.g. P.-E. BONNARD, *Le Second Isaïe*, pp. 213 et 224 ; J.-L. McKENZIE, *Second Isaiah*, The Anchor Bible, p. 107-109 ; plus anciennement, P. VOLZ, *Jesaiah II*, p. 101 ; Aa. BENTZEN, *Jesaja*, t. 2, p. 84).

25. Cette façon de voir est courante (cf. J. COPPENS, *Le messianisme et sa relève prophétique*, pp. 49-50, qui cite plusieurs auteurs dans le même sens, et déjà le commentaire de S. Thomas d'Aquin !)

ou strophes qui commencent par la mention du Seigneur
YHWH :

> [4] Le Seigneur YHWH m'a donné la langue des disciples
> pour savoir soutenir (?) l'épuisé par (?) une parole.
> Il éveille chaque matin, il m'éveille l'entendement
> pour écouter comme les disciples.
>
> [5] Le Seigneur YHWH m'a ouvert l'entendement,
> et moi je n'ai pas regimbé, je n'ai pas reculé en arrière.
> [6] J'ai tendu mon dos à ceux qui frappaient, mes joues à
> ceux qui [m'] épilaient.
> Je n'ai pas dérobé mon visage aux outrages ni aux crachats.
>
> [7] Mais le Seigneur YHWH m'aidait, aussi n'ai-je pas fait
> l'outragé ;
> aussi ai-je rendu mon visage comme le silex, sachant que je
> ne rougirais pas.
> [8] Mon justicier est proche : Qui discute avec moi ? Compa-
> raissons ensemble !
> Quel est mon adversaire ? Qu'il s'avance contre moi !
> [9] Voici que le Seigneur YHWH m'aidera : qui m'inculpera ?

Notes critiques. — Le rythme poétique ne commence clairement que dans
la strophe 2. Les critiques tentent de restaurer le texte primitif du v. 4 au prix
de multiples conjectures. — V. 4*b*. L'énigmatique *lāʿût* n'a pas reçu
d'explication satisfaisante[26] ; les versions le traduisent en fonction du
contexte (Vlg : « ut sciam sustentare eum qui lassus est verbo ») ; mais le mot
dābār (« parole ») n'est introduit par aucune préposition et semble faire corps
avec le précédent (« épuisé de parole »). En changeant la place de l'*atnah*, on
pourrait faire de *dābār* le sujet du verbe suivant : « une parole éveille chaque
matin... » — V. 4*c* et 5*a* : littéralement : « oreille », entendu au sens
métaphorique ; je choisis le mot français qui s'accorde le mieux avec le verbe
« éveiller ». Il est arbitraire de supprimer le stique du v. 5*a*. — Le v. 9*b*
s'enchaîne normalement sur le v. 3.

L'expression « le Seigneur YHWH » (cf. 49,16) ne se retrouve
nulle part ailleurs dans les Poèmes, mais elle figure ici quatre
fois. La strophe 1 ne présente pas le Serviteur comme un

---

26. H. CAZELLES, *art. cit.*, p. 30, tente de l'expliquer à partir de la
racine *lʿh*, connue par Jb 6,3 et Pr 20,25, « parler de travers, bégayer » : « Le
Serviteur est un prophète qui bégaie, qui a l'expérience (*lᵉdaʿat*) du
bégaiement. C'est un homme fatigué (*yāʿēf*) que la parole divine suscite au
matin. » Cette traduction suppose un changement de place pour l'*atnah* qui
marque la demi-pause dans le verset massorétique. D'autres recherches
s'orientent vers l'arabe *ʿāta*, sans déboucher sur une certitude bien établie.

maître de sagesse qui répéterait l'enseignement divin à ses disciples ; elle souligne seulement sa fidélité active à la Parole de Dieu, qu'il écoute pour la transmettre à ses contemporains lassés. La chose est compatible avec la mission sociale dont il a été question précédemment, mais on voit que l'épreuve s'est abattue sur les rapatriés comme sur leur chef. La strophe 2 montre qu'à la suite de cette docilité aux ordres de Dieu, le Serviteur a été en butte aux pires avanies (v. 6). Il n'est pas nécessaire d'entendre les expressions employées au sens métaphorique : les détails donnés étonneraient, si on n'en voyait pas de semblables dans l'histoire de Néhémie, quand le réformateur outrage publiquement ceux de ses compatriotes qui ont épousé des femmes païennes (Ne 13,5). Le récit d'Esd 4,4 ne mentionne rien de semblable, mais la scène décrite entrerait bien dans ce cadre : les adversaires mentionnés seraient donc à chercher du côté des notables de Samarie [27]. Comme les Samaritains sont des adorateurs théoriques du Dieu d'Israël, le Serviteur ne se contente pas de s'appuyer sur lui pour tenir ferme devant la persécution (v. 7) : la suite de la strophe 3 montre qu'il fait appel à sa justice (vv. 8-9a) en des termes qui rappellent certains passages de Jérémie (cf. Jr 11, 20 ; 15,15a ; 17,18 ; 20,11-12). Il y a toutefois une différence entre les deux cas. Les « confessions » de Jérémie ne semblent avoir été rendues publiques que par Baruch, éditeur de son œuvre, tandis que le texte présent peut fort bien avoir constitué une déclaration publique. L'interpellation finale des adversaires s'accorderait bien avec cette façon de voir. Le caractère dramatique de ce discours interdit en tout cas d'y voir une composition artificielle mise sur les lèvres d'un héros futur. Il ne s'accorde pas davantage avec l'interprétation collective de la figure du Serviteur. C'est pour cette raison que la plupart des critiques rapportent au prophète lui-même cette confidence unique en son genre. Mais comment expliquer alors l'exhortation qui va la suivre et qui est certainement due à ce prophète ?

7. *Exhortation prophétique au peuple* (50,10-11)

A la déclaration du Serviteur répond l'adresse du prophète au peuple, qui le mentionne à la 3e personne du singulier. Il s'agit

---

27. Cf. ce qui a été dit à propos de 49,7, où le mot *gôy* (« nation », au singulier) ne peut viser les Israélites mais s'applique bien aux Samaritains.

d'une exhortation faite à la communauté rassemblée, qui a entendu le discours précédent :

> [10] Qui d'entre vous craint YHWH ? Qu'il écoute la voix de son Serviteur !
> Celui qui marche dans les ténèbres et pour qui il n'est point de clarté,
> qu'il se confie dans le nom de YHWH et s'appuie sur son Dieu !
>
> [11] Quant à vous tous, allumeurs de feu entourés de brandons,
> allez au brasier de votre feu et dans les brandons que vous enflammez !
> C'est de ma main que cela vous sera advenu : vous vous coucherez dans la douleur.

Notes critiques. — V. 10*b*. Dans ce verset, les variantes entre le TM et 1QIs[a] sont plus qu'orthographiques : elles dénotent une diversité d'interprétations. Le verbe « écouter » (au participe dans le TM) est lu ici à l'inaccompli avec le grec *akousatô* (imp. aor.). — V. 11*a*. Litt. : « Voici que vous tous… »

L'exhortation (v. 10) s'adresse aux Juifs éprouvés que le Serviteur doit soutenir par sa parole (cf. 50,4*ab*) ; mais au-delà du Serviteur, c'est Dieu qui constitue leur vrai soutien. Quant à la menace (v. 11), elle vise les adversaires contre lesquels le Serviteur invoquait la justice de Dieu. Le texte est une harangue publique (« Qui d'entre vous… », « Quant à vous… »). Mais tout porte à croire que la déclaration du Serviteur l'était aussi, bien qu'elle ne contienne pas d'appel direct aux auditeurs. Les deux morceaux ont donc pu prendre place dans le même cadre. Ils supposent en tout cas la même situation de crise aiguë, dont on n'ose pas pour le moment préciser le cadre chronologique. La série suivante des Poèmes va en faire connaître le dénouement.

D) Quatrième série de Poèmes (52,13 — 53,12)

Les deux textes précédents montraient déjà le « Serviteur souffrant ». La dernière série suppose que cette souffrance le conduit finalement à la mort. La critique textuelle soulève un grand nombre de difficultés : je signalerai les principales. Ma traduction supposera donc un certain nombre d'options dont l'essentiel sera indiqué dans les notes critiques. Toutefois, la question principale qui retient mon attention est celle de la structure interne du texte. Les critiques sont d'accord pour y reconnaître plusieurs sections, mais ils les coupent différemment et interprètent de plusieurs façons les changements de personnes qu'on remarque dans le discours. H. Cazelles[28], qui voyait dans Is 50,4-9a le début d'un long poème coupé en deux par le compilateur du livre, faisait de 52,13-15 un discours du prophète parlant au nom de Dieu pour évoquer la stupéfaction des païens devant le Serviteur glorifié ; puis il regardait 53,1-7 comme un discours des rois païens (en « nous »). Le discours du prophète reprendrait[29] dans le second distique du v. 7, en oscillant entre la description objective de la mort du Serviteur et l'oracle divin qui concernerait l'avenir (vv. 8 et 11b-12). P.-E. Bonnard[30] croit reconnaître successivement la voix de Dieu (52,13-15), la voix des peuples (53,1-6), la voix du prophète (53,7-10) et de nouveau la voix de Dieu (53,11-12). J. Coppens[31] voit dans 52,13-15 un premier oracle de Dieu ; suit une « confession et lamentation de Juifs devenus conscients de leurs fautes et reconnaissant la substitution vicaire du Serviteur » (53,1-7) ; puis vient une « intervention du prophète offrant au lecteur un commentaire des souffrances de l'Ebed » (53,8-11aa) ; enfin un « deuxième oracle de YHWH annonçant la récompense divine du martyr anonyme » (53,11ab-12). Mais il ne cache pas les difficultés de cette solution, qui lui paraît la moins mauvaise. L'attribution du discours en « nous » est donc discutée : le prophète le met-il dans la bouche des rois païens ou dans celle des Juifs ? La réponse dépend en grande partie de la solution qu'on adopte pour identifier le Serviteur lui-même : s'il est la personnification d'Israël souffrant, ou tout au moins du Reste des justes, le discours doit être attribué aux païens, dont le prophète exprimerait par avance la stupéfaction devant l'œuvre de salut accomplie par Dieu ; mais si le prophète parle au nom des Juifs repentis, comment le Serviteur souffrant peut-il être autre chose qu'un individu, soit historique, soit

28. *Art. cit., RSR* 1955, pp. 32-35.
29. *Ibid.*, p. 39.
30. *Le Second Isaïe*, pp. 269-280.
31. *Le messianisme et sa relève prophétique*, p. 61.

idéal et projeté sur l'écran de l'avenir ? Cette question est donc particulièrement embrouillée.

A mon avis, il faut s'en remettre strictement aux indices littéraires pour la trancher. Sous ce rapport, la division retenue par Volz apparaît encore comme la meilleure[32]. Dans une première section (52,13-15), Dieu parle par la bouche du prophète en des termes qui font pendant à 42,1. La seconde section est un discours à la 1re personne du pluriel qui parle de Dieu à la 3e personne. Ces deux caractéristiques permettent de le délimiter : son début se situe en 53,1 ; il va au moins jusqu'à 53,10, mais la déclaration où Dieu parle à nouveau de «mon Serviteur» n'apparaît clairement qu'en 53,11c car le mot ʿammî («mon peuple») de 53,8d est clairement lu ʿammô dans 1QIsᵃ («son peuple»). Il est donc préférable de rattacher 53,11ab au discours en «nous» qui précède. La troisième section (53,11c-13) est une promesse divine qui assure la fécondité future du sacrifice du Serviteur : on retrouve donc le fil de la première section, interrompu depuis 53,1. Mais qui donc parle dans le discours en «nous» ? Les verbes employés dans 52,15ab n'annoncent aucunement un discours des nations étrangères et de leurs rois : les nations s'émerveillent et les rois mettent leur main sur leur bouche. Quoi qu'en dise Chr. R. North dans son étude importante sur les chants du Serviteur[33], il n'est pas «entièrement naturel que ce qui suit immédiatement contienne leur jugement sur le Serviteur», parce qu'il serait «habituel pour l'étonnement muet de faire place à un discours volubile, une fois que la compréhension des choses commence à se faire jour». Outre le caractère artificiel de cette considération, on peut se demander pourquoi le prophète se placerait ainsi dans une perspective d'avenir dénuée de tout réalisme : non seulement le sacrifice du Serviteur serait regardé comme accompli, mais les nations et leurs rois auraient en outre reconnu le vrai Dieu, pris conscience de leurs fautes, interprété la mort du Serviteur comme un sacrifice qui les a sauvés, bref, adopté une vue de foi qui pousse la théologie prophétique jusqu'à son point maximal et dépasse de très loin l'universalisme du Second Isaïe. Faut-il, ici encore, faire du prophète un écrivain qui laisse un message destiné aux

---

32. P. VOLZ, *Jesaja*, pp. 169-170.
33. Chr. R. NORTH, *The Suffering Servant*, p. 151.

générations futures, plutôt que de voir en lui un orateur qui veut provoquer la conversion de ses contemporains et les exhorter à une espérance indéfectible ? La fonction de son texte est à comprendre dans cette perspective précise, comme on l'a déjà fait pour les Poèmes précédents.

La difficulté disparaît, si on met à part 53,1-11*b* comme un discours adressé par le prophète à une foule juive dont il fait lui-même partie : son « nous » est inclusif. Il ne se met pas en dehors de l'Israël pécheur qui a assisté aux événements tragiques où le Serviteur fut enlevé « par coercition et jugement » (53,8*a*), « retranché de la terre des vivants » (53,8*c*), mis au tombeau avec les impies et les hommes enrichis par violence et tromperie (53,9*ab*). Il est de ceux dont le Serviteur a « porté » les maladies et pris en charge les douleurs » (53,4*ab*). Toutes ces allusions concernent les Juifs auxquels le prophète fournit l'interprétation d'un drame encore récent : il est inutile d'imaginer un tableau d'avenir que l'écrivain brosserait en recourant au « parfait prophétique ». Mais dans ces conditions, l'ouverture de l'autre discours (52,13-15) reste en suspens : elle annonce une chose inédite et inouïe sur laquelle on n'est plus renseigné. La solution de ce problème est simple : le discours de Dieu reprend en 53,11*c*, lorsque Dieu mentionne à nouveau « mon Serviteur » et énonce une promesse d'avenir. C'est cette promesse qui constitue la chose inouïe devant laquelle les nations s'émerveilleront et leurs rois resteront bouche bée. Le texte actuel contient ainsi deux morceaux distincts : 52,13-15 + 53,11*c*-13, et 53,1-11*b*. Le collecteur du livre les a habilement réunis grâce à son stratagème littéraire habituel : le discours en « nous » s'achève sur une promesse d'avenir, et la suture se fait au moment où commence la promesse d'avenir qui clôt l'autre discours. Le même procédé se retrouve entre 42,7 et 42,8, entre 49,9*a* et 49,9*b*, entre 50,9*a* et 50,9*b*. En ces trois endroits, il s'agit de raccorder la fin de trois oracles relatifs au Serviteur avec des textes qui proviennent du Second Isaïe. Dans le cas présent, ce sont deux textes relatifs au Serviteur qui sont artificiellement soudés l'un à l'autre en raison de leur connexion thématique. Le raccord est toujours fait à la fin des Poèmes, dont le début est aisément discernable par son caractère abrupt (42,1 ; 49,1 en tant que commencement d'une série déjà constituée ; 50,4 ; 53,1). C'est probablement en raison de la liaison ainsi effectuée que le texte hébraïque présente, en 53,10-11, des difficultés critiques plus accentuées que partout ailleurs. Ce travail de montage est dû à l'éditeur du recueil d'Is 40 — 55, qui peut être le prophète lui-même ou un disciple tout proche de lui. En tout cas, il n'y a aucune raison pour attribuer Is 52,13 — 53,12 à une autre main que les Poèmes précédents, ou pour voir dans le Serviteur un autre personnage que celui qu'ils visaient. Sur la base de la critique littéraire ainsi définie, on peut examiner séparément les deux morceaux composants en s'interrogeant sur la fonction de chacun d'eux.

8. *Oracle relatif à la mort du Serviteur* (52,13-15 + 53, 11*c*-12)

Comme en 42,1, le début abrupt (ici *hinnēh,* au lieu de *hēn* qu'on trouve en 42,1 ; 50,9*a* et 50,11*a*) suppose peut-être la chute d'une formule d'introduction montrant qu'il s'agit d'un discours de Dieu : « Ainsi parle YHWH », ou quelque chose de ce genre. L'introduction solennelle (52,13-15) annonce l'oracle qui se déploie dans une seconde strophe (53,11*c*-12).

(52) [13] Voici que mon Serviteur triomphera : il s'élèvera, grandira, montera beaucoup.
[14] De même que des foules ont été horrifiées à cause de lui [..............],
son aspect n'ayant plus rien d'un homme ni sa beauté, d'un fils d'Adam,
[15] ainsi de grandes nations s'en émerveilleront, des rois fermeront la bouche,
quand ils auront vu une chose inédite, observé une chose inouïe :

(53) [11c] Juste, mon Serviteur justifiera des foules et prendra en charge leurs fautes.
[12] Aussi lui donnerai-je en partage des foules, il partagera le butin avec les puissants,
parce qu'il s'est livré lui-même à la mort et fut compté parmi les criminels,
alors qu'il porta le péché des foules et qu'il intercédait pour les criminels.

Notes critiques. — (52) V. 14*a*. La plupart des Mss. portent «à cause de toi», mais le Syriaque et le Targoum ont lu «à cause de lui» (comme en 52, 15*b*) ; 1QIs[a] lit *'lykh,* (comme il lisait *mw'dh* à la fin du v. 52,13) ; c'était déjà la lecture de la Septante, qui étend le suffixe de la 2e personne à tout le

v. 14; cette lecture est en harmonie avec l'interprétation collective du Serviteur, auquel Dieu s'adresserait directement dans ce verset. — V. 14*b*. Plutôt que le substantif *mišḥāt* à l'état construit («défiguration» ou «défigurement»), on lit le part. hof. *mušḥāt* («défiguré»; litt. : «ainsi son aspect était défiguré par rapport à (celui d') un homme et sa beauté, par rapport à (celle d') un fils d'humanité» ('*ādām*). — V. 15*a*. Le TM porte : «ainsi il aspergera (*yazzēh*) des nations nombreuses» (de même 1QIs^a); ce sens rituel est cohérent avec le «sacrifice de réparation» mentionné en 53,10, mais il ne convient guère dans le contexte; faute de mieux, on suit la Septante, que rejoint la proposition de J. Scharbert et J. Coppens : «il stupéfiera (*yazzēh*, d'une racine arabe *nazâ* «sauter») beaucoup de peuples.» Le texte originel reste douteux. — V. 15*c*. La conjonction *kî* peut s'entendre au sens causal («parce qu'ils auront vu...») ou au sens temporel («quand ils auront vu...»). Dans le v. 15*ab*, *'alāyw* est rattaché au verbe qui précède, en déplaçant l'accent massorétique. — (53) V. 11*c*. Le texte peut être gardé tel qu'il est, sans supposer une répétition de *SDYQ* : *ṣaddîq*, sans article, est plutôt un attribut du sujet *'abdî* qu'un adjectif employé comme nom propre. — V. 12*c*. «Lui-même», litt. «son âme» (ou «sa vie»). En 12*b* et 12*d*, les puissants et les criminels sont mentionnés sans article, probablement comme catégorie générale; de même *rabbîm*, «beaucoup», traduit ici par «foules» (à Qumrân, *rabbîm* désigne la multitude qui forme l'assemblée générale de la Communauté).

Le discours prononcé au nom de Dieu annonce l'exaltation future du Serviteur (52,13), qui contraste avec l'humiliation passée dont des foules ont été les témoins (52,14*a*). En cet endroit, la versification du texte est irrégulière. D'une part, on attendrait un second stique [34] après 52,14*a* : «de même que des foules ont été horrifiées à cause de lui, et que... (???)...» D'autre part, l'apodose de cette construction comparative est double, puisque 52,14*b* et 52,15*a* sont introduits par la même particule (*kēn*) : «ainsi son aspect (est) défiguré par rapport à (ou : à la différence de, *min*) (celui d') un homme, etc.»; puis : «ainsi de grandes nations s'en émerveilleront (?), etc.» Enfin, on peut remarquer que la strophe de 52,13-15 comporte cinq vers. Ces observations conduisent un certain nombre de critiques, comme North et Westermann, à supposer que le distique de 52,14*bc* a été déplacé au moment de la fixation du texte : il aurait été primitivement inséré entre 53,2 et 53,3, d'après North [35]. De fait, ce contexte serait excellent et il

---

34. Chr. R. NORTH, *op. cit.*, p. 123.
35. *Ibid.*, p. 121; cf. C. WESTERMANN, *Das Buch Jesaja*, pp. 204s. et 209. P. VOLZ, *Jesaja*, p. 169 (traduction) et 170, note *e*, change *kēn* en *kî* et allège tout le stique de sa seconde partie.

expliquerait l'expression au participe : *mušḫāt mē'îš mar'ēhû.*
Mais il faudrait alors peut-être remplacer l'adverbe *kēn* par la
conjonction *kî*[36], qu'on trouve au début du distique suivant
(52,15*c*). La strophe du Poème de 53,2*cd* + 52,14*bc*, serait à
reconstruire ainsi :

> « Il n'y avait ni beauté ni éclat qui nous le fît voir,
>   ni aspect qui nous le rendît désirable ;
> car son aspect était défiguré par rapport à celui d'un homme
>   et sa beauté, par rapport à celle des fils d'Adam.
> Il était méprisé et délaissé des hommes,
>   homme de douleurs et familier de la maladie ;
> et comme celui devant qui on se voile la face,
>   il était méprisé et déconsidéré par nous. »

Cette strophe serait précédée de deux distiques qui introdui-
raient le second discours (53,1-2*ab*). Peut-être est-ce trop
logique et trop beau pour être exact. C'est pourquoi je ne me
hasarde pas à tabler sur cette hypothèse, aussi séduisante
qu'elle soit. Je me contente de la signaler comme une
possibilité : elle montrerait que le texte a été remanié à son
début comme à sa fin, pour fondre ensemble les deux discours
parallèles que je crois pouvoir discerner.

Quoi qu'il en soit, il est certain que le v. 15*a* fournit
l'apodose de la comparaison donnée en 14*a* : « de même que
des foules ont été horrifiées à cause de lui, [...], ainsi de
grandes nations s'en émerveilleront (?) » (ou : « il stupéfiera (?)
des nations nombreuses »). L'exaltation du Serviteur, consécutive à son humiliation suprême, sera donnée en spectacle aux
nations et aux rois comme une chose qui n'avait jamais été
racontée jusque-là (*'ašèr lô' suppar lāhèm*) et dont on n'avait
jamais entendu parler (*'ašèr lô' šim'û*). Mais quelle est
exactement cette chose qui constituera l'élévation, la grandeur,
l'exaltation du Serviteur, et qui le montrera triomphant (sens du
verbe *yaśkîl* dans le v. 52,12*a*, plutôt que celui d'« être
intelligent », sous-jacent à la racine hébraïque) ? Puisque le
discours en « nous » (53,1-11*ab*) est à dissocier de ce premier
discours, il faut chercher la réponse dans la finale du chap. 53.

---

36. Ainsi Volz et J.-L. McKenzie, p. 129, note *b* (« conjectural
emendation ») ; mais non Westermann, qui déplace pourtant le stique.

De fait, celle-ci (53,11*cd*-12) a la forme d'un oracle qui dépasse tout ce que le Second Isaïe avait pu, jusque-là, annoncer à ses auditeurs juifs et promettre au Serviteur. Ce qu'il avait annoncé et promis, c'était la réussite de sa double mission : ramener Israël vers Dieu et le restaurer dans la terre sainte, ouvrir les yeux des aveugles et libérer les captifs, relever le pays et distribuer les héritages dévastés, restaurer le droit et promouvoir la Tôrah de YHWH, devenir ainsi en sa personne l'alliance du peuple et la lumière des nations, stupéfaites devant la grandeur de cette œuvre divine. Au moment des premières difficultés (49,4), le prophète avait réitéré l'assurance de la mission divine confiée au Serviteur (49,8-9*a*), promis que le mépris subi par lui ferait place au respect des rois et des princes en vertu d'un véritable retournement de situation (49,7). Ensuite, quand le Serviteur avait connu son « Gethsémani » (50,4-6) et fait appel à la justice de Dieu (50,7-9*a*), le prophète avait invité les Juifs fidèles à écouter sa voix et menacé ses adversaires du pire châtiment divin (50,10-11). Maintenant l'échec est venu : l'humiliation du Serviteur a atteint son point suprême : le Serviteur « s'est livré lui-même à la mort et il a été dénombré avec les criminels » (53,12*cd*, traduit dans sa littéralité stricte). L'expression employée est forte et on ne peut guère douter qu'elle fasse allusion à une mort effective — et non métaphorique, comme le proposent les critiques qui font du Serviteur une personnification du groupe des « justes souffrants ».

C'est en ce point exact que l'oracle terminal (53,11*cd*-12) saisit la situation, humainement catastrophique, pour annoncer son retournement sous une forme inédite et inouïe (cf. 52, 15*cd*) : la souffrance et la mort du Serviteur ont un sens dans le dessein de Dieu ; elles vont obtenir le pardon des pécheurs qui n'avaient pas pu jusque-là être libérés du poids de leurs fautes. Ce problème n'est pas étranger aux soucis du Second Isaïe. Dès le début de son recueil, il proclame pour Jérusalem — personnification de la communauté d'Israël — que « son service (*ṣābā'*) est accompli, sa faute, expiée (*nirṣāh*) » (Is 40,2). Il assure dans un autre discours (44,6-8 + 44,21-23) : « J'ai effacé tes forfaits comme comme un nuage et tes péchés comme une nuée » (44,22*ab*). Mais ces promesses étaient contemporaines du mouvement d'espérance soulevé par l'édit de Cyrus (cf. 41,1-5 ; 45,1-7) ; elles coïncidaient ainsi avec l'envoi du Serviteur qui devait accomplir l'œuvre divine dont Cyrus n'était que l'instrument inconscient. Or, l'entreprise paraît actuellement arrêtée, puisque le destin du Serviteur s'est achevé en catastrophe. En un temps où, selon la doctrine permanente des prophètes et du Deutéronome, la souffrance et la mort sont regardées comme les châtiments du péché, on peut donc s'interroger sur le sens de cette fin honteuse, sur la « justice » du Serviteur, sur l'authenticité de sa mission divine. C'est exactement à ces préoccupations que répond l'oracle final du prophète : bien que le Serviteur, en raison de sa mort honteuse, ait été « compté parmi les criminels » (53,12*d*), il était juste [37] (53,11*c*) ; mais en se livrant lui-même à la mort (53,12*c*), il a porté le péché de la multitude (53,12*e*). C'est pourquoi la situation des foules devant Dieu se retournera grâce à lui : par le don de sa vie, le Serviteur les justifiera [38] et prendra en charge (*yisbōl*) leurs fautes, leur ouvrant ainsi la voie du salut.

Le dernier verbe employé dans le passage (*yafgî[ac]*) le montre en situation d'intercesseur : son emploi à l'inaccompli peut s'entendre au passé comme description du Serviteur qui « intercédait » pour les foules au moment où il « porta leur péché », ou au futur comme évocation d'une intercession continuée qui supposerait sa survie. Sur ce point, le texte reste ambigu. Mais de toute façon, il annonce le salut des coupables en leur promettant le pardon que le Serviteur leur a obtenu. Il ouvre d'ailleurs une perspective assez énigmatique sur la rétribution individuelle du Serviteur lui-même (53,12*ab*) : comment peut-on dire, s'il est mort, que « Dieu lui donnera des

---

37. Volz supprime le mot *ṣaddîq* qui lui paraît répéter le verbe *yaṣdîq*. Mais le mot est maintenu comme adjectif ou apposition par G. van de Leeuw, Westermann, Bonnard, Coppens.

38. Je ne crois pas qu'on puisse traduire *yaṣdîq* par « il dispensera la justice au profit des foules » (Bonnard), ou « il rendra justice à ceux qui étaient esclaves des grands » (Coppens). Outre que cette finale ne se trouve pas dans l'hébreu, je me demande si le prophète envisage ici une fonction politique future qui permettrait au Serviteur de « rendre la justice » (cf. le participe du verbe dans Is 50,8, quand le Serviteur en appelle au jugement de Dieu) ; le verbe au *hif.* peut signifier « déclarer juste » ou « conduire à la justice » (sens qu'on retrouvera dans Dn 12,3). Ce sens prégnant établit un contraste avec le péché des foules, mentionné en 53,12*ef*.

foules en partage et qu'il partagera le butin avec les
puissants » ? Le texte fait-il simplement allusion à la fécondité
future du don de soi que le Serviteur a consenti en se livrant
lui-même à la mort ? Recevoir des foules en partage à la façon
des puissants de ce monde (*aṣûmîm*) qui les ont pour butin
(*šālāl*) : cette représentation comporte de toute façon une part
de‑ métaphore. La restauration d'Israël, après que les foules
auront été ainsi « justifiées » (c'est-à-dire à la fois, déchargées
de leurs fautes et rendues positivement justes), serait le fruit du
sacrifice paradoxal lié à la mort d'un juste, et qui plus est, du
chef chargé par Dieu de restaurer la nation. Telle est l'idée qui
se profile sur l'horizon, au terme du petit discours qu'on vient
de lire. Dans le cadre doctrinal de la théologie prophétique, elle
constitue une innovation de taille. Elle n'exclut aucunement les
perspectives d'avenir ouvertes par les Poèmes précédents, mais
elle en relie la réalisation à l'échec inattendu qui devrait mettre
en question l'espérance des Juifs. Il faudra voir si l'autre
discours, que le compilateur du livre a enchâssé dans celui-ci,
la confirme et éventuellement la précise. Il est clair en tout cas
que le prophète espère contre toute espérance.

9. *Discours consécutif à la mort du Serviteur* (53,1-11*b*)

En commentant Is 53,12, j'ai supposé jusqu'ici que le
v. 12*cd* devait être entendu comme une allusion à la mort du
Serviteur déjà advenue. On pourrait faire des réserves sur ce
point : que le Serviteur ait été « dénombré avec les criminels
(*pōš*eʿ*îm*) », cela montre simplement qu'il a fait l'objet d'un
procès injuste ; qu'il ait « livré sa vie (= lui-même) à la mort »,
cela montre qu'il a accepté l'éventualité de cette mort, non
qu'il l'a déjà subie. Si l'on retient cette vue des choses, le
discours du prophète et l'oracle qui le termine énonceraient
devant la foule une promesse d'avenir, avant que le destin du
Serviteur ne se soit abattu sur lui inexorablement. On ne peut
pas en dire autant du discours en « nous » (53,1-11*b*). Celui-ci
suppose, comme cadre, une assemblée religieuse au cours de
laquelle le prophète commente la nouvelle (53,1*a*) de la mort
du Serviteur. C'est jusqu'à un certain point un éloge funèbre
qui réagit vivement contre les interprétations hâtives de
l'événement ; cette mort *n'est pas* une punition de Dieu
(53,4*cd*). Le prophète reprend donc longuement la réflexion sur

ses souffrances, dans une perspective identique à celle de l'oracle précédent (53,11c-12), et il réitère les mêmes promesses d'avenir en les complétant quelque peu. Comme le prophète fait corps avec la foule à laquelle il s'adresse — c'est le sens du «nous» qu'il emploie —, son discours est en même temps une confession des péchés d'Israël et une invitation à espérer quand même, en dépit des circonstances critiques où la mort du chef a plongé la communauté.

[1]Qui aurait cru ce que nous avons appris et à qui le bras de YHWH a-t-il été révélé?

[2]Il a poussé comme une bouture devant lui, comme une racine hors d'une terre aride,
sans beauté ni éclat que nous ayons vu, sans aspect qui nous le rendît désirable,
[3]méprisé et délaissé des hommes, homme de douleurs et familier de la maladie,
tel celui devant qui on se voile la face, méprisé et déconsidéré par nous.

[4]Or, c'est nos maladies qu'il a portées, nos douleurs qu'il a prises en charge.
Et nous, nous l'estimions puni, frappé par Dieu et humilié.
[5]Mais lui, il était transpercé pour nos forfaits, écrasé à cause de nos fautes :
sur lui, le châtiment pour notre paix; à nous, la guérison par ses meurtrissures!

[6]Nous étions tous errants comme des brebis, chacun suivant son propre chemin,
et YHWH a fait retomber sur lui la faute de nous tous.
[7]Maltraité, il s'est humilié, et il n'ouvrait pas la bouche,
tel un agneau traîné à l'abattoir, une brebis muette devant ses tondeurs. (…)

[8]Il fut enlevé par coercition et jugement, et qui se préoccupait de son sort,
quand il fut retranché du pays des vivants, frappé pour le forfait de son peuple?
[9]Son tombeau fut mis avec ceux des mécréants, son tertre avec celui du riche,
bien qu'il n'eût ni commis de violence, ni eu de tromperie dans la bouche.

[10]Et YHWH a voulu l'écraser et il (?) l'a transpercé [...].

S'il offre en personne une réparation, il verra un lignage :
il aura de longs jours et la volonté de YHWH réussira par lui.
[11] A cause de sa peine personnelle il verra la lumière, se
rassasiera de son savoir.

Notes critiques. — Les difficultés textuelles sont nombreuses dans ce
passage ; elles ne peuvent pas toutes être résolues de façon sûre. — V. 2a. Il
n'y a pas lieu de corriger le texte en lisant : «devant nous» : le Serviteur a
grandi «devant YHWH». V. 2cd. On déplace l'*atnaḥ* avec Symmaque et la
plupart des critiques modernes, en fonction du parallélisme des expressions.
— V. 3b. «Familier de la maladie», avec le TM (part. passif) ; 1QIs[a] lit le
part. actif : «connaissant la maladie» ; 1QIs[b] lit le verbe au parfait. Pour une
autre interprétation du part. $y^e dû^a$ voir *infra*, v. 11b. — V. 3d. 1QIs[a] lit les
deux verbes au parfait actif : «et nous l'avons méprisé et nous ne l'avons pas
pris en compte.» — V. 5b. Deux propositions sans verbe ; litt. : «le
châtiment de notre paix (fut) sur lui et par ses meurtrissures la guérison (fut) à
nous.» — V. 7d. Le TM ajoute ici : «Et il n'ouvrait pas la bouche»
(répétition exacte de 7b). — V. 8b. Pour le sens de *dôr*, normalement
«génération», je suis D. Winton Thomas (cf. W. BAUMGARTNER,
Hebräische und aramäische Lexicon, 209b) ; on peut effectivement se référer
à l'arabe classique *dawr*, «revirement du sort», *dā'irat*, «revirement de la
fortune» (J.B. BELOT, *Vocabulaire arabe-français*, p. 215). — En 8a, les
deux compléments introduits par *min* sont compris ici comme notant la cause
de l'«enlèvement», mais Coppens traduit : «il fut enlevé *sans* arrêt et *sans*
jugement» ; le mot *'ōṣèr* marque plutôt une violence, une contrainte, comme
dans Ps 107,37. — V. 8c. On peut comprendre *kî* comme causal («car») ou
comme temporel («quand il fut retranché, etc.»). — V. 9a. 1QIs[a] lit le verbe
au pluriel ; le verbe au singulier peut être entendu comme un passif hof.
(probablement, ancien qal passif). — V. 8d. 1QIs[b] lit «son peuple», contre
le TM («mon peuple») ; le grec connaît déjà la leçon du TM, qui ne
s'accorde pas avec le contexte mais reflète l'interprétation collective du texte
en faisant parler ici Dieu lui-même. — V. 8d. Tout ce stique a été ajouté
après coup dans 1QIs[a] ; mais le scribe est allé à la ligne au début du v. 9,
pour commencer une section qui s'arrête à la fin du v. 12. Le mot *nèga'*
(«coup», «plaie») est écrit *nwg'*, qui est peut-être un pu'al comme dans Ps
73,5 (avec *Mater lectionis* pour éviter une fausse lecture au ou au pi'el) ;
mais la finale *lāmô* est identique (la lecture *la-mawèt* de la Septante, «il a été
frappé à mort», est facilitante). On peut respecter le TM tel qu'il est : «le
coup (fut) pour lui en raison (*min*) du forfait de mon peuple.» — V. 9b. A la
place de $b^e m \bar{o} t \bar{a} (y) w$, 1QIs[a] lit : *bwmtw*, où *bômāh* = *bāmāh*, «tertre
funèbre» (Albright). — V. 9c. Le sens concessif de *'al* est commandé par le
contexte. — V. 10b. Il semble que le second stique du vers n'ait laissé
qu'une trace : $hèḥ^e lî$, lu $wyḥllhw$ (= $wa-y^e ḥall^e lēhû$) par 1QIs[a] : cette lecture
appuie la traduction adoptée ici, mais il manque peut-être un sujet pour ce
verbe [39]. Tous les critiques sont ici embarrassés et adoptent des corrections

---

39. Dans ce cas, ce ne serait pas Dieu qui l'aurait «transpercé». Le
prophète reprendrait l'allusion à son genre de mort qu'on trouve dans le
v. 5a.

plus ou moins conjecturales : «mais c'était le dessein de YHWH de le frapper, de le faire souffrir jusqu'à la mort» (Volz); «cependant YHWH s'est plu à l'écraser par la maladie» (North, avec addition de «par»); «YHWH a décidé de le frapper par la douleur» (McKenzie); «mais YHWH a trouvé son bon plaisir en son ''frappé'' (*dakkā'ô*), il a guéri (*héḥᵉlîm*) celui qui avait donné sa vie, etc.» (Westermann); «mais, YHWH, qu'il te plaise, broyé par la souffrance, daigne faire de sa personne un sacrifice d'expiation» (Bonnard); «mais il plu à YHWH de le déclarer innocent (à la suite de Driver) et de guérir celui qui avait offert sa vie en sacrifice» (Coppens). La correction du texte est plus drastique encore dans le commentaire de B. DUHM, *Das Buch Jesaja*, pp. 402-404. — V. 10*c*. 1QIs[a] appuie ici nettement le TM; la plupart des commentateurs corrigent le texte en lisant le verbe *tāśîm* au masculin (*yāśîm*), mais *nafśô* (= sa personne, lui-même) en est clairement le sujet (Cazelles). — V. 10*d*. Le sujet de *ya'ᵃrîk yāmîm* est probablement le lignage (*zèra'*) et non le Serviteur (Cazelles), mais il y a omission du relatif. — V. 11*a*. Avec 1QIs[ab] (et déjà LXX), je lis : *yir'ēh 'ôr*; le sujet des deux verbes «voir» et «se rassasier» peut être le Serviteur ou son lignage; de même, la volonté de YHWH réussira «grâce à lui» (*bᵉyādô*) — le Serviteur ou son lignage? —; mais la «peine personnelle» (*ᵃmal nafśô*) renvoie à la personne du Serviteur, comme dans le v. 10*b*. V. 11*b*. Le mot *da'at* serait à traduire par «humiliation» selon certains critiques (D. Winton Thomas, J.A. Emerton, H.G. Williamson; cf. J. DAY, «*Da'at* : Humiliation in Isaiah 53,11, in the Light of Isaiah 53,3 and Daniel 12,4, and the Oldest Know Interpretation of the Suffering Servant», *VT* 30 [1980], pp. 97-105), avec référence à une racine *WD'* II. On aurait donc, en 53,3 : «humble because of sickness», et en 53,11 : «by his humiliation my Servant will make many righteous» (moyennant la suppression du mot *ṣaddîq*). Le sens conviendrait parfaitement au contexte, si l'on était assuré de l'existence d'une seconde racine *WD'*. Mais la fin du v. 11*b* serait alors à couper autrement, en suivant d'ailleurs le texte de 1QIs[a] : «A cause de sa peine personnelle, il verra la lumière et se rassasiera» (add. *w-*). Mais le même manuscrit rattache plus fortement le v. 11*c* à ce qui précède en ajoutant une autre conjonction *w-* : «et par sa connaissance (ou son humiliation), juste, mon serviteur, justifiera des foules et prendra en charge leurs fautes.» Les multiples incertitudes textuelles de cette finale s'expliquent probablement par le travail rédactionnel qu'a rendu nécessaire la jonction entre la fin du discours en «nous» et l'oracle qui terminait l'autre discours (vv. 11*c*-12).

Les incertitudes de la critique textuelle rendent un peu incertain le découpage en strophes. Si l'on admettait que le stique de 52,14*bc* doit être transporté entre 53,2 et 53,3 (cf. *supra*), le v. 2*ab* serait à rattacher à l'introduction du discours. De même, le premier vers de la dernière strophe (53,10*ab*) me semble incomplet [40]. Mais ce sont là des remarques mineures. Il est plus important de noter le réalisme de l'évocation : elle attire

---

40. Cf. mes remarques sur la critique textuelle du verset et la note 39.

l'attention sur les souffrances et la mort d'un héros innommé
que le discours parallèle présente, au nom de Dieu, comme
« mon Serviteur » (52,13 et 53,11c). L'humiliation, la maladie,
les douleurs, les meurtrissures, les mauvais traitements, le
jugement injuste et l'enlèvement par contrainte, finalement la
mort et la sépulture indigne, ne peuvent pas être regardés
comme de simples métaphores [41]. Il est vrai qu'Is 1,5-6 recourt
à l'image du malade et du blessé pour évoquer la situation du
peuple coupable, aux prises avec l'invasion des Assyriens. Ce
parallélisme est invoqué par ceux qui tiennent pour l'interprétation collective du Serviteur [42]. Mais ici la situation est
différente, puisque le prophète parle au nom de la communauté
juive dont il fait partie et dont le Serviteur a « porté les
maladies et pris en charge les douleurs » (53,4ab) : la même
foule pécheresse qui l'estimait « puni, frappé par Dieu et
humilié » (v. 4cd), doit prendre conscience qu'il a pris sur lui
le châtiment grâce auquel elle obtiendra la paix et la guérison
(v. 5cd). Il s'est rendu solidaire des coupables et a payé pour
eux (v. 5ab et 6cd), afin qu'elle ne reste pas dans la situation
des brebis errantes (v. 6ab).

Il ne peut s'agir de la description anticipée d'un médiateur
de salut *futur* : tous les verbes qui la concernent sont *au passé*,
et le prophète fait appel à *l'expérience* des auditeurs auxquels
il s'adresse. On ne peut guère songer non plus au souvenir
d'un personnage historique qui aurait souffert dans un passé
plus ou moins lointain, par exemple, le roi Yôyakin en exil [43] :
le « nous inclusif » devrait alors s'appliquer aux péchés des

---

41. Il y a cependant une image qui intervient à titre de comparaison : c'est
la mention de « celui devant qui on se voile la face » (v. 3c), allusion probable
à l'attitude prise en présence d'un lépreux. S. Jérôme n'a pas hésité à traduire
nāgûaʿ du v. 4c : « et nos putavimus eum quasi leprosum. »

42. J. Coppens, qui tient pour l'interprétation collective du Serviteur de
cet oracle, reconnaît que les traits individuels que lui donne le prophète sont,
à première vue, surprenants (p. 76). Mais à son avis, le dernier Poème serait
aussi le plus ancien, antérieur aux oracles enthousiastes et universalistes du
chap. 42 (visant Cyrus mais retouché après coup) et du chap. 49 (visant le
nouvel Israël). Il me semble au contraire qu'il y a une progression logique
dans les situations décrites au cours des quatre ensembles que j'ai analysés.

43. Cette possibilité est évoquée rapidement par H. CAZELLES, *art. cit.*,
pp. 42-43, non pour identifier le Serviteur, mais pour repérer le modèle
historique à partir duquel le prophète représenterait sa mort et sa sépulture.
L'étude est reprise de façon plus ample dans un article : « Le roi Yoyakin et

ancêtres antérieurs à la déportation de Yôyakin (v. 6)! Ce n'est guère concevable : le prophète parle de « la faute de nous tous » en visant ses contemporains. Il songe donc à un contemporain dont les souffrances et la mort sont récentes. Il écarte l'interprétation que ses auditeurs ont pu en faire (v. 4cd), pour en donner une autre interprétation, en rapport avec la réalisation du dessein mystérieux de YHWH. C'est bien le dénouement de la tragédie dont les séries de Poèmes B et C avaient marqué les étapes précédentes. Le Serviteur de YHWH, chargé de restaurer Israël dans ses droits, n'a pas seulement échoué : il est mort et « son tombeau a été mis avec ceux des mécréants » (v. 9a). Il est difficile de comprendre que Dieu l'ait ainsi écrasé (v. 10a), qu'il ait fait retomber sur lui les fautes de tout le peuple (v. 6cd). Mais c'est ici que « le bras de Dieu se dévoile » (v. 1b) d'une façon inattendue, inédite, inouïe, comme disait déjà l'autre discours : si lui-même, en personne, offre un sacrifice de réparation ('ašām), il verra un lignage (v. 10cd), et la volonté de YHWH réussira grâce à lui (v. 10e). On peut se demander si c'est le Serviteur ou son lignage qui « prolongera ses jours », « verra la lumière », « se rassasiera de son savoir » (vv. 10d, 11b) : le sujet de ces verbes est incertain, car le mot « lignage » (zèraʿ) est masculin comme le mot « serviteur ». Certains critiques veulent trouver ici une allusion à la résurrection du Serviteur en vue de son triomphe *post mortem* ; mais le langage technique qui caractérise ce thème est absent du texte (qwm, qyṣ, ʿwr). L'emploi du mot « lignage » peut faire songer à la dynastie davidique, si l'on suppose que le Serviteur en est un membre, comme on le redira plus loin. Mais la rétribution personnelle du Serviteur souffrant reste très floue [44].

Le plus clair est le pardon qu'il obtient pour la masse pécheresse, grâce à son « sacrifice de réparation » qui est probablement à comprendre comme l'offrande de sa vie et l'acceptation de la mort. Le vocabulaire de la « rédemption »

---

le Serviteur du Seigneur », *Proceedings of the Fifth World Congress of Jewish Studies*, vol. 1 (1969, paru en 1971), pp. 121-126.

44. Il va de soi que la relecture du texte et son interprétation collective inviteront à appliquer au Serviteur lui-même tout ce qui concerne les promesses d'avenir. Mais il ne me semble pas que ce soit déjà le cas au moment de sa composition. L'oracle parallèle des vv. 11c-12 ne dit rien de plus clair au sujet de la rétribution individuelle du Serviteur.

n'est pas employé, mais l'idée de la souffrance et de la mort
rédemptrice que l'homme « sans violence ni tromperie » (v.
9*cd*) subit pour les pécheurs, est incontestablement présente
dans le texte. C'est par là que celui-ci introduit une nouveauté
absolue dans la théologie prophétique : il faut cette mort du
Juste pour que le dessein de Dieu réussisse (*ḥēfès YHWH
bᵉyādô yiṣlaḥ*, v. 10*e*). La fin du discours en « nous » rejoint
ainsi l'oracle qui termine l'autre discours. Dans la perspective
d'avenir qui est désormais ouverte, il y a un lien étroit entre la
souffrance et la mort du Juste, d'une part, le pardon des péchés
et la justification des pécheurs, d'autre part. Tout ce que le
Second Isaïe a pu dire sur le rétablissement d'Israël dans sa
terre, le partage des héritages, la restauration de l'alliance entre
Dieu et son peuple, l'illumination des nations, etc., n'est pas
caduc pour autant : ces promesses continueront donc de faire
l'objet de l'espérance nationale. Mais l'insertion des Poèmes du
Serviteur dans son livre n'en pose que d'une façon plus aiguë
un problème que je n'ai pas encore abordé de front : celui de
l'identification du Serviteur, en qui l'analyse des textes m'a
invité à reconnaître un personnage historique contemporain du
prophète, et non une personnification abstraite de la communauté juive ou une figure idéale projetée dans un avenir
imprécis. Mais avant d'en venir à l'examen de ce problème, je
dois envisager une dernière question : la série des Poèmes du
Serviteur est-elle close à la fin du chap. 53 ?

E) Y a-t-il un dernier Poème (55,3-5) ?

L'hypothèse générale qui s'est imposée peu à peu pour
expliquer les quatre premières séries de textes oblige à poser
une dernière question. Si le Serviteur est bien le chef des Juifs
rapatriés, qui a reçu mission de réinstaller ceux-ci dans leur
terre en y restaurant l'ordre ancien, ne faut-il pas lui rapporter
aussi le seul passage du Second Isaïe où l'on trouve une
allusion à l'espérance traditionnelle qui s'attachait à la dynastie
davidique (55, 3*b*) ? La délimitation exacte du passage où cette
allusion figure est elle-même difficile, car les opinions des
critiques sont très partagées au sujet de la composition d'Is 55.
Certains y voient un discours d'un seul tenant, tandis que
d'autres le fragmentent en morceaux distincts. Je pense que ces

derniers ont raison : les vv. 12-13 sont à rattacher à 52,11-12, dont ils ont été séparés pour donner une finale au livre. Les vv. 10-11 sont une réflexion, probablement écrite en prose, sur l'efficacité de la Parole de Dieu personnifiée. Deux débuts de discours sont discernables en 55,1 et 55,6. Reste à fixer le début du discours où il est question de David. La formule initiale du v. 3 permet de l'identifier grâce aux expressions caractéristiques : « Prêtez l'oreille… Écoutez… » Le rédacteur final a rattaché ce début de discours au v. 2 en raison des deux mots-crochets qui aident en ce point la mémoire : « écoutez » et « votre âme » (mot qui disparaît généralement dans les traductions françaises modernes). Le morceau ainsi délimité comporte trois mouvements successifs : un appel et une promesse en « vous » (v. 3), une assurance relative à un tiers qui n'est pas nommé (v. 4), une promesse en « tu » (v. 5). On pourrait justifier cette diversité en songeant à un discours public où le prophète s'adresse d'abord à la foule réunie (vv. 3-4), puis au personnage dont il a présenté la mission dans le v. 4. Ainsi compris, le texte se présente de la façon suivante :

> [3] Prêtez l'oreille et venez vers moi ! Écoutez, et votre âme vivra.
> Je conclurai pour vous l'alliance éternelle, les grâces de David maintenues :
> [4] Voici que je t'ai établi témoin pour les peuples, prince et maître des patries.
> [5] Voici que tu convoqueras une nation que tu ne connaîtras pas,
>   une nation qui ne te connaît pas accourra vers toi,
> à cause de YHWH ton Dieu, pour le Saint d'Israël quand il t'aura rendu illustre.

La traduction du v. 4 est difficile, car l'identité du « témoin », du « prince » en situation de « commandement », n'est pas claire. S'agit-il de David, nommé dans le v. 3, ou de l'inconnu auquel sera adressé le v. 5 ? Dans la seconde hypothèse [45], le

---

45. Contrairement à beaucoup de commentateurs, je ne pense pas que 55,4, où le personnage dont on parle n'est représenté que par le suffixe verbal (*n^e tattîw*), concerne David mentionné en 55, 3d dans une construction génitivale : les formules employées ne s'appliqueraient guère au fondateur de la dynastie. En outre, le « tu » de 55,5 resterait inexpliqué, car il n'est pas identifiable au « vous » de 55,3.

prophète donnerait au descendant actuel de David le titre de *nāgîd* comme à son ancêtre (cf. 2 Sm 7,8), dans la perspective ouverte par Ézéchiel (Ez 34,24 ; 37,25). Ézéchiel mentionnait justement à son propos l'« alliance éternelle » (Ez 37,26). La promesse faite au descendant de David (Is 55,5) étendrait alors la fonction du Prince à une nation qui ne semble pas être Israël, mais qui pourrait désigner les Samaritains comme en 49,7*d*. S'il en est ainsi, l'orientation du texte diffère sensiblement des oracles rendus en faveur du Serviteur dans les Poèmes précédents (42,6-7 ; 49,6.7*a*.8-9*a*), où la descendance davidique n'était pas mentionnée. Mais il y a des raisons historiques qui peuvent expliquer cette différence. La présence de chefs dynastiques à la tête des Juifs rapatriés sous Cyrus avait un but limité : les trois premières séries de Poèmes se situent bien dans ce cadre. Or, on sait que sous Darius Ier la situation évolua, au moment où les travaux du Temple reprirent. Autour de Zorobabel se fit jour un espoir de restauration royale dont témoignent Aggée (Ag 2,22) et Zacharie (Za 3,8-9 ; 7,9-13). Dans cette nouvelle perspective, le Second Isaïe énoncerait à son tour en faveur de Zorobabel un oracle dont les termes restent voilés. Mais pouvait-il aller plus loin dans l'expression de l'espérance nationale, sans porter ombrage aux autorités perses dont dépendait sa réalisation pratique ? L'hypothèse paraît être la seule qui explique l'énoncé énigmatique de 55,5 en le coordonnant avec les Poèmes du Serviteur. Si on la retient, on est amené à penser que la troisième série (52,13 — 53,12) est postérieure aux textes des chap. 54 et 55 : elle aura été insérée à la place où elle figure par le rédacteur auquel on doit la constitution de tout le recueil. Cette hypothèse ne contredit aucunement l'histoire rédactionnelle du livre qui a été envisagée plus haut.

III. Essai d'identification du Serviteur

Puisqu'une hypothèse de lecture « historique » a été envisagée pour expliquer l'ensemble des Poèmes du Serviteur, il faut en tirer maintenant les conséquences en identifiant, si possible, le personnage auquel ils font allusion sans le nommer. L'interprétation des textes m'a renvoyé sans cesse aux chap. 1 à 5 d'Esdras. Néanmoins, une difficulté se présente. En effet, d'après Esd 1,11 et 5,14-16, le chef de la lignée davidique à qui Cyrus confia le soin de rapporter à Jérusalem les dépouilles du Temple apportées en Babylonie par Nabuchodonosor, d'y restaurer le culte et d'en relever les ruines, était Sheshbaçgar, qu'il faut vraisemblablement identifier avec Shin'açgar, quatrième fils de Yôyakin [46] (1 Chr 3,18), né en déportation si l'on en juge par l'âge de son père en 598 (cf. 2 R 24,8). L'administration perse aurait donc mis à la tête de la caravane du Retour le dernier survivant des fils du roi, qui avait lui-même été tiré de prison en 562 (2 R 25,27-29). Né durant les années qui suivirent 598, il devrait être âgé de cinquante-cinq ans au plus en 538. Toutefois, si le document administratif reproduit dans Esd 5,7-16 dit que Sheshbaçgar « mit les fondations » du nouveau Temple, le récit du Chroniste attribue toute l'œuvre de sa restauration à Zorobabel, autre prince royal, et au grand-prêtre Josué (Esd 3,2.8 ; 4,2). D'après le même auteur, le travail de reconstruction commença « la 2e année de leur arrivée à Jérusalem, au 2e mois » (Esd 3,8), soit en 536/35. Ces données ne se contredisent pas : le document officiel ne mentionne que le mandataire direct de l'administration, tandis que le récit du Chroniste, écrit du point de vue juif, ne parle que du chef qui eut la responsabilité effective de l'entreprise. D'après Esd 3,2.8 et Ag 1,14 ; 2,2, Zorobabel était fils de Shealtiel, fils aîné de Yôyakin (il faut rectifier sur ce point l'indication de 1 Chr 3,17-19 qui en fait un fils de Pedayah, troisième fils de Yôyakin.) En tant que neveu de Sheshbaçgar, il est normal que Zorobabel ait été d'abord son bras droit puis l'héritier de sa fonction. Sheshbaçgar avait été nommé gouverneur (*pèḥâh*) en 538, d'après Esd 5,14. On retrouve Zorobabel avec ce même titre en octobre 520 [47], d'après Ag 1,1 et 2,2 ; en outre, Zacharie dit explicitement qu'il avait fondé le Temple au moment où commencèrent ses travaux (Za 4, 9), soit en 536/35. On perd de vue Zorobabel entre les difficultés suscitées par le « peuple du pays » et les notables de Samarie (Esd 4,1-4), et la reprise des travaux du

---

46. Cf. J.M. MYERS, *Erza-Nehemia*, Anchor Bible (1965), p. 9. Sur les conflits auxquels se heurta sa mission, *ibid.*, pp. XXVI-XXVII.

47. J'ai admis que Sheshbaçgar avait dépassé la cinquantaine en 538, mais c'était le fils cadet de la famille. Zorobabel appartenait à la génération suivante : il pourrait avoir le même âge en 520.

Temple en 520, sous Darius Ier. Mais rien ne prouve que, pendant ce temps, il soit rentré en Babylonie et qu'il ait reçu une nouvelle mission à l'avènement de Darius : la chose est possible, sans plus[48]. Tel est le contexte historique que permettent de reconstituer les données éparses dans Esdras, Aggée et Zacharie. Elles sont très lacunaires.

Puisqu'on doit chercher le Serviteur du côté du chef des Juifs rapatriés, faut-il songer à Sheshbaçar ou à Zorobabel ? En fait, on ignore tout de Sheshbaçar et de la fin de son mandat. Le livre d'Esdras ne laisse pas entendre qu'il aurait été un personnage très actif, contrairement à son neveu Zorobabel à qui les travaux de restauration sont effectivement attribués. Or, il est intéressant de constater que deux prophètes donnent à Zorobabel le titre de « Serviteur » (de YHWH) : l'oracle de Ag 2,23, en décembre 520 (« Je te prendrai, Zorobabel fils de Shealtiel, *mon serviteur,* et je ferai de toi comme un anneau à cachet, car c'est toi que j'ai choisi », avec le verbe *baḥar* qui rappelle *bᵉḥîr* d'Is 42,1) ; de même, en termes équivalents, l'oracle de Za 3,8 qui paraît dater de février 419 et où il est dit que YHWH va susciter son «*serviteur* Germe» (cf. Jr 23,5), pour qui est préparée la couronne royale (Za 6,12-13, texte retouché où le nom du grand-prêtre Josué a été substitué secondairement à celui de Zorobabel). Il ne serait donc pas étonnant que le Second Isaïe ait attribué la même désignation au même personnage, dépositaire de l'espérance juive à un moment où le renversement de la situation politique ouvrait au peuple une nouvelle espérance. Tout titre proprement royal (ou messianique avec allusion à l'onction du sacre) était évidemment exclu, puisque la politique du libérateur le réservait à

---

48. Beaucoup de commentateurs distinguent deux missions de rapatriement : l'une dirigée par Sheshbaçar en 538, l'autre sous la conduite de Zorobabel avant 520, au début du règne de Darius. Il est possible que plusieurs caravanes de rapatriés aient pris le chemin de la Judée, d'abord sous Cyrus, puis sous Darius Ier. Mais il n'y a pas de raison déterminante pour récuser la présence de Zorobabel à Jérusalem dès 538. Il est possible qu'il y soit resté au temps où les Samaritains et leurs alliés locaux cherchaient à entraver les travaux du Temple. Refit-il un voyage en Babylonie au début du règne de Darius ? Ce n'est pas impossible, mais on ne peut le prouver. En tout cas, le titre officiel de *pèḥâh* conféré par l'administration perse à Sheshbaçar puis à Zorobabel, ne soustrayait pas nécessairement la Judée à la domination des Samaritains : c'est seulement avec Néhémie que son indépendance administrative sera acquise.

Cyrus, le « Grand Roi ». Le Second Isaïe aurait fait un pas de plus vers 520, dans le petit oracle qui mentionnait les promesses faites à David (55,4) ; mais Aggée et Zacharie s'avançaient alors bien davantage... Une autre possibilité reste ouverte : c'est que le titre de « Serviteur » ait été attribué par le prophète, en tant que titre « fonctionnel », au Prince de Juda qui détenait la charge officielle de *pèḥâh* au nom des autorités perses, avec mission de restaurer l'ordre ancien en Judée : Sheshbaççar d'abord, puis Zorobabel. Mais dans ce cas, ne serait-on pas devant le titre dynastique qui s'appliquerait aussi bien à leur ancêtre Yôyakin, dans la ligne ouverte par le Ps 89, 21, qui peut fort bien se rapporter à ce roi détrôné (cf. vv. 39-46 et v. 51, où reparaît le titre de Serviteur) ? L'enquête policière entreprise pour identifier exactement le personnage ne peut aller plus loin, faute d'indices sûrs.

En fait, on ignore comment se termina le projet de restauration monarchique qu'attestent parallèlement Aggée et Zacharie. Il est certain qu'elle tourna court, car elle provenait d'une initiative juive mais n'entrait pas dans les plans de l'administration perse. En particulier, le destin final de Zorobabel reste complètement inconnu. C'est par son second fils Ḥananyah que la lignée davidique se perpétua, d'après une liste conservée dans 1 Chr 3,17-24 pour cinq générations. On trouve une trace de la quatrième génération (Ḥattoush fils de Shekanyah) parmi les chefs de famille qui revinrent avec Esdras (Esd 8,2-3). Ce fait laisse supposer que Zorobabel n'avait pas fait souche en Judée, mais qu'était-il devenu ? Il faut constater que le Chroniste, en rapportant la reconstruction du Temple (Esd 5-6), ne fait aucune allusion à l'essai de restauration monarchique attesté par Aggée et Zacharie [49] ; mais

---

49. Un silence intentionnel du Chroniste s'explique fort bien en cet endroit : il élabore un récit partiel — et partial — de la restauration juive où cet échec ne saurait prendre place. D'autant plus qu'une telle prétention monarchique encouragée par deux prophètes avait nécessairement une allure séditieuse, quel que fût le souverain auquel le Judaïsme était soumis. De la même façon, dans le livre de Zacharie, l'oracle relatif au couronnement royal a été corrigé secondairement en cours de transmission : en le reportant sur le grand-prêtre Josué (Za 6,11), l'éditeur du texte prévenait toutes les difficultés. La conservation des oracles d'Ag 2,23 et Za 3,8-9 n'avait pas le même inconvénient : aucun titre royal n'y figurait explicitement, contrairement à Za 6,13*b*.

il ne mentionne pas non plus Zorobabel lors de la dédicace du second Temple en 515 (Esd 6,14-22). Il y a là une énigme que les historiens n'ont jamais résolue. Il semble que Zorobabel ait disparu de la scène en Judée entre 518 et 515. Faut-il, sur la base de la lecture « historique » proposée plus haut par les Poèmes du Serviteur, revenir à l'hypothèse — fort peu soutenue par les critiques [50] — de l'identification du Serviteur souffrant à Zorobabel ? Les difficultés évoquées par Is 49,1-7 se placeraient sans doute mieux sous Cyrus (Esd 4,1-5) que dans le cadre des dénonciations envoyées sous Darius Ier (Esd 5,3) : on sait en effet que les travaux du Temple ne furent pas interrompus à cette époque (Esd 5,4b). Mais ensuite, le Chroniste ne garde plus aucune trace du projet de restauration monarchique ni des réactions qu'il a pu effectivement entraîner : ce silence est explicable, car on ne raconte pas volontiers un échec. On ne peut donc tirer ici qu'une conclusion réservée, tout en accordant une réelle possibilité à cette hypothèse qui a le mérite de la cohérence et du réalisme historique [51]. Mais H. Cazelles n'a peut-être pas tort de chercher aussi la personne de Yôyakin derrière le Serviteur souffrant [52]. Les Poèmes qui le concernent toucheraient au passé, au présent et à l'avenir de la lignée dynastique qui rentre dans l'ombre après Zorobabel.

---

50. C'est l'hypothèse soutenue autrefois par Sellin, première manière, suivi par Winckler (cf. Chr. R. NORTH, The Suffering Servant, pp. 49s.). Mais Sellin attribuait au Second Isaïe une participation à l'espérance « messianique » d'Aggée et de Zacharie, attachée à la personne de Zorobabel. L'oracle d'Is 55,3-5 est beaucoup plus discret ; ceux d'Is 42 et 49 effacent les traits royaux tout en laissant une certaine résonance sociale à la fonction de leur destinataire.

51. Cette lecture rejoint sur un seul point celle de J. MORGENSTERN, « The Suffering Servant : A New Solution ? » Vetus Testamentum 11 (1961), pp. 292-320 et 406-431 : elle cherche derrière le texte des Poèmes un personnage historique, descendant de la dynastie davidique, finalement condamné au supplice. Mais Morgenstern reconstruit tout un scénario en brouillant l'ordre des textes, en y ajoutant Is 61,1.10, en corrigeant hardiment l'hébreu du TM, en faisant de l'ensemble un drame rituel destiné à la fête du Nouvel-An et écrit sous l'influence des drames grecs (cf. Eschyle). La mort du Serviteur (Is 53) rappellerait la « mort rituelle » de Yôyakîn dans la fête babylonienne du Nouvel-An en 561 (art. cit., pp. 414s.), mais l'occasion du « drame » aurait été le supplice d'un fils de Zorobabel martyrisé en 486 (p. 427). Ces conjectures fantastiques n'ont rien à voir avec la lecture strictement historique que je propose.

52. Cf. supra, note 43.

La lecture qui vient d'être esquissée laisse subsister, dans le détail, bien des énigmes et des points obscurs. Mais elle me semble moins artificielle que celle qui répartit les Poèmes entre plusieurs « Serviteurs » différents (Cyrus, le prophète lui-même, l'Israël de l'Exil), ou celle qui en force parfois la littéralité pour retrouver dans tous les textes la personnification du groupe des « justes » (fort difficile à cerner, si on veut le distinguer du peuple d'Israël), ou celle qui en fait un personnage futur dont le prophète serait amené à parler en recourant parfois au « parfait » prophétique (comme s'il était déjà là ou comme si sa souffrance et sa mort étaient accomplies). Toutefois, il ne faut pas oublier que les oracles qui le concernent ont toujours pour horizon la réalisation *plénière* du dessein de Dieu, dont Israël est le bénéficiaire. Leur visée profonde dépasse ainsi, par son objectif, les résultats limités que l'avenir prochain pourrait atteindre — ou n'atteindra pas du tout. C'est une loi commune pour tous les oracles prophétiques. En outre, leur lecture « historique » n'exclut pas la richesse de leur contenu théologique, même si celui-ci reste conditionné par les circonstances dans lesquelles le prophète et le Serviteur exercent leurs missions parallèles. En effet, ces textes ont été, dès leur composition, liés à la foi et à l'espérance d'Israël, à un moment critique de son histoire. Dans leurs fonctions diversifiées, relatives à des événements précis et manifestées par leurs formes littéraires, les Poèmes avaient pour but essentiel d'entretenir cette foi et cette espérance, d'ouvrir au peuple l'« Avenir de Dieu » en enrichissant sur certains points la façon dont il avait compris jusque là ses desseins, de faire face éventuellement aux crises par lesquelles la foi et l'espérance pouvaient passer si les événements venaient apparemment les contredire — car la souffrance et la mort du Serviteur ont effectivement contredit les perspectives ouvertes par les oracles d'Is 42 et 49.

C'est à ce titre que les Poèmes ont été introduits dans le recueil du Second Isaïe, exactement comme les hymnes, les oracles et les discours qui célébraient sur le mode lyrique la venue du « Salut de Dieu ». A partir du moment où ils eurent ainsi pris place dans cette œuvre traversée par un souffle d'espérance, ils furent sans cesse relus comme autant de Paroles de Dieu tournées vers le futur, des Paroles qui ne pouvaient revenir à Dieu sans avoir accompli ce pour quoi elles avaient été envoyées (Is 55,10-11). Il faut voir maintenant comment cette lecture les a valorisés, en les détachant de leur contexte primitif et en greffant sur leur littéralité une interprétation qui permettait d'en montrer l'actualité permanente et le contenu inépuisable. De la lecture critique qui vient d'être tentée, nous allons passer à celle de l'herméneutique qui leur fut appliquée au cours des siècles suivants. Bien entendu, pour le faire, il faudra encore se baser sur des textes analysés avec la même rigueur critique que dans l'étude historique qui vient de s'achever.

DEUXIÈME PARTIE

L'INTERPRÉTATION DES POÈMES DANS LE JUDAÏSME ET DANS LE CHRISTIANISME PRIMITIF

INTRODUCTION

Dans quel esprit et à l'aide de quelles méthodes les Poèmes du Serviteur ont-ils été relus, d'abord dans le Judaïsme, puis dans l'Église chrétienne héritière de la Bible juive ? A quels résultats cette lecture est-elle parvenue ? Pour situer cette question par rapport à la lecture « historique » qui vient d'être faite — ou par rapport aux autres lectures qu'on pourrait proposer d'en faire —, il est utile de dégager d'abord quelques principes généraux qui ont dominé cette pratique diversifiée.

1. *Lecture historique et actualisation des textes*

Le contexte historique en fonction duquel les Poèmes avaient été composés fut progressivement perdu de vue, non dans ses lignes générales dont le souvenir restait vif, mais pour certains aspects pratiques des problèmes que les rapatriés avaient dû affronter entre 539 et 515 : les questions d'actualité avaient changé de tournure. En revanche, dans un contexte social et religieux soumis à des variations multiples, les Juifs se virent poser de nouveaux problèmes. La lecture des Poèmes, comme celle de tous les autres textes prophétiques, pouvait les éclairer latéralement. Désormais, l'essentiel n'était pas de revenir sur *le passé* pour en faire revivre tous les détails, comme les critiques modernes s'y efforcent pour des motifs qui mériteraient un examen approfondi. Il était de faire résonner les textes *dans le présent*, pour y chercher une lumière et orienter correctement la vie communautaire.

La première restauration juive avait mis en place des structures où cette vie pouvait trouver un certain équilibre : le Temple était reconstruit ; le statut officiel du Judaïsme était reconnu par l'empire perse, avant de l'être par les États hellénistiques et l'empire romain ; le culte fonctionnait régulièrement grâce à la perception des taxes versées en Judée ou dans la Diaspora et aux subsides de l'État, dont les Juifs étaient des citoyens loyaux ; les communications étaient fréquentes entre Jérusalem et toutes les communautés locales qui reconnaissaient l'autorité du grand-prêtre, garant de leur loyalisme envers les pouvoirs publics. Mais il y avait encore des questions ouvertes par les anciennes Écritures. La situation de Diaspora subsistait, ainsi que la soumission à des pouvoirs étrangers dont l'attitude oscillait entre la tolérance, la faveur et les tracasseries administratives : l'épreuve d'Israël n'était donc pas encore parvenue à son terme. Le statut légal du Judaïsme, en tant que nation protégée, garantissait son autonomie cultuelle, culturelle, institutionnelle, sociale, judiciaire et même, dans une certaine mesure, administrative. Mais il restait privé de liberté politique : l'institution royale n'y était pas rétablie, si bien que les promesses prophétiques relatives au « roi » futur attendaient leur « accomplissement ».

Les Juifs étaient donc installés dans une position d'attente où tous les textes des anciens livres, mémorisés, lus publiquement, expliqués dans les réunions de prière, conservaient leur valeur de message toujours actuel : tantôt appels à la conversion, assortis d'une menace du Jugement divin, tantôt invitations à l'espérance, comportant des évocations prestigieuses du « monde à venir ». Dans ce cadre nouveau, la lecture des Poèmes du Serviteur différait nécessairement de celle qu'avaient faite leurs premiers auditeurs ou lecteurs. L'espérance étant maintenant polarisée, d'une part, par la Ville sainte, son Temple et ses institutions cultuelles, d'autre part, par la libération nationale en vue de la restauration d'un État monarchique, la littéralité des textes était spontanément comprise — et leurs détails sélectionnés — en fonction de ces préoccupations majeures. Comme les titres royaux n'y apparaissaient nulle part, il importait peu de savoir si le Serviteur historique auquel ils se rapportaient avait été un homme de la lignée davidique, ni même qui il était. L'essentiel était de savoir ce que les expressions employées pour énoncer des promesses d'avenir pouvaient suggérer dans le présent, en fonction de l'attente religieuse et nationale qu'ils contribuaient à entretenir. On verra comment la lecture chrétienne s'est située par rapport à cette lecture juive, en continuité avec son souci d'actualisation, mais en rupture avec la forme d'espérance qui constituait son arrière-plan.

2. L'unité des Écritures en tant que Parole de Dieu

Alors que la lecture critique s'efforce d'identifier l'auteur humain auquel on peut rapporter tel ou tel texte particulier dans des circonstances qu'il faut établir, la personnalité de cet auteur s'effaçait, dans les lectures anciennes, devant la Parole de Dieu dont il avait été le porteur. Assurément, au moment de la composition du texte, l'identité et la fonction de l'auteur avaient joué un rôle capital : si les textes du Second Isaïe ont été conservés dans les livres saints, c'est en tant que message *prophétique*, énoncé par un porteur de la révélation divine. Mais la constitution finale du livre auquel les lecteurs juifs ont reconnu la qualité de « Parole de Dieu » avait plus d'importance que les détails — et même les étapes — de sa composition : à l'époque où fut constitué le recueil des « *Prophetae posteriores* », c'est-à-dire bien avant leur traduction grecque, les 66 chapitres d'Isaïe étaient attribués en bloc au prophète du VIIIe siècle, « grand et véridique en ses visions » (Si 48,22). Il y avait encore là une sorte de référence historique globale. Mais la conservation du livre, et par conséquent sa lecture, avaient pour unique fondement l'attachement à la « Parole de Dieu » dont le prophète avait été le témoin qualifié. C'est d'ailleurs dans ce livre même qu'on trouve la formulation la plus explicite de l'efficacité attribuée à la Parole de Dieu, qui ne revient pas vers lui sans avoir rempli sa mission (Is 55,10-11).

Il en résultait deux conséquences dans la pratique de la lecture. D'une part, chaque passage du livre avait une valeur permanente qu'il s'agissait de déchiffrer en le scrutant avec soin. D'autre part, pour découvrir cette richesse de sens qu'aucune interprétation n'épuisait, il fallait rapprocher les uns des autres tous les textes qui présentaient la même Parole de Dieu sous ses diverses facettes. Autour des Poèmes du Serviteur, il se formait ainsi tout un jeu de cercles concentriques qui constituait leur *contexte littéraire*, plus important que leur *contexte historique* primitif : d'abord l'ensemble du Message de consolation (Is 40-55), en raison de sa proximité et de sa tonalité analogue ; ensuite tout le livre d'Isaïe qui était censé provenir du même auteur inspiré ; enfin les autres livres qui jouissaient du même statut et de la même autorité. Grâce à ce principe d'interprétation, on pouvait faire surgir de la *lettre* des Poèmes un (ou des) *sens* capable(s) de nourrir la foi et l'espérance. A la différence de la lecture critique, qui postule l'unicité du sens originel, correspondant à la fonction de chaque texte au moment de sa composition et attribuable à l'intention de l'auteur, les lectures anciennes se trouvaient en face d'une *polysémie* virtuelle dont chaque lecteur pouvait faire un libre usage, suivant les questions qu'il posait au texte.

3. *Les procédés pratiques de la lecture*

La critique littéraire classique nous a habitués à analyser avec soin les livres prophétiques pour déterminer avec précision les « petites unités » qu'on peut y discerner en leur reconnaissant une réelle autonomie. La lecture « historique » faite plus haut répondait exactement à ce souci. Or, les lectures anciennes, juives et chrétiennes, s'embarrassaient fort peu d'une telle opération. Pour éclairer chaque passage particulier, et finalement chaque phrase, elles pouvaient découper les ensembles de plusieurs façons différentes : soit en rattachant plusieurs péricopes les unes aux autres pour y repérer des récurrences thématiques, soit en mettant à part des sections très courtes, peut-être déterminées par les « unités de sens » les plus élémentaires que la lecture publique y faisait découper. La souplesse de cette méthode rendait possible une *pluralité de lectures* : il faudra s'en souvenir quand on rencontrera, à l'intérieur du Judaïsme lui-même, plusieurs lectures contradictoires du même Poème ou fragment de Poème. Assurément, pour parvenir à cette diversité d'interprétations, les lecteurs recouraient aux procédés pratiques que fournissaient les cultures de l'antiquité, juive puis grecque ; mais ils n'incorporaient pas pour autant ces procédés à la révélation qu'ils cherchaient dans la Parole de Dieu : cet élément d'ordre culturel était seulement mis au service de la « lecture croyante », dont il était un auxiliaire nécessaire. On verra plus loin qu'il existait des procédés plus subtils que les simples découpages effectués dans les livres pour les besoins de la lecture publique ou de l'explication édifiante. Chaque culture a ses moyens propres pour valoriser les textes anciens qu'elle conserve non comme de pures reliques du passé, mais comme une richesse qu'elle exploite encore.

Passons maintenant à l'examen du dossier. Quels textes vont en fournir les éléments ? Pour le Judaïsme pré-chrétien, ils se trouvent presque tous en dehors de la Bible hébraïque et même

des Deutérocanoniques que la Bible chrétienne a conservés. Le
« style anthologique » auquel recourent communément les
derniers livres de l'Ancien Testament est relativement riche en
réminiscences du Second Isaïe : on peut le vérifier dans des
textes comme Is 35 (ve siècle), les Psaumes 96 à 98
(probablement post-exiliens), le Cantique de Tobie (Tb 13,
peut-être du iiie siècle), l'homélie qui termine le livre de
Baruch (Ba 4,5 — 5,9, probablement du i^{er} siècle avant J.-C.).
Or, les Poèmes du Serviteur n'ont presque laissé aucune trace
de cet ordre. On comprend qu'ils n'aient pas été appliqués au
Messie fils de David, puisqu'ils ne renfermaient aucun
vocabulaire spécifiquement royal. Il faut donc chercher dans
d'autres directions. La Septante d'Isaïe fournit les matériaux les
plus importants. On peut la compléter en examinant quelques
passages de Daniel, des documents de Qumrân et d'une section
très discutée du livre d'Hénoch. Le Nouveau Testament, situé
au point de vue culturel en plein Judaïsme, fournit ensuite une
moisson assez ample. Il est utile d'y recourir avant de passer
aux textes juifs plus tardifs. En effet, la discussion apologétique au sujet des Poèmes a été très vive entre Juifs et chrétiens :
elle a conditionné l'élaboration du Targoum d'Isaïe et des
commentaires juifs de l'antiquité [1] aussi bien que l'interprétation proposée par les Pères de l'Église. Le programme tracé est
assez vaste pour que je me contente de le parcourir à grands
pas, pour obtenir une vue d'ensemble sans m'arrêter à toutes
les discussions de détail.

1. Il en alla de même dans les siècles suivants. Pour le seul poème
d'Is 52,13 — 53,12, on peut consulter le dossier de textes établi en 1877 :
The Fifty-Third Chapter of Isaiah according to the Jewish Interpreters,
I. Texts by A. NEUBAUER; II. Translations by S.R. DRIVER and
A. NEUBAUER, With an Introduction by Rev. E.B. PUSEY, rééd. with a
Prolegomenon by Raphael LOEWE, New York 1969. Loewe analyse
rapidement les positions modernes des auteurs juifs. Les 2 volumes
constituent une Somme de quelque 1200 pages, qui s'ouvrent par la
traduction des versions grecques.

CHAPITRE II

L'INTERPRÉTATION DE LA SEPTANTE

I. PRINCIPES GÉNÉRAUX DE LA LECTURE

1. *Traduction et interprétation*

La Septante est-elle simplement une traduction grecque de la Bible hébraïque, et doit-elle être appréciée en fonction des critères qui ont cours aujourd'hui pour apprécier les traductions de livres étrangers ? Pour répondre à de telles questions, il faut prendre quelque recul. Toute *traduction* d'un texte constitue en elle-même une *interprétation* : il s'agit en effet d'établir une communication entre deux sphères linguistiques qui ne se superposent jamais complètement, entre deux mondes culturels qui peuvent être assez éloignés l'un de l'autre, entre deux horizons historiques plus ou moins distants.

Un traducteur peut poursuivre deux buts différents.
1. Tantôt il veut donner à de nouveaux lecteurs la compréhension de ce qui fut écrit ailleurs, en un autre temps, dans d'autres circonstances, en leur imposant le dépaysement nécessaire, mais en leur facilitant la tâche par des introductions, des notes explicatives, etc. C'est le procédé le plus courant aujourd'hui. Dès l'antiquité, les Latins avaient traduit de cette façon certains auteurs grecs pour enrichir leur propre culture et y stimuler la création littéraire ; mais la traduction tourna souvent à l'adaptation qui recréait le texte originel, et à l'imitation qui s'en inspirait librement.
2. Tantôt le traducteur s'efforce de rester proche du livre qu'il adapte ; mais il veut que ce livre ait un impact direct sur les lecteurs du temps présent grâce aux retouches, aux modifications,

aux prolongements qu'il y apporte et par lesquels il en modifie plus ou moins profondément le sens primitif. Sans compter que le style personnel du traducteur peut aussi donner à l'œuvre un cachet nouveau : Eschyle traduit par Paul Claudel devient claudélien et ses drames entrent dans le système général du poète moderne, même si leur littéralité est suivie d'assez près.

La traduction de la Bible en grec, exécutée à Alexandrie à partir du IIIe siècle, en a recréé le texte d'une double façon. D'abord, parce que les traducteurs anonymes, enracinés psychologiquement et religieusement dans le Judaïsme, se gardèrent de tout syncrétisme : ils imposèrent des « valences » nouvelles au vocabulaire du grec courant, en le surchargeant de sens nouveaux qui respectaient l'expérience de foi propre au Judaïsme. Ensuite, parce que leur but fondamental était d'assurer la valeur actuelle et l'efficacité des livres saints pour les Juifs qui vivaient en milieu hellénistique, soit comme Loi reconnue par l'État et réglant à ce titre la vie des communautés locales, soit comme prédication, prière et sagesse pratique adaptées aux besoins de la situation présente. Il s'agissait donc d'une traduction du second type décrit plus haut, plus proche de la littéralité hébraïque pour la Loi et les sections narratives, plus libre dans les adaptations qu'imposaient certaines pages des livres prophétiques. Telle est la version grecque du livre d'Isaïe dont J. Ziegler nous a donné une excellente édition critique [1] et qui a été étudiée avec grand soin par I. L.

---

1. J. ZIEGLER, *Isaias*, Septuaginta : Vetus Testamentum Graecum, auctoritate Societatis litteratum Gottingensis editum, vol. 14, Göttingen 1939 (avec une importante Introduction de 121 pp.). Mais l'édition des deux manuscrits d'Isaïe retrouvés à Qumrân (outre les fragments textuels utilisables) est postérieure à cette édition critique de la Septante : elle a modifié sur certains points la question des diverses recensions hébraïques du livre. L'édition de Ziegler avait été précédée par ses *Untersuchungen zur Septuaginta des Buches Isaias*, Alttestamentliche Abhandlungen XII/3, Münster-i.W. 1934. Je laisse ici de côté les matériaux provenant des autres versions grecques (Aquila, Symmaque et Théodotion), que Ziegler a introduits dans un second registre de variantes. Mon but n'étant pas l'étude critique du texte comme tel, je ne signalerai pas les diverses variantes qui se présentent en plus d'un endroit des Poèmes du Serviteur : le texte que je suis est proche du *Textus receptus*. Il existe deux traductions anglaises du texte grec : dans *The Septuaginta Version of the O.T. and Apocrypha with an*

Seeligmann[2]. Exécutée probablement au IIIe siècle, elle valorisait le livre en vue de sa lecture synagogale. C'était donc en réalité un Targoum grec, tantôt relativement littéral, tantôt assez libre pour adapter le texte primitif aux besoins des auditeurs et des lecteurs. Les additions et aménagements occasionnels qui s'y rencontrent témoignent ainsi indirectement de l'interprétation qu'on donnait alors d'Isaïe dans le cadre synagogal, en vue de l'édification de l'auditoire. Dans la mesure où le livre était traversé lui-même par un mouvement tourné vers l'«Avenir de Dieu», son interprétation «actualisante» trouvait un point de départ dans sa lettre pour provoquer la conversion, inviter à la fidélité et entretenir l'espérance juive. Sur ce dernier point, quelle que fût la perspective historique qui avait conditionné au départ la représentation de l'*Eschaton* dans les diverses parties du livre, l'interprète reportait spontanément sur son texte les données acquises depuis lors grâce à d'autres expériences historiques et à d'autres «Paroles de Dieu» : l'essentiel était de faire apparaître en filigrane, dans la littéralité traduite, ce point-limite du temps où Dieu accomplirait pleinement ses promesses.

La lecture alexandrine des Poèmes du Serviteur s'explique en fonction de ces objectifs et de ces méthodes. Il y a donc des différences notables entre le sens littéral de la Septante et celui du texte hébraïque qu'on a lu plus haut. Certaines d'entre elles peuvent s'expliquer par l'existence d'une recension un peu différente de celle que conserve le texte massorétique ; d'autres peuvent avoir pour base une autre vocalisation d'un hébreu identique, le même texte consonantique donnant alors lieu à deux interprétations divergentes. Mais d'autres constituent de véritables refontes qui aboutissent à «récrire» le texte primitif : en modifiant éventuellement la modalité des formes verbales pour y projeter les «temps» ou les «aspects» du verbe grec ; ou bien en ajoutant des éléments nouveaux empruntés à d'autres passages du livre d'Isaïe ; ou bien en intercalant des

---

English Translation, Londres — New York, s.d., p. 889 ; S.R. DRIVER — Ad. NEUBAUER, *The Fifty-Third Chapter of Isaiah according to the Jewish Interpreters*, (1877, rééd. 1969), t. 2, pp. 1-4. Une traduction latine accompagne le texte grec courant dans la Polyglotte de Londres.
   2. I.L. SEELIGMANN, *The Septuagint Version of Isaiah*, Leyde 1948.

explications brèves, fournies de vive voix dans les homélies de synagogue, etc. La lecture devient ainsi « créatrice de sens ». Ce ne sont pas les théoriciens modernes de l'analyse structurale détachée de toute référence à l'intention de l'auteur primitif, qui pourraient le lui reprocher — même s'ils contestent, au nom de leurs habitudes culturelles, la validité des procédures employées pour y parvenir.

2. *Les changements de perspective*

Il en résulte des conséquences générales qu'on peut caractériser ainsi :

1. L'horizon historique des premiers retours d'exil, considérés d'abord comme le prélude du grand « Salut de Dieu », lié à l'établissement de son Règne (cf. Is 40,9-11 ; 51,4-6 ; 52,7-10), s'efface pour laisser place à l'horizon terminal de l'histoire, où ce Règne et ce Salut adviendront en plénitude, bien au-delà du temps présent : l'expérience a donc modifié la perspective dans laquelle les textes sont lus.

2. Sur la base des passages du livre où il est question d'Israël comme « Serviteur de YHWH » (Is 41,8-9 ; 43,10 ; 44,1-2. 21 ; 45,4 ; 48,20), les Poèmes du Serviteur reçoivent une interprétation collective, à l'exception de la troisième série (Is 50,4-11) qui ne se prête pas à cette opération et qui peut être lue aisément comme visant le prophète lui-même.

3. Pour obtenir ces résultats, les frontières entre les péricopes sont gommées au maximum, afin d'assurer la continuité du discours prophétique. L'éditeur du *Message de consolation*, dans son travail de « montage » avait amorcé ce traitement des textes à la jointure finale de plusieurs Poèmes (passage de 42,7 à 42,8-9 ; de 49,9b à 49,9c-13 ; de 50,9a à 50,9b). Dans le texte grec, la suture est cherchée aussi au début et entre les Poèmes voisins, dans la mesure où le contexte le permet. Ainsi le texte entier est transformé par petites touches. Le recours à un « grec de traduction » qui épouse volontiers les sémitismes du texte hébraïque, ne peut masquer les coups de pouce qui en infléchissent le sens dans une direction aisément repérable.

4. L'interprétation collective des Poèmes, en appliquant leur texte aux souffrances historiques d'Israël et à sa gloire future,

accentue notablement le nationalisme religieux du livre. Elle laisse cependant intacts les appels à la conversion que la Targoumiste voudrait voir se réaliser chez ses auditeurs et lecteurs : c'est en effet à cette condition que les promesse de Dieu pourront s'accomplir, comme un juste retour des choses après l'expérience actuelle de la dispersion, du mépris des nations païennes, des peines de l'exil qui se prolongent.

5. Cependant, aucun chef national n'est mentionné, ni surtout aucun roi futur : c'est dans d'autres passages d'Isaïe (Is 7,14 ; 9,1-6 ; 11,1-9) qu'il faut chercher dans la trace de l'espérance « messianique » — même si le titre de « Messie » n'y figure pas. Seul, le petit passage d'Is 55,3*b* fait encore allusion aux promesses reçues par David, comme dans le texte primitif du livre. Mais rien ne permet plus de le rapprocher des Poèmes du Serviteur.

II. Traduction et analyse du texte

Dans la traduction qui va suivre, je ne recourrai pas aux mêmes stratagèmes littéraires que dans la traduction du texte hébraïque. Là, il fallait faire sentir les « valences » de l'hébreu tout en respectant les exigences littéraires du français ; des *w-* de coordination étaient omis pour alléger la stylistique, d'autres étaient rendus par des relations de subordination entre propositions voisines ; les verbes à l'accompli ou à l'imperfectif étaient traduits, d'après le contexte, par les temps français divers ; les équivalences de certains mots (comme *mišpāṭ*) ou de certaines expressions (comme les constructions génitivales) étaient choisies d'après le contexte. Ici au contraire, le souci de rendre exactement l'interprétation sous-jacente au texte grec oblige à suivre avec rigueur sa littéralité, où le simple emploi des temps est déjà un élément interprétatif et où les sémitismes doivent plutôt être soulignés [3]. J'indiquerai par des *italiques* les

---

3. Conventionnellement, je mettrai le mot SEIGNEUR en majuscules, pour signaler les endroits où il rend le nom divin YHWH (sans article). Une difficulté se présentait au traducteur grec dans la troisième série de Poèmes : en Is 50,4.5.7.9, l'hébreu porte l'expression double : « Le Seigneur YHWH ». Un certain nombre de manuscrits grecs redoublent alors le mot *Kyrios* pour s'aligner sur l'hébreu (notamment dans les révisions hexaplaires). Je n'en

différences les plus notables entre le grec et l'hébreu, le grec étant accompagné d'un commentaire succinct qui explique sa traduction. Le respect des stiques de l'hébreu n'a plus aucun rapport avec la stylistique des phrases grecques, bien qu'il permette de sentir les parallélismes conservés ; mais en le maintenant, on rend plus aisée la comparaison entre le grec et l'hébreu qu'il adapte.

A) Première série (42,1-7)

La présentation du Serviteur (42,1-4) et l'oracle qui lui est adressé (42,5-7) sont plus étroitement enchaînés que dans l'hébreu : c'est dans la même coulée de texte que Dieu présente son Serviteur et s'adresse à lui pour l'assurer de son soutien. Le v. 1, en reprenant le thème 41,8, donne le ton à l'interprétation générale des Poèmes qui, sauf exception, sera collective ; mais le texte hébraïque y est complètement transformé :

1. *Présentation du Serviteur* (42,1-4)

> ¹*Jacob* mon serviteur, je m'occupe*rai* de lui ;
> Israël mon élu, mon âme l'a agréé.
> J'ai mis mon Esprit sur lui. Il apportera le Jugement aux nations.
> ² Il ne criera pas et ne haussera pas (le ton),
> et sa voix *ne sera pas entendue* au dehors.
> ³ Il ne brisera pas le roseau froissé et n'éteindra pas la mèche fumante,
> mais il apportera le Jugement en vérité.
> ⁴ Il resplendira et ne sera pas brisé,
> jusqu'à ce qu'il établisse le Jugement sur la terre,
> et *les nations* espéreront *en son nom*.

L'identification du Serviteur est ici claire : c'est le peuple d'Israël. Dieu s'est complu en lui dans le passé lors de son élection, et c'est alors qu'il a mis son Esprit sur lui ; mais il s'occupera de lui (= le soutiendra) dans l'avenir, pour

---

tiendrai pas compte ici. En 50,10, la traduction de Yhwh met l'article à *Kyrios*. Il est impossible de rendre ces nuances en français : la langue ne se prête pas à l'emploi du mot « Seigneur » sans article, sauf dans les interpellations.

l'accomplissement de sa mission auprès des nations. Cette mission concerne, littéralement, « le Jugement » (*krisis*). Mais le mot grec est ici un hébraïsme : il est surchargé d'un sens inusité derrière lequel on retrouve l'hébreu *mišpāṭ*, c'est-à-dire le « Droit » que renferme la Loi divine. En effet, l'attitude décrite dans les vv. 2-3 ne correspond pas à celle d'un prophète qui annoncerait le Jugement de Dieu. Cette interprétation est corroborée par deux indices : d'une part, le rôle du Serviteur-Israël sera d'apporter (*ekphérô*) le Droit et de l'établir (*tithèmi*) sur la terre ; d'autre part, les nations seront en attente (*elpizô*) de lui, elles espéreront en son nom. Au v. 2, la mise au passif du verbe « entendre » ne change pas le sens de la phrase, et elle peut s'expliquer par une autre lecture de l'hébreu sans -*y*- (*yiššāmēʿ* au lieu de *yašmîᵘ*). Par contre, au v. 4c, la substitution des « nations » aux « îles » et du « nom » du Serviteur à sa « Loi » élargit encore l'horizon. Elle personnalise l'espérance universelle qui s'attachera à Israël, grâce à l'accomplissement de sa tâche missionnaire : établir partout le Droit de Dieu révélé dans sa Tôrah (dont le nom a disparu du texte). On ne peut parler d'une perspective eschatologique, au sens précis de ce terme : le texte décrit l'histoire lointaine vers laquelle se tourne l'espérance du peuple de Dieu.

2. *Oracle adressé à Israël-Serviteur* (42,5-7)

> [5] Ainsi parle le SEIGNEUR Dieu,
> qui fit le ciel et le fixa, solidifia la terre et ce qui est en elle,
> qui donne l'haleine au peuple qui est sur elle et le souffle à ceux qui y marchent :
> [6] « Moi, le SEIGNEUR Dieu, je t'ai appelé selon la justice,
> et je *saisirai* ta main *et je te fortifierai* ;
> je t'ai établi comme alliance *de la race*, comme lumière des nations,
> [7] pour ouvrir les yeux *des aveugles*, faire sortir *des liens* les enchaînés
> et de la maison d'arrêt ceux qui résident dans les ténèbres. »

Le v. 5 présente des choix de mots particuliers pour rendre les verbes hébraïques, mais c'est une pure affaire de stylistique : le sens est identique. Par contre, le v. 6 est modifié. Le verbe « fortifier » est substitué au verbe « façonner », pour renforcer l'image de la main saisie, qui ne semble plus représenter un geste d'investiture. Deux temps sont nettement distingués dans l'action de Dieu : le passé où se situent la vocation du Serviteur-Israël (v. 6*b*) et son établissement comme « alliance » et « lumière » (v. 6*de*) ; l'avenir où cette mission se réalisera grâce à l'appui de Dieu (v. 6*c*) en accomplissant les tâches énumérées dans le verset final. Dans le v. 6*d*, la substitution du grec *génos* (« race ») à l'hébreu ʿ*am* (« peuple ») n'implique pas nécessairement un élargissement de la perspective, car on trouve la même équivalence dans la traduction d'Is 43,19, où il s'agit clairement d'Israël (en 43,20, ʿ*am* est rendu par le grec *laos* : la juxtaposition des deux mots montre leur équivalence pratique). Dans ces conditions, il ne faut pas urger l'interprétation métaphorique des images employées dans le v. 7, comme si le traducteur songeait seulement aux hommes enfermés dans les ténèbres de l'idolâtrie. Il se peut que les païens soient les « aveugles » dont le Serviteur ouvrira les yeux en sa qualité de « lumière des nations » ; mais les « enchaînés » qui résident « dans les ténèbres » restent les Juifs exilés dont la « captivité » — plus ou moins symbolique — dure encore. Cette finale fait entrevoir une certaine distinction entre la collectivité personnifiée sous les traits de son ancêtre (cf. v. 1) et ses membres individuels ; mais c'est la loi du genre adopté.

B) Deuxième série (49,1-9)

3. *Discours du Serviteur-Israël* (49,1-6)

Le v. 3, où le Serviteur recevait déjà le nom d'Israël dans le texte hébreu, permet d'appliquer sans difficulté l'ensemble du passage à la communauté, moyennant une modification du v. 5 qui fondait, en hébreu, la distinction nette entre le Serviteur et la communauté. En traduisant plus haut l'hébreu, on a constaté que l'ordre des stiques était perturbé dans ce verset et on a cherché à le rétablir sans rien supprimer. Mais cette perturbation existait déjà dans l'original suivi par le traducteur grec : il faut respecter ici le texte tel qu'il est.

[1] Écoutez-moi, îles, et soyez attentives, *nations* !
Après beaucoup de temps (cela) adviendra, dit le Seigneur :
Dès le sein (…) de ma mère, il appela mon nom,

²et il disposa ma bouche comme une épée tranchante
et me cacha sous l'abri de sa main ;
il me disposa comme un javelot choisi
et m'abrita dans son carquois.
³Et il me dit : « Tu es mon serviteur (*doulos*), Israël,
et en toi je serai glorifié. »
⁴Et moi j'ai dit : « J'ai peiné en vain, donné ma force
vainement et pour rien.
C'est pourquoi mon jugement est auprès du SEIGNEUR et
ma peine, devant mon Dieu. »

⁵Et maintenant *ainsi* parle le SEIGNEUR
qui me façonna dès le sein comme serviteur (*doulos*) pour
lui-même
afin de rassembler vers lui Jacob et Israël. —
Et je serai rassemblé et glorifié devant le SEIGNEUR, et
mon Dieu *sera* ma force.
⁶Et il m'a dit :
« *Il est grand* pour toi d'être appelé mon serviteur (*pais*)
pour restaurer les tribus de Jacob et ramener *la Dispersion*
d'Israël :
Voici que je t'ai établi comme [*alliance de la race*],
lumière des nations,
pour que tu sois le salut jusqu'aux extrémités de la terre. »

Au v. 1, la substitution des « nations » aux « peuplades »
lointaines a peu d'importance. Mais le complément de lieu
mērāḥôq (« de loin ») a été compris comme un complément de
temps, et cela a entraîné la longue addition du v. 1*b*. Cette
projection de la pensée vers l'avenir annonce de loin la mission
décrite dans le v. 6. L'image de la conception appliquée à la
communauté personnifiée (vv. 1*c*, 5*a*) pourrait se justifier sur
la base d'Is 44,24*a* ; elle est néanmoins estompée ici par
l'omission de trois mots dans le stique, pour insister davantage
encore sur la vocation d'Israël. La traduction du v. 1*b* et son
enchaînement avec le v. 2, où l'on remarque quatre verbes à
l'aoriste, insistent sur ce point. Par sa vocation Israël est le
Serviteur de Dieu : l'emploi de *doulos* dans les vv. 1 et 5 n'a
pas pour but de présenter Israël comme « esclave », car le v. 6
revient au mot *pais* : cela montre simplement l'équivalence
pratique des deux termes dans la Septante d'Isaïe [4]. En 3*b*, la

---

4. Au v. 6, les trois autres versions grecques ont aligné la traduction de
ʿ*èbèd* sur *doulos*. En 42,1, Aquila et Symmaque emploient *doulos*, mais

traduction de *'itpā'ēr* par *doxazô* n'est pas significative. Par contre, le grec distingue mieux que l'hébreu la condition présente d'Israël (« tu es mon serviteur ») et sa fonction dans l'avenir (« en toi je serai glorifié »), grâce à l'adjonction de la conjonction « et ». Au v. 4, la locution adverbiale *dia touto* est substituée à une particule hébraïque de sens différent (*'ākēn*) : le traducteur insiste ainsi sur le fait qu'Israël, déçu par le présent (v. 4*ab*), s'en remet au jugement de Dieu pour l'avenir (v. 4*cd*). Dans ce contexte, le sens de *krisis* (= hébr. *mišpāṭ*) englobe à la fois le droit d'Israël et le jugement de Dieu. Mais la base de ce jugement doit être la « peine » prise par Israël pour servir Dieu : c'est pourquoi celle-ci est rappelée au v. 4*d*, à la place du « travail » ou du « salaire dû au travail » qui figurait dans l'hébreu.

En hébreu, le v. 5 était capital pour exclure l'interprétation collective de la figure du Serviteur, puisque celui-ci avait la fonction de rassembleur d'Israël. Le traducteur a senti cette difficulté ; c'est pourquoi il a allégé le v. 5*c* en rattachant au stique suivant le second verbe, qui avait Israël pour complément. En outre, l'usage de l'infinitif de but (*synagein*) lui permet de laisser dans l'imprécision son sujet inexprimé : il semble que ce soit maintenant Dieu lui-même, sujet des deux verbes qui précèdent. Dieu s'est façonné « pour lui-même » Israël comme serviteur, afin de rassembler « vers lui » Jacob et Israël : deux minuscules grecs ont substitué ici logiquement *héauton* à *auton*. De fait, au v. 5*de*, le traducteur a lu un texte différent du TM, à moins qu'il n'ait corrigé un texte hébreu difficile : à la place de *lō'* (lu *lô* et rattaché à ce qui précède) *yē'āsēf wᵉ'èkkābēd*, sa version suppose *wᵉ'ē'āsēf wᵉ'èkkābēd*. Il insiste ainsi sur le rassemblement final d'Israël lui-même, et c'est alors que Dieu « sera » (au lieu de « fut ») sa force. L'esprit se porte donc en direction du terme du dessein de Dieu qui éveille l'espérance nationale.

Il en résulte une modification totale du v. 6. Primitivement, l'oracle divin regardait comme « peu de chose » la restauration et le rassemblement des déportés, comparés au rôle de

---

Théodotion suit la Septante avec *pais*. Rien n'est signalé pour 50,10. En 52,13, Aquila porte le mot *doulos*. La tendance à éviter le mot *pais* est donc nette chez Aquila, peut-être en réaction contre son emploi dans le Nouveau Testament.

« lumière des nations ». Maintenant au contraire, c'est une
« grande chose » qui justifie le nom de « serviteur » donné au
peuple, pour restaurer ses tribus et ramener sa Dispersion. Sa
mission d'avenir prend une portée universelle, puisque l'avènement final du salut est personnalisé : « je t'ai établi comme...
lumière des nations, *pour que tu sois* le salut... » (N.B. Je
traduis ici le grec *éthèka* par « établir », mais au v. 2 par
« disposer », pour des raisons de pure stylistique.) Plusieurs
manuscrits importants ont introduit ici la formule complète
qu'on trouvait en 42,6*c* ; mais il est plus facile d'expliquer
l'addition de deux mots que leur suppression. L'essentiel est
que le salut advienne ici-bas *par Israël*. On voit quelle
conscience les Juifs d'Égypte avaient de leur vocation nationale. Mais le nationalisme religieux du passage — qu'il ne faut
pas trop estomper dans l'original hébreu, comme si le Second
Isaïe était le théoricien d'un universalisme absolu — reçoit du
même coup une accentuation sensible. C'est pourquoi le
rassemblement d'Israël et la rétribution de sa peine occupent ici
tant de place (vv. 4-5).

4. *Premier oracle adressé au Serviteur-Israël* (49,7)

Dans le texte primitif, les deux oracles suivants (49,7 et
49,8-9) avaient une tonalité assez différente, le premier seul
étant une réponse du prophète à la situation d'épreuves où se
trouvait le Serviteur (49,4). Ici, leur enchaînement ne présente
plus aucune difficulté, puisque les perspectives qu'ils ouvrent
se profilent sur le même horizon d'avenir. Ils comportent
toutefois des retouches qui modifient sensiblement leur application au temps présent. Voici le premier d'entre eux :

> [7] Ainsi parle le SEIGNEUR qui *t*'a délivré, le Dieu d'Israël :
> « *Sanctifiez*
> *celui qui méprise* sa vie, est exécré *des* nations, esclave
> (*doulos*) des gouvernants !
> Des rois *le* verront, et des gouvernants se lèveront et se
> prosterneront *devant lui*
> à cause du SEIGNEUR ; car le Saint d'Israël est fidèle. » Et
> *je t'ai* choisi.

Le changement qui intervient à la fin du premier stique (v. 7*a*)
est dû à une lecture différente de l'hébreu QDŠW : *qudšô* dans

le TM, *qadd*^e*šû* dans la Septante. Mais cette lecture est en rapport direct avec l'interprétation de tout le passage. Elle invite en effet à distinguer le peuple pris dans son ensemble (cf. le suffixe de la 2e personne du singulier au début du verset) et le personnage dont il va être question maintenant à la 3e personne. Ce personnage doit être « sanctifié » en vue de sa glorification finale par les rois et les gouvernants (v. 7c). Le verbe « sanctifier » (à l'intensif) peut se comprendre au sens de « proclamer saint ». Qui donc est ce personnage ? Le v. 7b le désigne par trois qualificatifs. Le premier d'entre eux modifie le sens de l'hébreu, que suivent Aquila, Symmaque, Théodotion et le Syriaque. L'énigmatique *b*^e*zôh* du TM était lu *b*^e*zûy* dans 1QIs^a, participe passif du verbe « mépriser ». Le grec lit le participe actif, probablement à partir du même texte consonantique vocalisé différemment : *bōzéh*, « méprisant ». Ensuite, le pluriel « nations » est substitué au singulier du même mot *gôy* (TM) : l'attention se reporte donc vers les nations païennes en général et non plus vers « la nation » qui désignait primitivement, semble-t-il, la fraction samaritaine hostile au Serviteur individuel.

Dans l'hébreu, l'oracle du prophète était directement adressé à l'homme méprisé, exécré et esclave ; il comportait deux stiques écrits à la 2e personne du singulier (v. 7cd). Dans le grec, on n'a plus qu'un discours adressé à Israël pour expliquer le sort de ce personnage qui, ayant méprisé sa propre vie (litt. : son âme), est exécré des nations païennes et esclave des gouvernants. Seule la finale du dernier stique est détachée pour revenir au discours direct et rappeler l'élection d'Israël. Il faut pour cela que l'ordre des mots, tout en suivant celui du grec, permette de construire une phrase qui se suffit à elle-même : l'addition de « devant lui » et la traduction du relatif *'ašèr* par *hoti* rendent possible cette interprétation. Mais le dernier verbe est lu *wā'èbḥārèka* au lieu de *way-yibḥārèka*. Dieu annonce donc à Israël, qu'il a délivré (v. 7aa') et choisi (v. 7db'), le retournement de situation dont bénéficiera finalement celui qui a renoncé à soi et qui a été humilié à cause du Seigneur. Il est clair que le traducteur évite d'identifier Israël-Serviteur de Dieu (v. 6) avec l'humilié qui sera finalement glorifié. Le plus probable est qu'il pense, non à un seul individu, mais à une catégorie particulière d'hommes à l'intérieur du peuple d'Israël : les « humiliés et offensés » qui ont subi l'exécration et l'esclavage des païens. Ainsi s'ébauche une réflexion sur le sort futur des Juifs persécutés à cause de leur foi et de leur appartenance à Israël : le Dieu fidèle ne saurait les abandonner. Telle est la promesse qui est faite à l'ensemble du peuple de Dieu.

5. *Second oracle adressé à Israël-Serviteur* (49,8-9)

Le second oracle, laissant de côté le sort des humiliés, revient sans difficulté à celui d'Israël qui était mentionné tout à la fin du v. 7 :

> [8]Ainsi parle le SEIGNEUR :
> « Au temps propice je t'ai exaucé, et au jour du salut je t'ai secouru,
> (…) et je t'ai donné comme alliance [du peuple *et lumière*] *des nations*
> pour organiser le pays *et* distribuer l'héritage du lieu déserté,
> [9]*en disant* à ceux qui sont dans *les liens* : ''Sortez'',
> et à ceux qui sont dans les ténèbres *de se montrer.*
> Et sur toutes les routes ils paîtront
> et sur tous les sentiers seront leurs pâturages,…» etc.

La traduction est presque littérale, sauf l'omission du verbe « façonner » en 8*d*. Au v. 8*e*, une partie de la tradition manuscrite a reproduit la formule entière de 42,7 pour définir la mission du Serviteur-Israël, à qui l'oracle est adressé. Il faut convenir que la formule brève (« alliance des nations ») est étrange, car elle semble étendre à l'ensemble des nations païennes une alliance qui est réservée ailleurs au peuple d'Israël. Or, la suite du texte reste au plan du nationalisme religieux pour décrire la réorganisation (*katastèsai*) du pays et le partage des terres dévastées (*érèmos*). Au début du v. 9, il est clair que celui qui va dire aux prisonniers de sortir n'est pas Dieu, mais celui à qui l'oracle est adressé (participe présent à l'accusatif, accordé avec le pronom personnel *édôka sé*). La phraséologie reste très hébraïsante : au v. 8*d*, le verbe *didômi* = *nātan*, peut s'entendre comme « mettre » ou « placer » en français ; mais en gardant le sens littéral de « donner », on souligne la disposition divine qui « donne » le Serviteur (*paida*) mentionné dans le v. 6.

Il s'agit donc d'une perspective d'avenir où le peuple,

personnifié dans la figure du Serviteur, invitera tous les Juifs dispersés et opprimés à sortir pour revenir vers leur terre. En finale du v. 9b, le traducteur a substitué un infinitif à l'impératif de l'hébreu. Il a ainsi rendu l'enchaînement plus facile entre l'oracle (vv. 8-9a) et la description du retour qui le suit. On sait que, primitivement, le v. 9b faisait suite à 48,21 dont il a été séparé par l'insertion du Poème B (et la glose secondaire de 48,22). Cette aspérité du texte hébreu est complètement effacée : le traducteur grec lit le Poème entier dans son contexte littéraire, auquel il le rattache fortement. C'est d'autant plus facile que son interprétation collective met l'oracle des vv. 8-9a au niveau exact de la description de 48, 20-21 + 49,9b-13.

C) Troisième série (50,4-11)

Le grec respecte ici la division primitive du texte en deux morceaux : un passage autobiographique dû à un homme persécuté et une exhortation relative au Serviteur. Mais le v. 9b est solidement relié à 9a pour conclure le premier passage, au lieu de se rattacher à 50,3 par-dessus le Poème inséré dans la trame du recueil. On va voir que l'interprétation collective de la figure du Serviteur pose ici un problème difficile.

6. *Discours du Juste persécuté* (50, 4-9)

Dans le texte hébreu, l'auteur du passage autobiographique de 50,4-9a n'était pas nommé. C'est seulement la proximité du morceau suivant (50,10) qui invitait à l'identifier au Serviteur. Une fois l'identification faite, le morceau se plaçait très bien, dans le développement de la situation, entre 49,4 et 52,13 — 53, 12. Le traducteur grec n'a plus aucune raison de faire cette identification : la confidence autobiographique se détache donc pour elle-même dans un ensemble très diversifié. On sait que le texte hébraïque du v. 4 était difficile et douteux. Le traducteur lui a donné un sens, en suivant à peu près sa littéralité (ou du moins l'ordre de ses mots), mais en clarifiant ses expressions ambiguës. C'est après l'avoir traduit qu'on verra à qui on peut l'attribuer :

⁴Le Seigneur *me donne* une langue *instruite* (litt. :
d'instruction)
pour savoir *à temps quand il faut dire* une parole.
Il m'a mis au matin, *il m'a remis* l'oreille en état d'écouter ;
⁵ *et l'instruction* du Seigneur *ouvre mes* oreilles,
mais moi, je *ne désobéis* pas et ne *contredis* pas.

⁶J'ai livré mon dos *aux coups*, mes joues *aux soufflets* ;
mon visage, je ne l'ai pas détourné *de la honte des
crachats*.
⁷Et le Seigneur *fut mon soutien* ; c'est pourquoi je n'ai
pas été confondu,
mais j'ai rendu mon visage comme un dur rocher et j'ai su
que je ne rougirais pas,
⁸Car mon justicier est proche : qui est-ce qui plaide contre
moi ?
Qu'il comparaisse en même temps que moi !
Qui est-ce qui plaide contre moi ? Qu'il s'approche de moi !
⁹Voici que tous *vous deviendrez vieux* comme un vêtement
et la mite *vous* dévorera.

Le v. 9*b* est désormais soudé à 9*a* : la traduction a mis le verbe
puis le suffixe à la 2ᵉ personne du pluriel pour dissiper sur ce
point toute équivoque. Dans les vv. 8 et 9, la littéralité est
respectée, à quelques nuances près. Certains manuscrits
mettent au futur le verbe du v. 9*a* : « le Seigneur me
soutiendra. » Dans le v. 7, il n'y a qu'une modification
notable : c'est la substitution de la particule adversative
« mais » à la locution prépositive « c'est pourquoi » (*'al kēn*) ; la
chose peut s'expliquer par le souci d'éviter la répétition de cette
locution. Toutefois, le recours à un aoriste (*boèthos mou
égénèthè*) pour rendre un inaccompli (*ya'azār*) insiste davantage sur l'acte de soutien accompli par Dieu *dans le passé*. Le
v. 6 garde son sens fondamental, mais sa traduction est large :
l'énumération des avanies subies (coups, soufflets et crachats)
est substituée à l'évocation de « ceux qui frappaient » et qui
« arrachaient la barbe ».
Restent les vv. 4-5, très difficiles dans l'hébreu du TM. Il
est impossible de dire quel texte hébreu lisait l'adaptateur, car
il a recomposé les phrases en choisissant des temps grecs qui
inversent la valeur des accomplis et des imperfectifs hébraïques. Il brosse ainsi un tableau qui ne contredit pas celui de

l'original mais qui, en assurant sa cohérence, insiste sur deux points : la permanence de l'action de Dieu qui instruit son envoyé, et l'instruction (*paideia*) qu'il lui transmet pour savoir quand il doit apporter aux autres la Parole de Dieu. La docilité de l'envoyé est soulignée dans le grec comme dans l'hébreu. Mais il est clair que son portrait correspond maintenant à celui d'un prophète, non à celui d'un chef semblable au « Serviteur » des textes A et B en hébreu. Ce prophète entre, comme Jérémie, dans la catégorie des « justes souffrants ». Il est exclu qu'on puisse y voir la personnification de la communauté d'Israël, ou même de son « Reste de justes ». Le plus simple est de penser que le traducteur grec attribue ce passage autobiographique à l'auteur du livre lui-même, que ses contemporains persécutent. Il prélude ainsi à l'opinion de beaucoup de critiques modernes, mais pour des raisons très différentes.

7. *Instruction sur la docilité envers le Serviteur* (50,10-11)

Dans l'hébreu, cette courte instruction était adressée par le prophète au peuple, à la suite de la plainte énoncée par le Serviteur persécuté (vv. 4-9*a*). La proximité du texte précédent permet d'en respecter la littéralité, moyennant un alignement de tous les verbes sur l'adresse à la 2ᵉ personne du pluriel qui ouvre le v. 10*a*. Il ne s'agit que d'une modification mineure :

> ¹Quel est parmi vous celui qui craint le SEIGNEUR ?
> Qu'il écoute la voix de son serviteur !
> Ceux qui marchent dans les ténèbres, (...) il n'est pas de lumière pour eux.
> *Confiez-vous* dans le nom du SEIGNEUR et *appuyez-vous* sur votre Dieu !
>
> ¹¹*Voici que* tous *vous allumez* un feu et *attisez* une flamme :
> marchez à la lumière de votre feu et à la flamme que vous avez allumée !
> C'est par moi que ceci vous est advenu : vous vous coucherez dans la douleur.

Le texte ne mentionne aucun trait concret qui permette d'identifier le Serviteur dont il parle ni même la fonction que celui-ci remplit. Primitivement, le prophète l'adressait à ses auditeurs directs en parlant du chef dont ils venaient d'entendre la plainte. Mais puisque cette plainte est comprise maintenant comme celle du prophète, auteur du livre, cette interprétation du passage n'est plus possible : le prophète ne pourrait pas parler de lui-même à la 3ᵉ personne. C'est donc le « lecteur » grec [5] qui, en actualisant le texte dans le cadre synagogal, s'adresse directement à ses auditeurs pour les inviter à écouter la voix du prophète. On notera que le second distique du v. 10 devient un aphorisme dont la portée est très générale, en raison de la suppression du « et » qui reliait les deux stiques ; il est directement appliqué aux auditeurs de la Parole à qui est adressée l'exhortation suivante, transférée de la 3ᵉ p.sing. à l'impératif de la 2ᵉ p.pluriel. Le v. 11 voit son caractère de menace assez adouci, à l'exception de son dernier distique qui traduit presque littéralement l'hébreu (heb. *miyyādî ;* gr. *di' émé*). Ainsi compris, le texte n'a plus rien à voir avec les Poèmes du Serviteur, interprétés collectivement dans la version grecque : tout se rapporte ici au prophète, auteur du livre et serviteur du Seigneur. Mais comme celui-ci n'est pas explicitement nommé, il n'est pas exclu qu'une nouvelle lecture du texte grec, *prout sonat*, puisse le reporter sur *tout juste souffrant* dont on entendrait la plainte et qui pourrait être regardé comme un serviteur de Dieu.

D) Quatrième série de textes (52,13 à 53,12)

La structure du texte hébraïque occasionnait ici une difficulté que j'ai cru pouvoir résoudre en y distinguant deux discours prophétiques : l'un où le prophète parle au nom de Dieu à la 1ʳᵉ personne du singulier (« voici que *mon* Serviteur... » : 52,13-15, suite en 53,11*c*), l'autre où il sent solidaire de ses interlocuteurs et parle à la 1ʳᵉ personne du pluriel (53,1-11*b*). Le grec respecte le passage brusque de la première phraséologie à la seconde en 53,1. Mais il revient à la 1ʳᵉ personne du singulier dès 53,8*d*-9*a*, quitte à conserver la mention du Seigneur à la 3ᵉ personne en 53,10*a* et 53,10*d*, puis à introduire une 2ᵉ personne du pluriel en 53, 10*bc*. Il faudra expliquer ces modifications importantes. Dans les vv. 10-11, le

---

5. On n'oubliera pas que, dans l'antiquité, toute lecture est faite à haute voix, même par celui qui lit tout seul.

texte hébreu très incertain est complètement recomposé. Bien qu'il ne soit pas explicitement question du Serviteur-Israël, comme c'était le cas en 42,1 et 49,3, il n'est pas douteux que l'interprétation collective du texte est sous-jacente à la version grecque. Mais on peut se demander *de quel Israël* il s'agit. En 53,1, le début du discours en « nous » est justifié de façon habile par l'addition de l'invocation : « Seigneur ». Ce qui suit n'est donc plus un discours, mais une méditation faite devant Dieu. De ce fait, les vv. 1-7 deviennent un monologue des nations et des rois qui ont été mentionnés en 52,15 : la version grecque inaugure sur ce point une interprétation adoptée par beaucoup de commentateurs modernes. Cela suppose que les nations et les rois, frappés par cette chose inouïe que constituent la souffrance rédemptrice du Serviteur, dont ils sont les bénéficiaires, puis sa glorification, se tournent vers le vrai Dieu. La scène est donc placée, non au temps du prophète auquel le texte est attribué, mais dans un avenir indéterminé où le dessein de Dieu sera réalisé en plénitude. De l'actualité historique, on passe à une perspective eschatologique très imprécise dans le détail.

L'interprétation collective de la figure du Serviteur pose toutefois un certain nombre de problèmes, quand on examine minutieusement les phrases du texte grec. En 53,8*d*, comment le discours de Dieu peut-il juxtaposer une allusion au Serviteur qui va à la mort, et la mention de « mon peuple » ? Il y a donc une différence à faire entre le Serviteur et Israël, peuple de Dieu. En 53,10*bc*, quels interlocuteurs peut viser le « vous » du discours, sinon les auditeurs de l'interprétation targoumique proposée dans une lecture synagogale d'Isaïe ? Le cas est donc le même qu'en 50,10-11. En 53,10*c*-11*b*, totalement refait, il est question de la rétribution du Serviteur en des termes qui paraissent contredire l'allusion précédente à sa mort. Certains proposent de voir, en cet endroit du texte hébreu, une allusion à la résurrection future du Serviteur, qui serait ainsi récompensé au-delà de sa mort ; mais le vocabulaire technique de la résurrection (surgir, se réveiller, vivre...) est absent de l'hébreu comme du grec. De même, comment peut-on dire dans le v. 12 que le Serviteur « héritera de beaucoup »... « parce que son âme a été livrée à la mort » ? L'interprétation collective adoucit un peu ces aspérités du texte ; mais il faut introduire une distinction entre l'Israël d'autrefois (et d'aujourd'hui ?) qui a subi la souffrance et la mort, et l'Israël juste des derniers temps qui profitera des mérites ainsi acquis. La continuité nationale du peuple juif dans son histoire tourmentée permet seule d'échapper à l'incohérence.

Peut-être ne faut-il pas chercher une logique rigoureuse dans une lecture qui se veut édifiante avant tout : il suffit qu'elle valorise explicitement le rôle salutaire de la souffrance des justes pour la communauté à laquelle ils appartiennent. Cette doctrine avait été élaborée par le Second Isaïe à propos d'un cas particulier où elle trouvait une application concrète. N'était-il pas légitime de l'étendre à toutes les expériences semblables que l'histoire du peuple juif avait pu et pourrait encore comporter ? Ce raisonnement donne un fondement solide à l'interprétation collective du texte, à une époque où le Serviteur historique qui en a occasionné la composition n'est plus qu'un souvenir pratiquement effacé.

1. *Traduction du Poème*

Voici la traduction du texte grec ; on notera au passage ses nombreuses différences avec l'hébreu. Les notes critiques qui l'accompagnent n'en relèvent pas toutes les variantes. Il n'y a plus aucune raison d'y séparer les deux Poèmes que j'avais précédemment distingués.

(52) [13] Voici que mon Serviteur sera intelligent
et il sera exalté et glorifié grandement.

[14] De même que beaucoup *seront* stupéfaits à cause de *toi*,
ainsi ton apparence sera mésestimée des hommes
et ta gloire, des [fils des] hommes.

[15] Ainsi beaucoup de nations s'étonne*ront* sur lui
et des rois fermeront leur bouche,
parce que ceux *à qui (rien) n'avait été annoncé à son sujet*,
verront
et *ceux qui* n'avaient (rien) entendu dire, comprendront.

(53) [1] « *Seigneur*, qui a cru ce qu'il a entendu de nous
et à qui le bras du SEIGNEUR a-t-il été révélé ?

[2] Il ''a grandi'' devant lui comme *un enfançon*,
comme une racine *dans* une terre assoiffée.

Il n'y a pour lui ni apparence ni gloire ; et nous l'avons vu,
et il n'avait ni apparence *ni beauté*,
³ mais *son apparence* était ignoble, effacée en comparaison
de tous les hommes :
un homme qui est dans l'affliction et qui sait supporter la
faiblesse,
parce que son visage *a été* tourmenté, qu'il fut méprisé et
déconsidéré.

⁴ *Celui-là* porte nos *péchés* et il souffre pour nous ;
et nous, nous avions pensé qu'il était dans la peine, l'affliction et le malheur,
⁵ mais lui, il fut blessé à cause de nos iniquités et affaibli à
cause de nos péchés ;
le châtiment (qui) nous (vaut la) paix (fut) sur lui,
nous fûmes guéris par sa meurtrissure.

⁶ Tous, comme des brebis nous errâmes : chacun erra par
son propre chemin,
et le SEIGNEUR le livra pour nos péchés à tous ;
⁷ et lui, *parce qu'il a été maltraité* : il n'*ouvre* pas la
bouche,
ainsi qu'une brebis *il fut mené* à l'égorgement,
et ainsi qu'un agneau muet devant son tondeur,
ainsi n'ouvre-t-il pas la bouche.

⁸ (C'est) *dans l'humiliation* (que) *son* jugement a été
enlevé.
Qui racontera sa génération ?
Car *sa vie est enlevée* de la terre,
en raison des iniquités de *mon* peuple *il fut mené à la mort*.

⁹ *Et je donnerai les méchants en échange de* son tombeau
et *les* riches *en échange de sa* mort,
parce qu'il n'a pas commis d'iniquité
et qu'*il ne s'est pas trouvé* de fraude dans sa bouche.
¹⁰ Et le SEIGNEUR *veut le purifier de l'affliction*.

Si *vous donnez* (une offrande) pour le péché,
votre âme verra une postérité à la longue vie.

Et *le* SEIGNEUR *veut enlever* ¹¹ son âme de la peine,
lui *montrer* la lumière et [le] façonner par l'intelligence,
justifier un juste *qui est bon esclave pour* beaucoup,
et c'est lui qui portera leurs péchés.

> [12] C'est pourquoi il *héritera*, lui, de beaucoup
> et il partagera les dépouilles *des* forts,
> parce que son âme fut livrée à la mort
> et qu'il fut compté parmi les iniques ;
> et lui, il a pris sur lui les péchés de beaucoup
> et *il fut livré à cause de leurs péchés.*

Notes critiques sur le texte. — V. 15,14c. Un bon nombre de Mss. omet : « les fils » ; Justin : « ton apparence et ta gloire sera mésestimée par les hommes. » — V. 53,1a. Litt. « à notre écoute », ou mieux, « à notre récit ». — V. 2a. Tous les témoins du texte portent : « nous avons annoncé devant lui », ce qui ne donne aucun sens ; on suit ici la correction adoptée par Ziegler (p. 320) : *anéteilé men* pour *anèggeilamen* (voir la justification, p. 99, fondée sur plusieurs corruptions textuelles du même mot). — V. 3b. Justin : « s'effaçant auprès des fils des hommes ». — V. 3e. Litt. « son visage a été détourné » (*apéstraptai*) ; j'adopte le sens métaphorique signalé par Liddell-Scott, p. 165a, III, 6 : *stréphein tèn psychèn*, « tourmenter » (Platon, *Rép.* 330e), en l'appliquant aux traits du visage comme dans le français populaire : « il avait le visage tout retourné ». — V. 5c. Gr. *paideia* ; leçon ou châtiment. — V. 8a. Le gr. *krisis* ; hébr. *mišpāṭ* ; « jugement » est pris ici en mauvaise part ; l'accord de sens avec le verbe *airé-ô* est peu clair (« enlever, emporter »). — V. 11a. Var. : « de la peine de son âme » (ainsi Justin) ; mais il faut alors sous-entendre un complément « lui » (« le purifier... ») ; j'adopte une leçon rare, probablement facilitante. — V. 11c. Le datif *tèi synèsei* est compris comme complément de moyen, plutôt que : « ... (le) façonner *avec* intelligence ».

2. *Structure et stylistique du texte grec*

Une traduction n'est jamais qu'une approximation. Ce principe s'applique à ma version française du Targoum grec : j'ai tâché d'être très littéral tout en respectant les exigences de la stylistique française. Mais il y a des passages où le sens du grec est assez incertain. Sa composition et son style sont très laborieux. Les sémitismes abondent, soit dans le vocabulaire choisi, soit dans la construction des phrases, comme si le traducteur se soumettait aux lois d'un littéralisme encombrant. On peut supposer en quelques endroits qu'il a sous les yeux un texte consonantique différent du TM, par exemple, quand il supprime ou ajoute le conjonction *kai* = *w*e- (« et »). Néanmoins, à la fin du v. 7, il connaît déjà le doublet qu'une traduction critique invite à omettre (« il n'ouvre pas la bouche »). Au v. 11a, il connaît la leçon de 1QIs[a] : « il verra *la lumière* ». Mais il arrive aussi qu'il interprète autrement certains mots, les vocalise à sa façon, coupe les phrases de telle manière que le rythme poétique des distiques est rompu. Enfin

il en vient à modifier tellement le sens de certains passages
qu'on le soupçonne d'y projeter celui qu'il a déjà dans l'esprit.
C'est qu'il aborde le texte avec une « compréhension préalable » qui l'amène à lui poser des questions imprévues : le sens
qu'il arrive alors à y découvrir répond à ces questions,
connexes à la vie de sa communautés et aux soucis religieux
qui l'animent. Quand on examine sa version de très près, on
constate qu'il recompose l'original en y distinguant des petites
« unités de sens » qui ne coïncident pas avec la strophique
relativement régulière de l'hébreu. On peut expliquer ce fait en
songeant aux conditions pratiques de la lecture synagogale où
la proclamation préalable de l'hébreu, découpé suivant la façon
dont le lecteur l'a compris, précède le Targoum qui en explique
le sens dans la langue véhiculaire. Le problème se présentera
exactement de même pour le Targoum araméen. Cela suppose
qu'un temps d'interprétation orale a précédé la composition de
cette version écrite. Dès lors, la proposition du sens à
l'auditoire pour chaque « petite unité » peut se faire avec une
liberté relative : il s'agit d'une explication qui ne se plie pas
nécessairement aux exigences de la traduction telle que nous
l'entendons. Les lemmes à distinguer se présentent en gros
comme suit : 52,13 ; 52,15 ; 53,1 ; 53,2-3 (peut-être à diviser
en deux pour suivre la coupure des phrases) ; 53,4-5 ; 53,6-7
(peut-être à diviser en deux) ; 53,8 (où reprend le discours
direct au singulier) ; 53,9-10*a* ; 53,10*bc* ; 53,10*d*-11 ; 53,12
(peut-être à diviser en deux en mettant à part le dernier
distique). Le commentaire succinct des lemmes va montrer
comment l'adaptateur s'y prend pour recréer le sens de son
texte.

3. *Examen détaillé des lemmes*

— 52,13-15 (à diviser en trois unités de sens distinctes). En
52,13, le traducteur grec choisit entre les deux interprétations
possibles du verbe au hipt. *yaśkîl* : « comprendre » ou « être »
intelligent », plutôt que « réussir ». J'ai fait plus haut le choix
inverse, avec la plupart des commentateurs modernes. On verra
plus loin que l'auteur du livre de Daniel a fait le même
choix [6] : il s'agissait donc d'une interprétation courante aux
IIIe et IIe siècles. Un verbe est omis ensuite dans le second

---

6. Cf. *infra*, p. 120.

stique du verset. En 52,14, il faut noter le changement de temps qui situe dans l'avenir la stupéfaction des hommes. Mais la principale différence réside dans le changement de personne qui fait adresser le discours de Dieu au Serviteur lui-même : c'est le signe d'une lecture qui découpe 52,13-15 en trois morceaux indépendants, expliqués pour eux-mêmes. Dans la finale du v. 14, la leçon « fils des hommes » est celle de la recension hexaplaire, révisée en fonction de l'hébreu. Quoi qu'il en soit, c'est au Serviteur que Dieu annonce son humiliation future, prélude de la glorification finale qui est prédite aux auditeurs du discours (vv. 13 et 15). Dans le v. 15, le traducteur tourne la difficulté que causait l'énigmatique *yazzēh* en employant le verbe « s'étonneront », dans la logique de son interprétation générale. Mais il est difficile de dire quel texte il avait sous les yeux, et j'ai supposé plus haut que son interprétation était la bonne. Sa façon d'entendre le relatif hébraïque (« ceux à qui... ceux qui... », au lieu de : « ce qui ... ce que... ») n'est qu'une divergence mineure.

— 53,1. Ici commence, dans le grec, le discours des spectateurs qui sont à la fois stupéfaits et émerveillés. L'addition du mot « Seigneur », qui fait de l'interrogation une adresse directe à Dieu, n'est pas heureuse pour la logique interne du texte : en 53,1*b*, le mot reparaît ensuite dans une phrase à la 3ᵉ personne. Pour le reste, la traduction est littérale.

— 53,2-3. Il y a dans ces versets deux « unités de sens ». Mais leur découpage ne correspond pas à celui du texte hébraïque versifié, puisqu'il fait commencer la seconde à « et nous l'avons vu » (traduction très littérale du mot hébreu). Mais il est vrai que le TM met la demi-pause au même endroit que le grec : les commentateurs modernes le corrigent en suivant Symmaque. En 53,2, dans le *Textus receptus*, le premier mot de l'hébreu est paraphrasé d'une façon peu compréhensible : j'accepte ici la correction de Ziegler (voir les notes critiques). Ensuite, le mot *yôneq* est entendu au sens propre et non au sens métaphorique (« bouture », *hapax leg.* en ce sens-là). Dans la seconde unité de sens (vv. 2*cb'* à 3*e*), les modifications sont mineures. Le mot « beauté » remplace un verbe (« pour que nous le désirions »). Toutefois, au v. 3*ef*, l'adaptateur supprime toute mention du « nous » des locuteurs : « ...détourné *de*

nous», « *nous l'avons* déconsidéré ». Cela provient probablement d'une lecture : *kî mastēr pānîm* au lieu de *kᵉmaster*. De là
l'introduction de la particule *hoti* : on a une motivation du
mépris affiché envers le Serviteur, là où l'hébreu portait une
simple comparaison qui assimilait le Serviteur méprisé au
lépreux dont on détourne sa face. Du même coup, c'est le
visage du Serviteur qui « a été retourné » (probablement au sens
métaphorique, avec l'emploi du parfait qui marque la continuité
de la situation ainsi créée).

— 53,4-5. Ici, le sens général du grec est identique à celui
de l'hébreu. Il est dit que le Serviteur souffre *pour* nous :
littéralement, « en raison » de nous (*péri hèmôn*). Mais en
53,4*a*, les verbes passent au présent : cela suppose une
permanence de la souffrance du Serviteur. La chose se
comprend, s'il est la représentation figurée des justes souffrants
qui existent au sein d'Israël. On sait que la personnification de
la collectivité sous les traits d'un homme malade ou blessé se
trouve dans Is 1,5-6, où se rencontrent également les mots
plègè (vv. 3,4,10), *ponos* (vv. 4,11), *trauma* (cf. v. 5), *mô-
lôps* (v. 5), qui caractérisent ici l'état du Serviteur. Les deux
passages ont probablement déteint l'un sur l'autre, dans la
logique interne de la traduction grecque. Mais il y a une
différence : dans Is 1, ces souffrances sont un juste châtiment
des péchés collectifs, alors qu'ici elles sont subies par le Juste à
la place des coupables en vertu d'une mystérieuse solidarité.
On notera qu'au v. 4*b*, les expressions de l'hébreu sont quelque
peu édulcorées (« nous l'estimions puni, frappé par Dieu et
humilié » ; S. Jérôme traduit carrément : « Nos putavimus eum
quasi *leprosum* »). Mais l'insistance sur la solidarité du Juste
avec les coupables n'en est que plus remarquables : l'adaptateur écrit : « celui-là porte *nos péchés* », là où le texte notait
seulement : « il a porté *nos maladies* ». En 5*b*, on peut entendre
la « leçon » (*paideia*) au sens péjoratif de « châtiment » divin
(cf. Pr 3,11-12 LXX, cité par He 12,5-7) : il s'agit d'une
« correction » administrée par Dieu à un peuple indocile.

— 53,6-7. La traduction est ici assez proche du texte hébreu.
Elle est même servile en 6*a*, où le grec *anthrôpos* rend l'hébreu
'*îš*, qui correspond en français à l'indéfini « chacun » : on ne
peut guère suivre ici le grec d'une façon littérale ! Toutefois, la

traduction de 7*ab* avec un verbe au présent est une adaptation paraphrastique, car on n'y retrouve guère l'hébreu *niggaš wᵉhû' naᶜaneh*. De même, la « brebis » et l'« agneau » sont intervertis, et ce n'est plus l'animal qui est mené à l'abattoir, mais le Serviteur qui « a été mené » à l'égorgement — ce qui ne veut pas dire qu'il aurait été égorgé, car il faut tenir compte du contexte métaphorique. Le sens général est le même. Le seul changement notable est l'introduction d'une motivation pour expliquer le silence du Juste souffrant (*dia to kékakôs-thai*).

— 53,8. En traduisant le v. 8*b*, j'avais adopté la leçon attestée par 1QIs^a : « à cause des iniquités de son peuple » ; mais le TM portait le suffixe de la 1re personne du singulier : « à cause des iniquités de *mon* peuple ». Or, le traducteur grec lisait déjà cette leçon. On ne peut donc pas dire que la modification du texte hébreu lui soit imputable en cet endroit : c'est une partie importante de la tradition textuelle qui fait commencer au v. 8*a* ou au v. 8*b* la reprise du discours de Dieu, interrompu par le discours en « nous ». On peut hésiter au sujet du rattachement de 8*a* à ce qui précède ou à ce qui suit. Mais puisque 8*b* contient une motivation introduite par *hoti*, le plus vraisemblable est que le discours de Dieu reprend en 8*a*. Le sens de l'hébreu est complètement modifié dans ce stique, à moins que le manuscrit suivi par le traducteur grec ait porté : *mēᶜ ōṣèr mišpāṭô luqqaḥ* au lieu de *mēᶜ ōṣèr ûmim-mišpāṭ luqqaḥ*. En tout cas, *'ōṣèr* est rendu très librement par le grec *tapeinôsis*. En 8*b*, le mot *dôr* est rendu littéralement par *généa*, « génération » ; mais le sens ainsi obtenu est très énigmatique. Ayant rendu la parole à Dieu, l'adaptateur est amené à recomposer le texte pour lui donner un sens nouveau : déjà en 8*cd*, ce n'est plus le juste souffrant qui est enlevé de la terre des vivants, mais *sa* vie qui est enlevée de la terre.

— 53,9-10*a*. La coupure des unités rattache ici le v. 10*a* à ce qui précède. Cette transformation est occasionnée en partie par la paraphrase qui termine le v. 8*d*, où le grec a lu *la-mawèt* à la place du texte difficile (*nègaᶜ*) *lāmô* ; d'où la traduction : « il a été mené à la mort. » Au début du v. 9, les critiques corrigent généralement l'hébreu en lisant WYTN au passif (*way-yuttan*) ou à la 3e p.pl. avec 1QIs^a (WYTNW). Mais

l'adaptateur grec traduit comme si le verbe était à la 1re
p.sing. : à la place de WYTN 'T-RŠ῾YM QBRW W'T-῾SYR
BMWTYW, il lit apparemment : W'TN 'T-RŠ῾YM BQBRW
W'T-῾ŠYRYM BMWTW. Le TM décrivait une situation : on a
mis la tombe du Juste persécuté avec celle des mécréants et son
tertre avec celui du riche, bien qu'on n'ait rien eu à lui
reprocher dans l'ordre des relations sociales. Mais l'adaptateur
annonce la juste vengeance que Dieu tirera de sa mort : Dieu
livrera (litt. : donnera) les méchants (*ponèrous*) et les riches en
échange (*anti*) d'elle. La conception classique de la rétribution
est ainsi introduite dans le texte. Elle ne supprime pas la
solidarité du Juste avec les coupables dont il a pris sur lui les
fautes, mais elle requiert le châtiment de ses persécuteurs.
Est-ce une régression doctrinale ? Plus d'un texte de la Bible
hébraïque justifierait l'introduction de ce principe de droit dans
les perspectives d'avenir (par exemple, le Ps 94) : l'annonce
prophétique du Jugement complète ici celle du Salut[7]. En
rattachant le v. 10*a* à l'évocation de la mort du Serviteur,
l'adaptateur répugne à dire que Dieu « a voulu » (ou « s'est
plu ») à l'écraser par la souffrance et qu'il l'a transpercé (avec
1QIs^a). Il joue donc sur le verbe DK'W en le rattachant à une
racine DKH qu'il entend au sens de l'araméen : « purifier ». Au
lieu de vocaliser *dakke'ô* (TM), il lit l'inf. constr. du qal :
duk'ô, ce qui lui permet de traduire : « … et le SEIGNEUR veut
le purifier de (*min*) l'affliction » (*plègè*, qui peut s'entendre,
comme aux vv. 3 et 4, de l'état de souffrance dans lequel le
Serviteur a été mis avant de mourir). Mais la perspective ainsi
ouverte reste peu claire, à moins que le Serviteur ne représente
le groupe des justes.

— V. 10*bc*. Deux stiques se détachent ici du contexte et
passent brusquement à la 2e p.pl. C'est donc le prophète qui
donne une instruction à ses auditeurs, ou plutôt son interprète
grec qui assume son rôle en s'adressant directement aux
auditeurs de la lecture biblique. En conséquence, le texte est
recomposé : ce n'est plus le Serviteur qui offre lui-même un
sacrifice de réparation (*'ašām*) et reçoit en retour une juste

---

7. Le cas est le même dans Ap 6,9-11, où les justes égorgés pour la Parole
de Dieu appellent l'heure du Jugement.

récompense ; ce sont les auditeurs qui sont invités à l'offrir, moyennant quoi ils verront eux-mêmes une postérité dotée d'une longue vie (*makrobion*). Ce dernier trait confirme ma façon de lire l'hébreu : c'est bien la postérité, et non le Serviteur, qui prolongera ses jours. Mais la recomposition complète du texte montre que, pour l'interprète, l'édification des auditeurs et lecteurs prime la fidélité matérielle à sa littéralité, puisque le « vous » se substitue au « il » en fonction de ce besoin pratique. Mais peut-être l'adaptateur a-t-il lu ici un verbe au pluriel : *tāśîmû* au lieu de *taśîm*.

— 53,10*d*-11. La paraphrase qui vient d'être adoptée trouble nécessairement la traduction de ce qui la suit immédiatement. Le texte grec suppose, dans la lecture de l'hébreu, l'omission du mot *b*e*yādô*, l'attribution d'un sens inattendu au verbe *yiṣlaḥ* (« il enlèvera ») et un bouleversement dans la coupure des phrases ; en outre *mē*ʿ*amal nafšô* n'est plus compris comme une construction génitivale : *nafšô* devient le complément d'objet direct de *yiṣlaḥ*. Moyennant ces conditions, le consonantisme paraît respecté, bien que la stylistique du grec introduise des infinitifs là ou l'hébreu portait des verbes à l'inaccompli : WYHWH (...) ḤPṢ (« et le SEIGNEUR veut ») YṢLḤ MʿML NPŠW (« enlever son âme de la peine ») YRʾH ʾWR (« ... (lui) faire voir la lumière », avec le verbe au factitif) YŠBʿ BDʿTW (« le former (?) par l'intelligence », en traduction paraphrastique) YṢDQ ṢDYQ ʿBD (.) LRBYM (« justifier un juste servant (bien ?) beaucoup ») WʿWNTM YSBL (« et il portera leurs péchés »). Trois actions verbales sont reportées sur Dieu au lieu d'être attribuées au Serviteur souffrant ; de même, le suffixe de la 1ʳᵉ personne du pluriel est omis à la fin du mot « serviteur », interprété comme un participe actif du verbe « servir ». Du même coup, le raccord entre le discours en « nous », que l'adaptateur a fait cesser dès le v. 8, et l'oracle final, qui entre dans la suite du discours du prophète au peuple, est complètement gommé. Mais il n'est plus question d'une « justification » des foules (*rabbîm*) par le Serviteur qui prendra en charge leurs fautes : c'est au contraire Dieu qui, lors de son Jugement final, déclare juste « un Juste qui est bon serviteur (ou mieux : esclave, *douleuôn*) d'un grand nombre » et qui porte leurs péchés. Ainsi le texte est complètement recomposé. Il n'y a plus aucune difficulté à admettre que Dieu promet à ce

Juste une rétribution dans l'avenir. Comme les unités de sens sont paraphrasées indépendamment les unes des autres, l'idée de la mort du juste (v. 8), qui commandait l'annonce du châtiment de ses persécuteurs (v. 9), a été perdue de vue à partir du v. 10*ac*. C'est un autre aspect du problème qui est envisagé maintenant : Dieu veut arracher le juste de la peine pour le rétribuer personnellement. Comme ce Juste personnifie toute une catégorie d'hommes à l'intérieur de la communauté d'Israël, les diverses notations qui se succèdent ne se contredisent pas. Mais la rétribution au-delà de la mort n'est pas clairement envisagée : la perspective reste floue. D'une certaine façon, le sens ainsi proposé perd d'un côté ce qu'il gagne d'un autre. Quant à la servitude du juste (v. 11*c*), elle fait probablement allusion à la condition des Juifs au temps de l'adaptateur grec.

— 53,12. Reste le dernier verset, qui semble constituer une unité de sens indépendante. Sa traduction est relativement littérale. Mais Dieu ne se met plus en scène pour promettre qu'il récompensera lui-même son Serviteur (v. 12*a*) : c'est le prophète qui annonce sa rétribution future. De même, il ne partage pas les dépouilles *avec* les puissants, mais il a part à leurs dépouilles (v. 12*b*, avec omission de '*èt*). En finale (v. 12*f*), il n'est plus question de son intercession pour les criminels (ou les iniques), soit dans le passé au moment où il était « livré » pour eux, soit dans l'avenir quand il recevra de Dieu sa récompense : le texte rappelle seulement qu'il « fut livré à cause de leurs péchés », ce qui suppose une traduction libre du dernier stique et une modification du verbe qui y figure (*yafgî*). Le texte combine des indications provenant des vv. 5*b*, 6*c*, 12*c*, sous une forme qui résume la doctrine centrale du discours.

4. *Vue d'ensemble*

L'examen détaillé des diverses « unités de sens » montre donc que leur traduction — ou leur adaptation — a été faite d'une façon relativement indépendante. L'identification du Serviteur avec la communauté d'Israël est beaucoup moins évidente dans le groupe D (52,13 — 53,12) que dans les groupes A et B, à cause du thème de la souffrance et de la mort imméritées qu'on ne saurait appliquer à l'ensemble du peuple.

C'est pourquoi la distinction entre la masse, dont font partie les lecteurs et auditeurs contemporains du traducteur, et le groupe des justes souffrants qui subissent leur peine à la place des coupables, s'impose ici plus que précédemment. La personnification de ce groupe aboutit à une description fortement individualisée ; sur ce point, le texte primitif continue d'exercer une pression très forte sur l'adaptateur : il ne rejoint la collectivité d'une façon explicite que là où figurent des phrases à la 1re ou à la 2e personne du pluriel. Encore faut-il remarquer que le « nous » de 52,1-7 est mis, semble-t-il, dans la bouche des nations et des rois étrangers. Dans les passages qui décrivent les souffrances du Serviteur, l'interprétation collective est rendue possible par les textes prophétiques qui recourent aux mêmes métaphores pour les appliquer au peuple de Dieu, par exemple Is 1,5-6 où l'homme blessé est le symbole du royaume de Juda.

On constate néanmoins qu'en plusieurs endroits cette interprétation est difficile à tenir jusqu'au bout. C'est pourquoi l'interprète n'hésite pas alors à composer un texte nouveau à partir de ce que lui suggère l'ancien. Mais une réinterprétation individuelle de son propre texte ne serait pas très difficile à opérer, en raison même de l'habileté avec laquelle il manipule le langage métaphorique qui cache une collectivité sous les traits personnels du héros décrit. Aussi verra-t-on S. Justin, dans son *Dialogue avec Tryphon*, reprendre tel quel le texte de la Septante pour appliquer à Jésus tous les passages où le Serviteur est évoqué comme un homme qui souffre et meurt [8]. Il n'aura pas besoin d'en modifier la littéralité pour atteindre ce résultat. Mais on n'en est pas là lorsque le texte est lu dans la Synagogue alexandrine. La question qui se pose alors à la foi juive n'est plus d'expliquer l'échec auquel a abouti l'espoir de restauration politique caressé entre 538 et 515. Il est de dissiper

---

8. Justin explique à Tryphon que le Christ nous a purifiés par son sang et sa mort. Il cite longuement, pour le montrer, le passage d'Isaïe 52,10 — 54,6 (*Dialogue avec Tryphon*, 13,2-8. Voir l'édition de G. ARCHAM-BAULT, *Justin ; Dialogue avec Tryphon*, coll. « Textes et Documents » sous la direction de H. Hemmer et P. Lejay, Paris 1909, tome I, pp. 58-64). Après une interruption consacrée à des explications sur le baptême, Justin reprend la citation d'Isaïe 55,3-13 (*Dialogue*, 14,4-7, éd. G. Archambault, t. I, pp. 67-68). Justin suit la Septante, avec des variantes importantes dont deux ont été signalées ici dans les notes critiques.

le scandale causé par la souffrance et la mort des justes, qui constituent une expérience permanente : comment sont-elles compatibles avec les promesses faites par Dieu à Israël ? Le dernier Poème du Serviteur (série D), avait ouvert sur ce point une voie nouvelle, en révélant un aspect inédit du dessein de Dieu et en l'appliquant à un chef en qui les Juifs avaient mis un instant leur espoir. L'interprète grec en fait une autre application, plus générale. Il songe aux Juifs fidèles qui ont été écrasés et sont morts sans voir se réaliser les promesses divines. Leur sacrifice, passé et présent, serait-il vain ? Non, car il reste une source permanente d'espérance pour le peuple entier. C'est à cette vue de foi que les lecteurs d'Isaïe sont invités à accéder. En proposant cette interprétation, le traducteur fait moins une *exégèse* du texte sacré, qu'une *eiségèse* grâce à laquelle sa force percutante reste intacte. Il faudra garder présents à l'esprit le but et les procédés auxquels correspond un tel travail, quand on examinera plus loin *toutes* les autres interprétations qui se rencontrent en milieu juif comme en milieu chrétien. Mais il faudra d'abord tirer quelques conclusions générales qui s'appliquent à l'ensemble des Poèmes du Serviteur.

E) Y a-t-il une cinquième série de Poèmes ?

Dans la logique de l'interprétation historique, j'ai été amené plus haut à rapprocher Is 55,3-5 des quatre séries de Poèmes qui visaient le même « Serviteur ». L'intégration de ce court passage dans un contexte de tonalité sapientielle, auquel son thème et ses formulations se raccrochent mal, résultait du « montage » opéré par l'éditeur. Bien que la traduction de 55,1-11 suive d'assez près la littéralité de l'hébreu, la continuité du discours y est mieux sauvegardée, sauf au v. 5 où la 2e personne du singulier tranche sur des phrases construites à la 2e personne du pluriel. Mais cette alternance rappelle celle qu'on trouve dans le Deutéronome, où le « tu » et le « vous » s'entremêlent en certains passages où Moïse s'adresse à Israël : l'interprétation collective du « tu » s'impose ici dans le grec, à la différence de ce qui se passait dans l'hébreu. De ce point de vue, le texte s'aligne donc sur les Poèmes où le Serviteur représentait Israël :

³ Soyez attentifs *de (toutes) vos* oreilles et *suivez* mes *voies!*
Écoutez-*moi*, et votre âme vivra *de ce qui est bon.*
Et *j'établirai* pour vous *une* alliance éternelle,
Les *choses saintes* de David, *dignes de foi.*
⁴ Voici que je l'ai placé *parmi les nations* comme un témoin,
un chef et un *préposé* aux *nations.*
⁵ *Des* nations qui *ne te connaissent pas t'appelleront,*
et *des peuples* qui ne savent (rien de) toi *se réfugieront vers toi,*
à cause de ton Dieu, le Saint d'Israël, *car* il t'a glorifié.

Les nombreuses retouches de détail méritent d'être examinées une à une. Au v. 3*a*, la modification essentielle est la substitution de l'expression « suivez mes voies » à « venez à moi ». Il est clair que l'exhortation est ainsi alignée sur la tonalité sapientielle des vv. 1-2. Cet infléchissement se poursuit dans le v. 3*b*, puisque l'adaptateur reprend en partie le contenu du v. 2*cd* en ajoutant à l'hébreu le complément d'attribution *moi*, puis *én agathois* (cf. 2*b* : *akousaté moi kai phagesthé agatha, kai entryphèsei én agathois hè psychè hymôn*, « écoutez-moi et vous mangerez de bonnes choses, et votre âme fera ses délices de bonnes choses »). Au v. 3*c*, le verbe qui signifie « établir » (*diathèsomai*) est joint au thème de l'alliance (*diathèkè*), comme pour mieux souligner l'initiative divine ; mais le mot « alliance » est sans article. Au v. 3*d*, *ta hosia Dauid ta pista* présente plus qu'une nuance par rapport à l'hébreu (*ḥasdēy Dawîd*) : l'allusion aux promesses rapportées en 2 Sm 7 fait des « faveurs miséricordieuses » les « choses saintes » sur lesquelles se fondera l'argumentation du Nouveau Testament dans Ac 13,34, moyennant une réinterprétation de ce mot prégnant ⁹. Au v. 4, la substitution systématique des

---

9. Voir sur ce point l'étude de J. DUPONT, « Ta hosia Dauid ta pista (Actes 13,34 — Isaïe 55,3) », *Revue Biblique* 68 (1961), pp. 91-114 repris dans *Études sur les Actes des apôtres*, Paris 1967, pp. 336-359. L'étude débute par une analyse de la Septante d'Isaïe (pp. 342-344) : la version grecque « commence par une erreur de lecture », car le traducteur a lu *ḥasîdēy Dawîd* au lieu de *ḥasdēy Dawîd* (p. 342). Il me semble que le traducteur a plutôt fait usage des pluralités de lecture possibles, pour projeter sur le texte consonantique un sens qui correspondait à l'espérance d'Israël, telle qu'il l'entendait lui-même en son temps et dans son milieu : c'est un des stratagèmes de la lecture interprétative, à partir du moment où la mise en perspective du texte ancien suggère une transformation du sens originel.

« nations » (au pluriel) à « une nation » (au singulier) élargit la perspective du texte. Mais le personnage auquel ce verset fait allusion est maintenant David lui-même, établi comme témoin, chef (*archôn*) et préposé (*prostassôn*, mot qui inclut la fonction de gouvernement). Le texte vise maintenant un avenir indéfini où le peuple et son chef seront mis à la tête du monde entier. En conséquence , le v. 5 se rapporte au peuple lui-même, interpellé à la 2e personne du singulier : toute la terre se tourne vers lui pour avoir part aux « bonnes choses » dont il jouit.

Comme dans la série B des Poèmes du Serviteur, le nationalisme religieux du texte est donc accentué. Mais le déplacement de sa pointe, qui passe du descendant de David, identifié au Serviteur individuel, à la communauté nationale, est en pleine cohérence avec l'interprétation collective des Poèmes. Ainsi, le message renfermé dans la IIe Partie d'Isaïe est profondément unifié par l'interprète grec. Mais il n'y a plus lieu de chercher, dans 55,3-5, un texte qui aurait un rapport direct avec les Poèmes du Serviteur : son arrière-plan historique a maintenant disparu de l'horizon.

III. CONCLUSIONS

La lecture de la Septante, telle qu'elle vient d'être faite, invite à la réflexion sur plusieurs points importants qui touchent à la notion même de l'herméneutique. On peut les résumer en quelques propositions.

1. *Traduction et interprétation*

La Septante, dans les passages étudiés ici, est-elle une traduction à proprement parler ? Il est exact qu'on y trouve en plus d'un endroit un grec fortement hébraïque, voire servile. Sous ce rapport, le souci de littéralisme qui caractérisait l'art de traduire chez les auteurs grecs et latins, surtout au niveau de la « petite littérature », y reste très marqué. Le texte originel, détaché du contexte historique où il a été écrit et de l'intention poursuivie par son auteur, a acquis une « objectivité » qui se livre au bon vouloir de son interprète. Mais celui-ci ne peut oublier que l'auteur avait, en le composant, une visée prophétique. De ce fait, il était dès l'origine et il reste, dans le temps présent, témoin d'une Parole de Dieu qui demeure toujours actuelle, même si les circonstances dans lesquelles ses lecteurs se trouvent ne sont plus identiques à celles dans lesquelles le texte a été écrit. En conséquence, le traducteur ne doit pas en rester au sens primitif qui, pour une part, serait maintenant anachronique. Il doit faire valoir tout ce que sa littéralité peut suggérer, dans l'ordre des idées et des représentations religieuses. Il ne faut pas sous-estimer sa connaissance de la langue hébraïque. Mais pour lui, l'essentiel est d'établir une communication entre ce discours, fixé dans un écrit, et les préoccupations de la communauté qui l'entoure. En conséquence, il se comporte moins en traducteur exact qu'en adaptateur, assez proche du livre sacré pour qu'on ne le taxe pas d'infidélité à son message, mais assez libre pour qu'il puisse devenir à son tour un « créateur de sens ».

2. *Adoption d'une perspective de lecture*

L'adaptateur lit les Poèmes dans le contexte littéraire où l'auteur du recueil d'Isaïe les a placés. Sous ce rapport, le livre exige une *lectio continua* où la simple proximité matérielle des morceaux composants fournit déjà une clef d'interprétation. Le traducteur ne se sent donc pas obligé de relier entre eux les Poèmes, comme j'ai tenté plus haut de le faire, dans une perspective de critique historique. Le contenu littéral des textes l'invite à traiter différemment la série C et les séries A, B et D. La première ne peut être soustraite à la perspective individuelle dans laquelle elle a été écrite. Comme elle fait partie d'un livre attribué en bloc au prophète Isaïe, le plus simple est de la lire comme se rapportant au prophète lui-même. Mais pour que l'opération soit menée jusqu'au bout, l'interprète grec en vient à se mettre lui-même dans une situation où il interpelle directement son auditoire (ou ses lecteurs), pour les presser d'écouter la voix du prophète, serviteur de Dieu. Au contraire, dans sa lecture des séries A, B et D, il adopte délibérément l'interprétation collective de la figure du Serviteur, regardée comme une figure du présent et de l'avenir et non comme un personnage du passé lointain. Il trouve, pour faire cette opération, une clef de lecture dans le contexte littéraire des Poèmes : le Second Isaïe qualifie plus d'une fois Israël de « Serviteur » de Dieu [10]. On ne peut donc pas dire qu'une telle

---

10. Avec *pais*, voir Is 41,8.9 ; 42,23 dans quelques Mss., qui empruntent

interprétation soit arbitraire. C'est si vrai que plus d'un commentateur moderne s'est laissé impressionner par les mêmes textes pour voir dans le Serviteur, soit Israël en général, soit la personnification du Reste des justes purifiés par les épreuves de l'exil. Mais ce qui vaut pour l'interprétation du traducteur grec ne vaut pas nécessairement pour la composition originelle des textes.

3. *Continuité doctrinale entre le texte et son interprète*

Il faut relever aussi deux points capitaux sur lesquels la continuité s'affirme entre les idées de l'interprète grec et la littéralité du texte qu'il recrée à sa façon. Il s'agit tout d'abord des perspectives d'espérance ouvertes à Israël par les promesses prophétiques. Sur ce point, les Poèmes du Serviteur faisaient corps avec le *Message de consolation* dans le cadre duquel ils ont été recueillis. C'est d'autant moins étonnant que leur auteur, sauf dans les passages autobiographiques, est celui du Message lui-même. Quant aux passages autobiographiques, celui du chap. 49 fait suffisamment écho aux oracles reçus du prophète pour rendre le même son qu'eux ; à moins que le prophète n'ait directement coopéré à sa mise en forme, si l'on en juge par la différence de style qui le distingue de 50,4-9*a*. Or, le lecteur grec les interprète tous en fonction de l'ensemble où ils figurent. Les événements des premiers retours en Terre sainte ne sont plus aperçus qu'à distance. Mais le capital d'espérance qu'ils ont accumulé dans les esprits et les cœurs reste intact : c'est lui que la lecture du livre d'Isaïe continue de faire fructifier en fixant l'attente nationale sur des objectifs précis.

En second lieu, l'épreuve d'Israël dure toujours. Or, le Second Isaïe y avait déjà fait face en énonçant un principe important pour la foi, à savoir : le rôle providentiel de la souffrance et de la mort du Serviteur de Dieu dans la réalisation de cette œuvre de salut. Il l'appliquait à un cas particulier, spécialement douloureux pour ses contemporains. Pourquoi ne

---

ici une expression à 50,10 ; 43,10, où « mon Serviteur que j'ai choisi » est en parallèle avec « mes témoins » au pluriel ; 44,1.2.21.26, où « les paroles de son Serviteur » sont en parallèle avec « le dessein de ses envoyés » (mais il pourrait s'agir, dans l'hébreu, du Serviteur individuel auquel se rapportent les Poèmes) ; 45,4. Avec *doulos*, voir Is 42,19 ; 48,20.

pas le généraliser en l'appliquant aussi à tous les justes, personnifiés maintenant dans la haute figure qui les représente si bien en Is 50,4-9 et 52,13 — 53,12 ? C'est en se fondant sur l'identité des situations à l'intérieur de l'épreuve nationale, que l'interprète grec peut justifier les transformations qu'il fait subir au texte traduit par lui.

4. *Les procédés pratiques d'exégèse*

Il reste que, pour réaliser cette opération sans décoller du texte hébraïque, l'interprète doit recourir à des procédés pratiques qu'on peut appeler « exégétiques » — à condition de ne pas réserver ce mot aux méthodes que nous fournit notre culture. Sur ce point, l'interprète grec de la Bible hébraïque reste dépendant des habitudes mentales qui ont cours en son temps et dans son milieu. Mais bien qu'il s'agisse d'un alexandrin, on constate qu'il procède d'une façon très proche de celle qu'attestent les textes les plus anciens du Judaïsme palestinien. J'ai relevé au passage quelques-unes de ces procédures, très éloignées de nos propres habitudes : recours à toutes les possibilités de vocalisation et de découpage qui s'offrent pour donner un sens au texte consonantique ; interprétation particulière des « unités de sens », juxtaposées plus qu'enchaînées dans les ensembles qui les intègrent ; éclairage des mots et des expressions à l'aide des parallélismes qu'offrent les chapitres environnants, etc. Le recours à ces moyens fournis par la culture ne doit pas faire perdre de vue l'opération d'ensemble au service de laquelle ils sont mis : celle-ci repose sur des principes d'un autre ordre.

5. *L'interprétation comme énoncé d'un nouveau message*

On aurait tort de juger tout ce travail en fonction de la critique littéraire et historique pratiquée par les modernes. Il ne répond pas aux mêmes buts. Il relève d'un effort d'herméneutique dont l'esprit et les moyens sont différents. Son résultat doit être apprécié pour lui-même, comme *l'énoncé autonome d'un message* qui est à la fois traditionnel dans son point de départ et nouveau dans son contenu et son mode d'expression. Ce message a pris place à un moment déterminé dans l'histoire et dans la vie de foi du Judaïsme. On constatera plus loin que les auteurs du Nouveau Testament et ceux de l'époque patristique, en lisant leur Bible dans sa version grecque, l'ont accueilli tel

quel comme Parole de Dieu, exactement comme les Juifs de
Palestine accueillaient le texte hébraïque qui constituait leur
Bible. C'est donc qu'il constituait à leurs yeux un chaînon
essentiel dans la révélation elle-même : ils y reconnaissaient un
message « inspiré » à l'égal de celui du texte prophétique qu'il
interprétait. Si l'on se place dans cette perspective, on doit
regarder l'adaptateur grec des Poèmes comme un « créateur de
sens », dépendant du livre d'Isaïe, mais original dans l'énoncé
de sa propre pensée. Comment les auteurs du Nouveau
Testament lui auraient-ils reconnu une telle autorité, s'ils
n'avaient pas vu en lui un homme qui travaillait sous la motion
de l'Esprit Saint, sinon au même titre que le prophète Isaïe et
ses continuateurs, du moins dans son prolongement, en tant
qu'interprète authentique du message qu'il avait énoncé pour
tous les siècles ? Cette constatation oblige à poser le problème
des Écritures « canoniques » d'une façon que la théologie
« classique » a négligée, en concentrant l'attention sur l'inspiration du texte hébreu « originel » : l'adaptation grecque doit
aussi être considérée comme un texte « originel » à sa manière.

CHAPITRE III

LES POÈMES DU SERVITEUR
DANS LE JUDAÏSME PALESTINIEN

L'enquête sur l'interprétation des Poèmes du Serviteur dans la traduction grecque d'Isaïe nous transportait en milieu alexandrin, dans des communautés de langue grecque. Mais il serait tout à fait erroné de regarder celles-ci comme des groupes indépendants, coupés du Judaïsme palestinien. Jusqu'en 198, la Judée et Jérusalem vécurent sous l'obédience des rois Lagides, bienveillants envers l'institution juive qui pratiquait à leur égard un parfait loyalisme politique. Les communications entre Alexandrie et Jérusalem étaient faciles et constantes. Quand on regarde de près la traduction grecque d'Isaïe, on constate que la coloration due à la culture hellénistique y est très peu accentuée. En revanche, les procédés de lecture appliqués au texte hébreu par l'interprète grec ressemblent beaucoup à ceux qu'on rencontrera plus tard dans les monuments littéraires du Judaïsme palestinien : les Midrashim et les Targoums. Il y a donc toutes chances pour que la source des interprétations retenues soit à chercher de ce côté. Malheureusement, les traces laissées par les Poèmes du Serviteur dans les textes du Judaïsme palestinien antérieurs à notre ère sont peu nombreuses : la recherche n'aboutit qu'à un grappillage fort maigre. J'examinerai ici trois cas : une reprise à peu près certaine dans le livre de Daniel, quelques allusions fugitives dans les textes de Qumrân et la question très controversée que posent les *Paraboles d'Hénoch*.

I. Les allusions du livre de Daniel

1. *Analyse de Daniel 12, 3*

Dans la longue apocalypse qui termine le livre de Daniel et qu'on peut attribuer à l'éditeur de tous les autres chapitres (Dn 10,1 — 12,12), un court passage semble s'appuyer sur le quatrième Poème du Serviteur pour formuler une promesse d'avenir. Au terme de la tribulation finale dont réchappera le peuple de Dieu, ou plutôt, « tous ceux qui se trouveront inscrits dans le Livre » (12,1), le sort des justes morts pour la foi est évoqué dans les termes suivants :

> Beaucoup de ceux qui dorment dans le sol poussiéreux se réveilleront : ceux-ci (sont) pour la vie éternelle, et ceux-là (sont) pour l'opprobre, pour l'horreur éternelle. Et les doctes (*ha-maśkîlîm*) brilleront comme la splendeur du firmament, et ceux qui justifient des foules (*maṣdîqēy rabbîm*), comme les étoiles, toujours et à jamais (Dn 12,2-3).

Le contact verbal entre le v. 3 et Is 53,11 avait déjà été signalé dans le commentaire de Montgomery [1], mais sans insistance particulière. Il a fait, depuis lors, l'objet d'une étude fouillée de H.L. Ginsberg [2] (1953), suivi par R. Martin-Achard (1956) et les commentateurs récents du livre [3] (M. Delcor, A. Lacocque, A. Di Lella). On lit en effet dans le texte hébreu, tel que j'ai cru devoir en découper les stiques : « Juste, mon Serviteur, justifiera les foules et prendra en charge leurs fautes » (*yaṣdîq*

---

1. J.A Montgomery, *The Book of Daniel*, ICC, Edimbourg 1927, p. 472.

2. H.L. Ginsberg, « The Oldest Interpretation of the Suffering Servant », *Vetus Testamentum* 3 (1953), pp. 400-404.

3. R. Martin-Achard, *De la mort à la résurrection d'après l'Ancien Testament*, Neuchâtel-Paris 1956, p. 116. M. Delcor, *Le livre de Daniel*, coll. « Sources bibliques », Paris 1971, pp. 255-256. A. Lacocque, *Le livre de Daniel*, « Commentaire de l'Ancien Testament » XVb, Neuchâtel-Paris 1976, p. 179. L.F. Hartman - A.Di Lella, *The Book of Daniel*, « The Anchor Bible » 23, New York 1978, pp. 300 et 309. Voir aussi J. Day, « *Daʿat* : Humiliation in Isaiah 53,11 in the Light of Isaiah 53,3 and Daniel 12,4, and the Oldest Know Interpretation of the Suffering Servant », *VT* 30 (1980), pp. 97-105.

ṣaddîq ʿabdî lā-rabbîm : Is 53,11*c*). En outre, au début du dernier Poème (52,13), on rencontre aussi l'emploi du verbe à double sens *yaśkîl* : « Voici que mon Serviteur triomphera — ou fera preuve d'intelligence, sera docte. » La version grecque avait précisément choisi ce deuxième sens, qui pouvait être traditionnel dans le Judaïsme palestinien contemporain. Les *maśkîlîm* (= doctes) de Daniel font preuve de la disposition grâce à laquelle le Serviteur « s'élèvera, grandira, montera beaucoup » (52,13*ab*).

Ces mêmes hommes sont présentés, dans la période de persécution qui précède la réalisation finale de la promesse, comme les instructeurs des « gens qui connaissent leur Dieu » (11,32). Ils doivent à cette situation d'être victimes de la persécution : « Les doctes du peuple (*maśkîlēy ʿam* : doctes, ou instructeurs qui communiquent l'intelligence aux autres [4] ?) instruiront les foules (*yābînû lā-rabbîm*), et ils trébucheront par l'épée et par la flamme, par la captivité et par la spoliation, durant des jours » (11,33). « Et parmi les doctes, il en est qui trébucheront pour que se fasse, grâce à eux, un affinage, une purification et un blanchissement jusqu'au temps de la fin » (*li-ṣᵉrôf bā-hèm û-lᵉ-bārēr û-lᵉ-labbēn* : 11,35). A part le titre donné aux instructeurs persécutés, il n'y a aucun contact verbal entre ce passage et le 4ᵉ Poème du Serviteur. Mais la même situation de persécution est supposée de part et d'autre. Il est donc légitime de se demander si l'interprétation sacrificielle de la mort du Serviteur, telle qu'elle résulte du Poème, n'est pas à l'arrière-plan de la réflexion sur la mort des martyrs [5] : l'affinage, la purification et le blanchissement ne les concernent

---

4. R. MARTIN-ACHARD, *De la mort à la résurrection,* p. 116, traduit : « les maîtres de justice », en reprenant une expression qumrânienne ; il est suivi par M. DELCOR, *op. cit.,* p. 256.

5. Il n'est pas exclu que la réflexion sur le texte d'Is 53 ait fourni aux martyrs eux-mêmes un motif d'espérance, puisque l'interprétation collective du Poème leur permettait de se l'appliquer. Malheureusement, aucun texte n'en fournit la preuve. Les récits de martyres qu'on lit dans 2 M 6,18-31 et 7,1-41 n'y font pas allusion. Éléazar donne « l'exemple d'une belle mort, volontaire et généreuse, pour les lois saintes et vénérables » (6,28), et il souffre ses douleurs avec joie à cause de la crainte que Dieu lui inspire (6,30). Les sept frères énoncent l'espoir d'une résurrection, ou d'une « revivification éternelle », dans la perspective ouverte par le livre de Daniel que l'auteur doit connaître. Mais ces récits sont postérieurs aux événements qu'ils évoquent.

pas eux-mêmes ; mais ils concernent la communauté qu'ils ont conduite dans les voies de la justice. On peut conclure avec M. Delcor : « C'est à ce texte (= Is 53,11) que se réfère sans doute Daniel en voulant identifier le Serviteur au groupe des pieux fidèles, les *Ḥasidîm,* qui non seulement instruisent le peuple mais se sacrifient aussi pour le purifier [6]. »

2. *L'herméneutique de Daniel et celle de la Septante*

Cette référence implicite à Is 53 est intéressante, car elle rejoint exactement l'herméneutique qui a été relevée dans la Septante d'Isaïe. L'interprétation collective du Serviteur, au moins en Is 52,13 — 53,12 où sa figure personnifie les justes souffrants, est donc commune au Judaïsme palestinien et au Judaïsme alexandrin. Le groupe piétiste auquel appartient l'auteur du livre de Daniel y a trouvé la source d'un message d'espérance adressé aux persécutés après la mort de certains d'entre eux. Mais la traduction grecque d'Isaïe avait déjà fait passer la même doctrine dans la lecture synagogale de l'Écriture. D'un côté comme de l'autre, le Serviteur représentait le groupe de ceux qui, au sein du peuple, « font preuve d'intelligence » ou « se font instructeurs » des foules et, par là, les « justifient », c'est-à-dire, les conduisent à la justice. Le livre de Daniel présente leur activité et leur destinée en deux temps séparés : au premier, ils subissent la persécution et certains d'entre eux meurent, comme le Serviteur d'Isaïe ; au second, après l'inauguration du « monde à venir », ils « brilleront comme la splendeur du firmament » et « comme les étoiles ». Au premier, ils ont « trébuché » à cause de la persécution ; mais il ne semble pas que l'auteur veuille évoquer par ces mots la chute de certains d'entre eux qui auraient fléchi dans l'épreuve. Ce n'est pas *parmi eux* que s'est opéré alors un affinage (Dn 11,35) ; c'est plutôt *grâce à eux* (*bāhèm* au sens instrumental) que Dieu l'a opéré dans le peuple [7]. A moins

---

6. M. DELCOR, *Le livre de Daniel*, p. 256.

7. Il faut rapprocher ce passage de Dn 12,10, où l'Ange dit au voyant : « Beaucoup (*rabbîm*) seront purifiés, blanchis et affinés, et les impies agiront avec impiété et ne comprendront pas, mais les doctes comprendront (*yābînû*). » D'après 12,3, les doctes sont distingués des foules (*rabbîm*) qu'ils instruisent et conduisent à la justice. Or, c'est au sein des foules que s'opère la purification nécessaire, au moyen de la persécution.

qu'on ne retienne, pour Is 53,10*a*, une recension du texte qui expliquerait la paraphrase de la Septante : «Et le SEIGNEUR veut *le purifier* (*katharisai*) du fléau.» De fait, la vieille Septante de Daniel [8] a interprété en ce sens le texte de 11,35 : «Et (il en est) parmi les intelligents (*ek tôn synientôn*) (qui) réfléchiront (*dianoèthèsontai*) en vue de se purifier eux-mêmes (*eis to katharisai héautous*) et d'être choisis et d'être purifiés jusqu'au temps de la fin [9].» Mais Théodotion suit exactement le texte massorétique ; du moins en 11,35, car en 12,3 il généralise la perspective d'espérance ouverte primitivement aux seuls martyrs : «Les intelligents (*hoi synientes*) brilleront comme l'éclat du firmament, et (il en est) d'entre les nombreux justes (*apo tôn dikaiôn tôn pollôn*) (qui brilleront) comme les étoiles pour les siècles et à jamais [10].»

Quoi qu'il en soit, le parallélisme entre l'interprétation de la Septante d'Isaïe et celle que suppose le livre de Daniel est remarquable. Les deux versions grecques de Daniel l'accen-

---

8. Pour l'édition critique des deux versions de Daniel, il faut se reporter en premier lieu à l'édition de J. ZIEGLER, *Susanna. Daniel. Bel et Draco*, Septuaginta de Göttingen, 1954, p. 206. Mais le texte du Ms. 88, seul témoin des LXX connu au temps de Ziegler avec la recension syro-hexaplaire, doit être complété maintenant par le Papyrus 967 : *Der Septuaginta-Text des Buches Daniel, Kap. 5-12, zusammen mit Susanna, Bel et Draco, nach dem kölner Teil des Papyrus 967*, herausgegeben von Angelo GEISSEN, Bonn 1968. Malheureusement, Dn 11,26*b*-39 se trouve dans un bas de page déposé à Barcelone (pp. 181-182 du Papyrus). Je n'ai pu consulter ce fragment, omis par Geissen.

9. La Septante de Dn 12, 10 (éd. Ziegler, pp. 212-213 ; éd. Geissen, pp. 264-265, texte identique où un membre de phrase est omis par homoioteleuton) coupe différemment les phrases : «Il me dit : ''Va, Daniel, car les ordres ont été cachés et scellés, jusqu'à ce que beaucoup soient mis à l'épreuve et sanctifiés, et les pécheurs pécheront, et tous les pécheurs ne comprendront rien, et ceux qui comprennent seront attentifs.» On voit que le texte est modifié, puisque l'idée de purification a disparu. Mais il reste une promesse de sanctification des foules (*polloi*), identiques à «ceux qui comprennent» (*hoi dianoouménoi*). Le texte fait donc déjà l'objet d'une généralisation.

10. Dans Dn 12,10, Thédotion généralise également la promesse, tout en affirmant qu'une sélection s'opérera dans le peuple : «Beaucoup seront choisis et blanchis et affinés par le feu (*pyrôthôsi*), et les impies agiront avec impiété et les hommes réfléchis (*noèmonés*) comprendront» (éd. Ziegler, pp. 212-213). La tendance des deux versions grecques est donc la même : elles détachent le texte du problème particulier posé par le martyre des justes durant la persécution.

tuent encore. Or, on sait que la Septante de Daniel date vraisemblablement du IIe siècle avant notre ère [11] et que la version attribuée à Théodotion est antérieure au Nouveau Testament et reflète probablement la tradition palestinienne [12]. On peut noter d'ailleurs que les deux versions éliminent l'idée contenue dans le texte hébraïque de Dn 12,3*b* : « ceux qui en auront justifié beaucoup ». Théodotion lui substitue « les justes » en général [13], et la Septante paraphrase : « Ceux qui gardent mes Paroles (brilleront) comme les étoiles du ciel, etc. [14] » On peut déduire de ces constatations que l'interprétation collective de la figure du Serviteur, au moins dans Is 52,13 — 53,12, était le bien commun de tout le Judaïsme préchrétien, aussi bien en Judée qu'à Alexandrie. Les circonstances de la persécution subie en Judée par les Juifs fidèles entre 168 et 164 ont donné à ce texte un regain d'actualité, en montrant derrière la figure du Serviteur les justes persécutés pour leur foi jusqu'à la mort, puis, dans les versions grecques du livre, tous les serviteurs de Dieu attachés fermement à sa Parole et rendus par là « intelligents ».

Dans ce contexte, l'évocation assez générale de la glorification future du Serviteur (Is 52,13*a*) et de sa rétribution finale

---

11. J'ai abordé cette question dans deux articles consacrés à la Septante de Daniel, où je vois la traduction d'un original hébraïque qui adapta le texte du livre peu de temps après son édition au début de 163 : « La Septante de Daniel 4 et son substrat sémitique », *Revue Biblique* 81 (1974), pp. 5-23 ; « Le chapitre 5 de Daniel dans la Septante », *Semitica* n° 24 (1974), pp. 45-66. J'admets que le Livre III des *Oracles sibyllins* s'inspire de cette ancienne version grecque et qu'il est probablement antérieur à 145 ; mais cette date est discutée.

12. Mon étude sur « Les versions grecques du livre de Daniel », *Biblica* 47 (1966), pp. 381-402, est surpassée par l'enquête très précise de A. SCHMITT, *Stammt der sogenannte Theod-Text bei Daniel wirklich von Theodotion?*, Göttingen 1966. L'essentiel est l'origine palestinienne de la tradition représentée par Théodotion et son antériorité par rapport au Nouveau Testament.

13. C'est en ce sens que le texte de Théodotion est repris dans le commentaire d'Hippolyte (IV, 59) ; cf. HIPPOLYTE, *Commentaire sur Daniel,* Introduction de G. BARDY, Texte établi et traduit par M. LEFÈVRE, coll. « Sources chrétiennes » 14, Paris 1947, pp. 382-383. Le choix, le blanchissement et la purification sont appliqués aux croyants qui seront sauvés lors du dernier Jugement, après la résurrection (dont parle Dn 12,2).

14. Par rapport au Pap. 88, le Pap. 967 comporte une seule variante : l'article avant le mot « étoiles », omis dans le Pap. 88 et la Syro-hexaplaire.

(Is 53,10*cd*.11*ab*.12*ab*) ont été transposées sur un autre plan :
celui du « monde nouveau » que le livre de Daniel ne décrit
d'ailleurs pas. On aurait tort en effet d'interpréter les images
employées dans Dn 12,3*a* comme des métaphores qui assimile-
raient les justes ressuscités aux habitants des régions célestes.
Leur resplendissement est comparé à la splendeur du firmament
et à l'éclat des étoiles ; mais ce n'est qu'une comparaison, qui
évoque leur situation au sein du peuple dont ils sont les guides
spirituels [15]. L'essentiel est de constater que les « doctes »
morts pour leur foi obtiennent la purification de la masse et
qu'ils sont eux-mêmes arrachés à l'horreur de la mort (*dir'ôn*,
mot emprunté à Is 66,24) par leur « réveil », c'est-à-dire leur
résurrection d'entre les morts. On a vu que le texte d'Isaïe ne
disait rien de précis sur ce point, puisque le langage technique
de la résurrection n'y figurait ni dans l'hébreu ni dans le grec.

Une fois ce point établi, on comprend que toutes les
expressions employées pour désigner la rétribution du Serviteur
souffrant aient pu recevoir un sens très fort, à partir du moment
où le message propre de Daniel en avait prolongé la teneur. En
retour de sa peine, le Juste « verra une postérité » (Is 53,10*d*) ;
il « verra la lumière » (53,11*a*) ; il « se rassasiera de son
savoir » ou sera comblé grâce à son savoir » (53,11*b*) ; il
« prolongera ses jours » (53,10*e*) ; il « recevra des foules en
partage et partagera le butin avec les puissants » (53,12*ab*) ;
ainsi « le bon plaisir de Dieu réussira grâce à lui » (53,10*f*). Les
verbes du v. 11 qui s'appliquaient primitivement à la *postérité*
du Serviteur lui sont désormais rapportés sans difficulté,
puisqu'il est la personnification d'une collectivité et que la
rétribution individuelle de ses membres est assurée après leur
mort. Les paraphrases de la Septante pourraient être reprises de
la même façon, pour recevoir une plénitude de contenu que
leur littéralité ne contenait pas explicitement mais qu'elle
n'excluait aucunement. Une telle lecture serait dans la logique

15. Cf. mon étude sur « Histoire et eschatologie dans le livre de Daniel »,
dans *Apocalypses et théologie de l'espérance,* coll. « Lectio Divina » 95,
Paris 1977, p. 96. Ainsi, « le texte ne suggère pas un transfert du peuple de
Dieu hors de la terre, puisqu'il y aura encore des docteurs pour éduquer la
multitude et la rendre juste : il y aura donc une permanence des institutions
religieuses d'Israël dans un monde devenu parfait » (*L'espérance juive au
temps de Jésus,* Tournai-Paris 1978, p. 42).

de l'usage que l'auteur de Daniel a fait d'Is 53. Dissipant les ambiguïtés que renfermait encore le Targoum grec, elle projetterait rétrospectivement sur le texte d'Isaïe une doctrine qui appartient en propre au livre de Daniel. Ne peut-on penser qu'elle était admise par les lecteurs d'Isaïe qui, au IIe siècle, accueillirent ce livre en le classant dans le recueil des Écritures ? Il faut s'en souvenir quand on étudie le problème de l'interprétation d'Isaïe au niveau du Nouveau Testament.

Comment définir un tel genre de lecture ? Ce n'est plus du tout une lecture « historique » du texte primitif ; mais ce n'est pas non plus une application arbitraire de sa lettre, reçue « objectivement » comme un message venu de Dieu et adressé par lui aux hommes du temps présent. Ce n'est pas une adaptation aussi libre que celle de la Septante, puisque son point de départ est fourni par la littéralité du texte : en termes rabbiniques, elle relève du *Peshat,* non du *Derash.* Mais elle n'en recourt pas moins à des procédés qui caractérisent le Midrash : d'une part, elle joue sur les diverses possibilités que présentent le titre et la figure symbolique du Serviteur, pour retenir celle de ses facettes qui convient à la situation présente ; d'autre part, elle utilise la prégnance de certains mots ou de certaines expressions, pour mettre au jour des « valences » que l'auteur primitif n'avait pas eues explicitement en vue mais que son texte pouvait effectivement supporter. Le sens ainsi découvert reste donc bien celui de la « lettre », *prout sonat.* Mais c'est un sens amplifié, prolongé, surchargé, gonflé d'une plénitude que la lecture « historique » n'avait pas à découvrir. Sur ce point, ce qui vaut pour l'auteur de Daniel dans son texte hébraïque, vaudrait également pour les deux versions grecques de ce livre — dans la mesure où leurs auteurs percevaient encore le rapport entre le texte hébreu qu'ils traduisaient et le passage d'Isaïe dont il s'était inspiré.

II. DES PSEUDÉPIGRAPHES AUX TEXTES DE QUMRÂN

1. *Les Pseudépigraphes*

L'enquête dans les Pseudépigraphes palestiniens antérieurs à l'ère chrétienne est particulièrement décevante. On ne trouve aucune allusion aux Poèmes du Serviteur ni aucune reprise de leur phraséologie dans les sections anciennes du *Livre d'Hé-*

noch [16], pas même dans la « Lettre d'Hénoch » qui termine cette compilation (1 Hen 91 — 105), bien qu'il y soit abondamment question de la mort et de la rétribution des justes : l'occasion était pourtant bonne de recourir à Is 52,13 — 53,12, si l'interprétation collective de la figure du Serviteur était admise en Judée comme à Alexandrie aux alentours de l'an 100 avant notre ère. Il n'y a rien non plus dans le *Livre des Jubilés* [17] ni dans le *Testament* (ou *Assomption*) *de Moïse* [18]. Deux allusions possibles ont été proposées par les commentateurs des *Psaumes de Salomon* [19] (Ps Sal 10,4 et 17,42). Mais un examen minutieux du texte ne confirme pas cette hypothèse. Dans PsSal 10,4, Il est dit que « celui qui tend son dos aux coups de fouets, celui-là sera purifié. » Le rapprochement avec Is 50,6*a* ne s'impose pas, car il s'agit d'une maxime sapientielle dont la portée est très générale. Dans PsSal 17,42, il est dit du roi futur, descendant de David, qu'il « ne faiblira pas (*ouk asthénèsei*) durant ses jours ». Mais le parallélisme supposé d'Is 42,4 reste vague, car le seul élément de comparaison possible est le verbe *asthéné-ô* qui correspond mal à l'hébreu *kāhâh,* paraphrasé dans la Septante d'Isaïe. De ce côté, le constat est donc négatif [20].

---

16. Pour s'en rendre compte, il suffit de consulter les *Index* des commentaires : F. MARTIN, *Le livre d'Hénoch,* Paris 1906, p. 308 ; R.H. CHARLES, *The Book of Enoch,* Oxford 1912, p. 312 (complété pour les fragments araméens par l'édition de J.T. MILIK, *The Books of Enoch : Aramaic Fragments of Qumrân Cave 4,* Oxford 1976, p. 410).

17. Cf. R.H CHARLES, *The Book of Jubilees,* Oxford 1902, p. 264.

18. Les *Testaments des XII Patriarches* donneraient un résultat identique pour les seuls passages « messianiques » qu'on pourrait alléguer (Test. Lévi 18 et Test. Juda 24 : trad. fr. dans *L'espérance juive au temps de Jésus,* pp. 81-85) ; cf. l'*Index* des citations donné par J. BECKER, *Die Testamente der Zwölf Patriarchen,* Jüdische Schriften aus hellenistisch-römischer Zeit III/1, Gütersloh 1974, p. 162. Mais on sait que l'origine des *Testaments* est discutée : l'abrégé grec d'origine juive est difficile à discerner derrière les retouches (ou la refonte) chrétienne(s) du livre.

19. J. VITEAU, *Les Psaumes de Salomon : Introduction, Texte grec et Traduction,* Paris 1911, p. 404, a relevé tous les parallélismes possibles.

20. S. HOLM-NIELSEN, *Die Psalmen Salomos,* Jüdische Schriften aus hellenistisch-römischer Zeit IV/2, Gütersloh 1977, y ajoute le parallélisme entre PsSal 17,28 et Is 49,6 (partage de la Terre sainte, également attesté chez Ézéchiel) et entre PsSal 17,37 et Is 42,4 (mais sa numérotation des versets diffère de celle de Viteau, et il s'agit du texte de 17, 42 dont il vient d'être question).

2. *Les textes de Qumrân*

Restent les textes de Qumrân[21]. Quelques critiques ont cru y déceler des réminiscences du Serviteur souffrant, qui aurait été identifié au Maître de justice persécuté. Cette hypothèse n'a rien d'invraisemblable en elle-même : l'organisateur de la communauté aurait fort bien pu s'approprier[22] des textes dont l'interprétation collective était alors courante, comme on l'a vu à propos de la Septante d'Isaïe et du livre de Daniel, et ses disciples auraient pu faire la même opération dans les *Peshârîm* qui appliquent l'Écriture à l'histoire de la secte[23]. Mais il faut se méfier des rapprochements trop hâtifs.

L'emploi des titres de Serviteur et d'Élu ne prouve rien à lui tout seul, car ces qualificatifs sont appliqués à beaucoup de personnages dans les textes bibliques : Moïse, David, le Serviteur des Poèmes, le peuple d'Israël ; à quoi il faut ajouter dans les Pseudépigraphes : Hénoch, Noé et quelques autres[24].

---

21. Je recours ici aux originaux publiés dans la collection « Discoveries in the Judaean Desert », en corrigeant le vol. V, publié par J.M. ALLEGRO, à l'aide des remarques de J. STRUGNELL, « Notes en marge du volume V des "Discoveries in the Judaean Desert of Jordan" », *Revue de Qumrân* VII/26 (1970), pp. 163-276. Pour la traduction française, on peut se reporter aux deux recueils classiques : A. DUPONT-SOMMER, *Les écrits esséniens découverts près de la mer Morte*, Paris 1959 ; J. CARMIGNAC et coll., *Les textes de Qumrân traduits et annotés*, 2 vol., Paris 1961 et 1963. Pour les hymnes, voir aussi le commentaire de M. DELCOR, *Les Hymnes de Qumrân : Texte hébreu, Introduction, Traduction, Commentaire*, Paris 1962.

22. Il est assurément difficile de dire avec précision quels textes sont attribuables au Maître de justice. On peut songer au Psaume qui termine la *Règle de la Communauté* et à un certain nombre d'*Hymnes* (1QH). Mais la discussion critique de ce point peut être laissée ici de côté.

23. On possède maintenant une excellente édition de tous les commentaires bibliques publiés : Maurya P. MORGAN, *Pesharim : Qumran Interpretation of Biblical Books*, The CBQ Monograph Series 8, Washington 1979.

24. La difficulté présente peut être illustrée par le cas du texte qu'avait publié J. STARCKY, « Un texte messianique araméen de la Grotte 4 de Qumrân », *Mémorial du cinquantenaire de l'École des langues orientales anciennes*, Tournai-Paris 1964, pp. 51-66. L'interprétation messianique du texte reposait sur la présence du titre d'Élu de Dieu. Mais des études convergentes ont montré depuis lors que le texte est relatif à la naissance de Noé : J.A. FITZMYER, « The Aramaic "Elect of God" Text from Qumran Cave IV, *CBQ* 27 (1965), pp. 349-372 ; P. GRELOT, « Hénoch et ses Écritures », *Revue Biblique* 82 (1975), pp. 488-498. Il était donc prématuré de songer à une synthèse d'Is 42,1-6 et des textes « messianiques » (au sens royal du mot).

Les textes allégués contiennent ces titres, mais sans qu'ils soient accompagnés de réminiscences significatives qui renverraient aux Poèmes. Par exemple, dans 1QH XIII, 38, l'auteur de la prière, qui est peut-être le Maître de justice, prie en disant : «Moi, ton serviteur, j'ai su...» Mais cela ne prouve pas qu'il s'identifie en pensée au Serviteur d'Is 42 ou 49 : le psalmiste parle de la même façon dans le Psaume 116,16. Dans 4QpPs 37, 1,5 il est question de «la Congrégation de son Élu» (cf. aussi II,5 ; 4QpIs^d 1,3). Il est significatif que, dans la théologie de Qumrân, le privilège de l'élection soit reconnu au fondateur de la Communauté ; mais cela ne suffit pas pour que ses disciples l'aient identifié au Serviteur des Poèmes, qu'on suppose détachés de leur contexte littéraire en oubliant leur interprétation collective, si bien attestée en Judée comme à Alexandrie. Dans 1QpHa V,4 et IX,12, le même titre général est d'ailleurs attribué au Docteur de justice et au peuple.

On lit dans 1QH XV,15 : «Tu l'as établi pour le moment favorable» (*môʿēd rāṣôn*). Il est tentant de songer à Is 49,8 [25]. Mais le «temps favorable» (*ʿēt rāṣôn*) se trouve aussi dans le Psaume 49,8. On trouve d'autres parallélismes d'expression très généraux : entre 1QH VIII,10 et Is 50,4 ; entre 1QH I,26 et Is 50,8-9 (cf. aussi Jb 40,1-5). Mais ils portent sur le Poème le moins caractéristique, celui que l'adaptateur grec lisait comme une confidence personnelle du prophète lui-même, et la parenté des textes est loin d'être certaine.

La réminiscence la plus probante paraît être celle de 1QH VIII,36 : «Tu as rendu dans [ma] bouche (ma) *langue* puissante (et) intarissable, et pas (moyen) d'él[ev]er la voix, et *une l[an]gue d'instruction* pour ranimer l'esprit des chancelants et *pour encourager l'épuisé* (par) *la parole* du muet [26].»

---

25. Voir M. DELCOR, *Les Hymnes de Qumrân*, p. 270, qui fait le rapprochement du texte avec Is 49,8 et 61,2 («année de grâce»). J. CARMIGNAC, *Les textes de Qumrân*, t. I, p. 161, est plus circonspect. Les deux commentateurs renvoient à 2 Co 6,2, qui cite Is 49,8. Mais le parallélisme thématique ne dénote pas une dépendance littéraire.

26. Traduction de J. CARMIGNAC, *Les textes de Qumrân*, t. I, pp. 240-241, qui relève ici deux emprunts à Is 50,4. Même remarque de A. DUPONT-SOMMER, *Les écrits esséniens*, p. 244 ; mais la traduction du texte est sensiblement différente : «Tu as fait grandir la langue dans ma bouche, sans qu'elle se retirât, et il n'y eut personne pour (la) faire [ta]ire. [Car] à moi (fut donnée) [la lang]ue des disciple[s], afin de ranimer l'esprit de ceux qui trébuchent et d'encourager par la parole celui qui est épuisé.»

Plusieurs contacts avec Is 50,4 sont en effet à noter. Mais est-il étonnant que l'auteur de l'Hymne, qui peut être en effet le Docteur de justice, ait lu et médité le livre d'Isaïe au point de s'approprier une expression qui convenait exactement au rôle qu'il voulait remplir ? Sans compter que le texte d'Is 50,4-9 était probablement lu comme se rapportant au prophète plutôt qu'au Serviteur d'Is 42,49 et 52,13 — 53,12.

Bref, ni les perspectives d'avenir ouvertes à Israël par les Poèmes, ni l'expérience de la souffrance et de la mort que conservent les derniers d'entre eux, ne laissent de traces nettes dans les *Hymnes* du Maître ou dans les commentaires bibliques de ses disciples. On peut souscrire sur ce point à la conclusion de J. Carmignac : « Jamais un seul mot ne permet de supposer que l'auteur voit dans la souffrance une rédemption pour les fautes du prochain : cet aspect des Poèmes du Serviteur (Is 53,4-12), qui sera repris dans le Nouveau Testament, semble lui avoir complètement échappé [27]. » Il ne faut pas trop jouer sur cet argument du silence, quand on sait que l'interprétation collective des Poèmes, commune à la Septante et au livre de Daniel, était alors connue en Judée. Mais si le thème avait ainsi passé dans la théologie courante, c'est un fait que les textes de Qumrân n'en font pas usage. Ils reprennent comme un leitmotiv le texte d'Is 40,1 (cf. 1QS VIII,13-14) ; mais leur centre d'intérêt ne concorde pas avec celui des Poèmes, pas plus pour Is 42 et 49 que pour Is 52,13 — 53,12.

III. LA QUESTION DES PARABOLES D'HÉNOCH

1. *Situation de l'œuvre*

Je ne puis examiner ici en détail la question des *Paraboles d'Hénoch,* qui restent une des énigmes les plus embarrassantes

---

M. DELCOR, *Les hymnes de Qumrân,* p. 210, traduit plus exactement la fin de la phrase : «...pour réconforter le faible de parole.» Le texte porte : L'WT L''P DBR, expression presque identique à celle du TM dans Is 50,4 : l'WT 'T-Y'P DBR (que corrigent généralement les commentateurs) ; le mot ''P est le participe actif de la racine 'YP, qui peut éclairer l'énigmatique Y'P de l'hébreu d'Is 50,4.

27. *Les textes de Qumrân,* t. 1, p. 144. Je laisse de côté la nuance apologétique de cette remarque, qui combat certains rapprochements exagérés entre le Maître de justice et Jésus de Nazareth. L'interprétation chrétienne des Poèmes sera examinée plus loin.

parmi les Pseudépigraphes de l'Ancien Testament [28]. Avant les découvertes de Qumrân, l'hypothèse de leur origine juive et celle de leur origine chrétienne avaient toutes deux leurs partisans. Les manuscrits de la Grotte IV de Qumrân ont encore épaissi le mystère, puisqu'Hénoch y est abondamment représenté [29] (7 manuscrits, dont certains partiels, sans compter ceux du *Livre astronomique*) ; toutes les Sections du livre sont ainsi attestées, à l'exception des *Paraboles*. Bien que les manuscrits ne subsistent que sous une forme fragmentaire, le fait ne peut être dû au hasard. Aussi J.T. Milik, éditeur des fragments araméens de l'œuvre, a-t-il repris l'hypothèse ancienne qui assignait aux *Paraboles* une origine chrétienne. En s'appuyant sur le fait qu'on n'en trouve aucune citation certaine chez les écrivains chrétiens avant le Ve ou VIe siècle, il place la composition du livret vers 270 de notre ère [30]. Cette position est loin d'avoir fait l'unanimité chez les critiques. La plupart restent attachés à l'hypothèse de l'origine juive, mais la date de composition n'est pas fixée pour autant. Au début du XXe siècle, Charles et Martin retenaient le Ier siècle avant notre ère [31]. Cette position est longtemps restée la « doctrine commune » des critiques. En 1956, E. Hammershaimb optait encore pour le milieu de ce siècle, tout en admettant que les passages messianiques pouvaient renfermer des retouches chrétiennes [32]. S'il en est ainsi, les *Paraboles* constituent un chaînon important entre les conceptions eschatologiques des prophètes et des apocalypses anciennes, d'une part, et, d'autre part, la christologie du Nouveau Testament. On y trouve en effet un médiateur de Jugement et de Salut qui porte les titres

---

28. F. MARTIN, *Le livre d'Hénoch*, pp. xxxix-xcvii (Introduction) et 79-162 (traduction et commentaire). R.H. CHARLES, *The Book of Enoch*, pp. 64-146. J'y joins la traduction annotée de E. HAMMERSHAIMB, « Fœrste Enoksbog », *De gammeltestamentlige Pseudepigrafer*, t. I, pp. 70-74 (Introduction) et 98-129 (texte annoté), Copenhague 1956. L'ensemble des chapitres en question se trouve dans 1 Hen 37 — 71. Mais on verra plus loin que leur compilation est complexe. Pour le texte éthiopien, je suis les éditions classiques de Charles (1893) et Flemming (1902), à laquelle s'ajoute maintenant celle de Knibb (1978) citée *infra*, note 52.

29. Voir l'édition citée *supra* dans la note 16.

30. J.T. MILIK, *The Books of Enoch*, pp. 89-96.

31. F. MARTIN, *Le livre d'Hénoch*, p. 97. R.H. CHARLES, *The Book of Enoch*, p. 67.

32. E. HAMMERSHAIMB, *Fœrste Enoksbog*, p. 73-74.

d'Élu et de Fils d'Homme, auxquels il joint des traits royaux. J'avais retenu cette opinion dans un article publié en 1962 [33] : les *Paraboles* témoigneraient d'un messianisme très particulier où la spéculation théologique superpose les trois figures du roi davidique (attestée par des réminiscences claires d'Is 11,1-6), du Fils d'Homme (empruntée à Dn 7) et du Serviteur de YHWH (d'après Is 42,1-7 et 49,1-6, mais non d'après Is 52,13 — 53,12).

Cette datation ancienne tend cependant à perdre son crédit chez les critiques qui retiennent l'origine juive de l'œuvre. Alors que les sections d'Hénoch antérieures à la restauration maccabéenne (le *Livre des Veilleurs*, chap. 1 — 37 ; le *Livre des songes,* chap. 83 — 90 ; le *Livre astronomique,* chap. 72 — 82, plus développé en araméen) ont été accueillies avec faveur à Qumrân et que la section plus tardive de la *Lettre d'Hénoch* (chap. 91 — 105), qui renferme l'*Apocalypse des semaines* (92,1 — 93,10 + 91,11a.12-17 + 93,11-14), peut provenir d'un milieu proche de Qumrân, sinon de Qumrân même [34], beaucoup songent de préférence à des milieux plus ou moins ésotériques qui spéculaient sur la figure d'Hénoch (A. Caquot [35]), soit dans le courant du Ier siècle de notre ère avant 70 (J.-C. Greenfield - M. Stone), soit même au début du IIe siècle (position récente de J.C. Handley) [36]. Ceux qui admettent l'antiquité relative des *Paraboles* estiment qu'elles ont pu

---

33. «Le Messie dans les Apocryphes de l'Ancien Testament», dans *La venue du Messie,* Sources bibliques 6, Bruges-Paris 1962, pp. 42-50. L'état de la question exposé en cet endroit était antérieur à la publication des textes araméens de Qumrân, sauf un fragment reproduit dans la *Revue Biblique* de 1958, pp. 70-77.

34. Le *Livre des songes* date du printemps de 164 (un peu avant l'édition complète de Daniel). La *Lettre d'Hénoch* est à situer vers l'an 100 avant notre ère. Cf. J.T. MILIK, *The Books of Enoch,* pp. 47-55.

35. A. CAQUOT, «Remarques sur les chapitres 70 et 71 du livre éthiopien d'Hénoch», dans *Apocalypses et théologie de l'espérance,* coll. «Lectio Divina» n° 95, Paris 1977, pp. 120-122.

36. J.C. GREENFIELD — M. STONE, «The Enochic Pentateuch and the Date of Similitudes», *Harvard Theological Review* 70 (1977), pp. 51-65; «The Books of Enoch and the Traditions of Enoch», *Numen* 26 (1979), pp. 91 s. — J.C. HANDLEY, «Towards a Date for the Similitudes of Enoch», *New Testament Studies* 14 (1967-68), pp. 551-565. La prise de position de Greenfield et Stone est en réaction consciente contre celle de J.T. Milik.

influer sur certaines formulations du Nouveau Testament : c'est la thèse de J. Theisohn[37] dans son enquête très minutieuse sur le « Juge-Élu ». Mais l'hypothèse est exclue, si le livret est contemporain ou même postérieur au Nouveau Testament. En outre, l'état du texte, tel qu'il se présente dans l'unique version subsistante, la version éthiopienne, pose des problèmes critiques fort compliqués. Non seulement il faut en éliminer des morceaux disparates qui y ont été introduits secondairement (41,3-8 ; 42,1-3 ; 43,1 — 44,1 ; 59,1-3 ; 60,1-25 ; 65,18 — 69,22 ; 69,23-25 ; sans compter la finale des chap. 70 — 71 dont l'origine est discutée), mais il est douteux que le texte ait été écrit d'un seul jet. R.H. Charles y discernait deux sources[38] où le médiateur de Jugement et de Salut était nommé, d'un côté, l'Élu, ou « l'Élu de justice et de fidélité » (39,6), et de l'autre côté, le Fils d'Homme (avec trois périphrases différentes en éthiopien pour traduire l'expression empruntée à Dn 7,9-14). A mon avis, c'est moins une question de « sources » que d'« histoire rédactionnelle ». Les passages qui mentionnent le Fils d'Homme me semblent provenir d'une seconde couche qui est venue truffer la première et développer sa théologie. En tout cas, les passages qu'on peut alléguer pour y trouver la trace du Serviteur de YHWH sont très restreints.

2. *Les réminiscences possibles des Poèmes du Serviteur*

Comme je l'ai dit plus haut à propos des textes de Qumrân[39], le titre d'Élu ne suffirait pas pour faire dépendre l'« Apocalypse de l'Élu », qui constitue la couche ancienne des *Paraboles,* d'Is 42,1 : il est trop largement distribué dans l'Ancien Testament pour fonder cette hypothèse. Le livret l'attribue d'ailleurs aussi aux justes qui sont « innombrables devant lui » (1 Hen 39,6-7 ; 45,3-5). En 1903, P. Billerbeck[40] avait établi une liste assez longue de parallèles qui montreraient

---

37. J. THEISOHN, *Der ausgewählte Richter*, Göttingen 1975.
38. R.H. CHARLES, *The Book of Enoch*, p. 65.
39. Cf. *supra*, p. 128.
40. P. BILLERBECK, « Hat die alte Synagoge einen präexistenten Messias gekannt ? » *Nathanael* 19 (1903), pp. 97-125, et 21 (1905), pp. 89-150. Ses positions sont résumées par J. THEISOHN, *op. cit.*, pp. 115s. Le titre de Messie n'est donné à l'Élu ou au Fils d'Homme que dans 1 Hen 42,4. Charles attribue ce verset à la source qui concerne le Fils d'Homme (p. 102) ; Martin y voit un verset interpolé (p. 106).

la dépendance des *Paraboles* par rapport aux quatre séries de Poèmes du Serviteur. Pour la première, il rapprochait 1 Hen 48,4 d'Is 42,6 ; pour la seconde, il rapprochait 1 Hen 39,7 et 62,7 d'Is 49,2, puis 1 Hen 48,3 d'Is 49,1, et enfin 1 Hen 48,4 d'Is 49,6 ; pour la troisième, il rapprochait 1 Hen 46,6 d'Is 50,11, puis 1 Hen 39,6 d'Is 50,6-10 ; pour la quatrième, il rapprochait 1 Hen 39,6 d'Is 53,9.11 et 1 Hen 46,4 d'Is 52,15. Les critiques ont accueilli avec scepticisme la figure du Messie-martyr que le commentateur ingénieux retrouvait dans les *Paraboles*. J. Jeremias[41] a pourtant repris l'hypothèse en l'intégrant à sa recherche sur les interprétations du Serviteur de Dieu dont parle le Second Isaïe dans le Judaïsme palestinien[42]. Il croit reconnaître une combinaison du Fils d'Homme (Dn 7) et du Serviteur de YHWH (Is 42,1-7 et 52,13 — 53,12) dans la conception du Messie propre aux *Paraboles* d'Hénoch. Comme il pense que celles-ci « proviennent certainement des temps préchrétiens[43] », il en conclut qu'elles ont une signification décisive pour comprendre la conscience que Jésus a eue de sa propre mission[44]. Sa conviction se fonde encore sur les deux textes essentiels de 1 Hen 48,2-6 et 62,1-5. Les mêmes textes servent de base à la thèse de U. Müller[45] qui cherche l'origine de la figure du Fils d'Homme dans les spéculations apocalyptiques sur le rôle eschatologique de l'Élu, dont parle Is 42 et 49.

J. Theisohn[46], tout en prenant quelque distance avec les deux thèses précédentes, a été amené à comparer minutieusement 1 Hen 48,2-6 et 62,1-8 avec Is 49,1-12, seuls textes dont les parallélismes lui paraissent convaincants. A première vue,

---

41. J. Jeremias, art. « Pais Théou », *TWNT*, t. 5, pp. 683-698.

42. *Ibid.*, p. 683-686.

43. *Ibid.*, p. 686 : la datation de Charles est supposée certaine. L'origine chrétienne de l'œuvre, ou même l'hypothèse des interpolations chrétiennes, sont refusées à la suite de E. Sjöberg, *Der Menschensohn im äthiopischen Henochbuch*, Lund 1946, pp. 3-24 : il n'y aurait dans le texte aucun trait spécifiquement chrétien.

44. *Ibid.*, p. 687.

45. U. Müller, *Messias und Menschensohn in jüdischen Apokalypsen und in der Offenbarung des Johannes*, Gütersloh 1972. Voir la présentation rapide donnée par J. Theisohn, *op. cit.*, p. 117s.

46. J. Theisohn, *op. cit.*, pp. 118-126.

ses tableaux comparatifs sont impressionnants [47]. Mais plus on avance dans le détail des phrases, plus on s'interroge sur la portée des rapprochements, car ils sont parfois plus thématiques que verbaux. Or, les récurrences de mots isolés ou d'idées exprimées dans un vocabulaire différent ne suffisent pas pour assurer l'existence des réminiscences intentionnelles. Par exemple, on lit dans 1 Hen 48,2-3 :

> [2] A ce moment-là, ce Fils d'Homme fut nommé auprès du Seigneur des esprits et son nom, devant la Tête de jours. [3] Avant que le soleil et les constellations fussent créées, et avant que fussent faites les étoiles des cieux, son nom avait été nommé devant le Seigneur des esprits [48].

Le thème du nom prononcé devant Dieu, comme indice d'une prédestination éternelle, n'est pas identique à celui que note Is 49,1 : « YHWH m'a appelé dès le sein, dès le ventre de ma mère il a mentionné (*hizkîr*) mon nom. » De même, il ne suffit pas de dire que le Serviteur a été abrité par Dieu dans l'ombre de sa main et *caché* comme une flèche dans son carquois (Is 49,2), pour assurer la dépendance de 1 Hen 48,6 : « C'est pour cela qu'il a été élu (cf. Is 42,1) et *caché* devant lui avant la création du monde. » 1 Hen 48,5 dit : « Tous ceux qui habitent sur la terre sèche se prosterneront et l'adoreront ; ils béniront, glorifieront et chanteront devant le Seigneur des esprits. » Le parallélisme d'idées est insuffisant pour assurer la dépendance du texte par rapport à Is 49,7, car on ne trouve guère en commun que l'emploi du verbe « se prosterner », puis la mention du « choix » divin qui figure dans 1 Hen 48,6. Un seul contact peut être tenu pour certain, celui de 1 Hen 48,4 et d'Is 49,6 (cf. 42,6) : « ...Il sera un bâton pour les justes, afin qu'ils s'y appuient et ne tombent pas ; il sera *la lumière des nations,* et il sera l'espérance de ceux qui souffrent dans leurs cœurs. » La finale semble faire allusion à Is 61,2 [49], mais

---

47. *Ibid.,* pp. 120.

48. J'utilise la traduction française de 1 Hen 47,3 — 48,7 et 62,2-14 que j'ai citée dans *L'espérance juive à l'heure de Jésus,* Tournai-Paris 1978, pp. 162-164.

49. Au point de vue du vocabulaire, l'éthiopien *'ella yaḥammû belebbômû* peut renvoyer au grec d'Is 61,2 : *syntétrimménous tèn kardian ;* mais ce n'est pas certain.

l'expression « lumière des nations » ne figure pas ailleurs que dans les deux Poèmes où elle définit la mission du Serviteur dans une perspective universelle. Elle est transférée du Serviteur au Fils d'Homme de Dn 7, moyennant une interprétation individuelle de la figure du Serviteur. Cela ne résout pas pour autant le problème posé par l'origine du texte.

Le passage de 1 Hen 62,1-14 renferme-t-il des parallélismes plus précis ? J. Theisohn en relève encore une série [50], mais j'avoue que je ne suis pas convaincu par ses propositions. Le trait du Fils d'Homme caché devant Dieu (62,7) n'est pas plus caractéristique ici qu'en 48,6 : il faudrait au moins qu'une des deux métaphores employées dans Is 49,2 assure au thème apocalyptique cette origine littéraire précise, et qu'on explique pourquoi l'auteur le réinterprète au sens d'une prédestination éternelle. Les autres parallélismes sont concentrés dans deux phrases du texte éthiopien (1 Hen 62,1 et 3), qui renverraient à un seul verset d'Isaïe (Is 49,7).

> (62) [1] Ainsi le Seigneur donna-t-il ordre aux rois, aux puissants (ʿazîzân) et aux privilégiés, et à tous ceux qui habitent la terre, et il dit : « Ouvrez les yeux et élevez vos cornes, si vous pouvez reconnaître l'Élu ! » [...] [3] En ce jour-là, tous les rois, les puissants, les privilégiés [51] et ceux qui possèdent la terre se tiendront debout ; ils verront et reconnaîtront comment il siègera sur le trône de sa gloire.

Le parallélisme de l'expression « Ainsi parle YHWH » n'a aucune portée pratique. Quant à l'expression de 49,7c (« Des rois verront et se lèveront, des princes (gr. *archontes*), et ils se prosterneront... »), elle ne serait déterminante que si on était assuré de la correspondance entre le grec *archontes* et l'éthiopien ʿazîzân (variante purement orthographique : ʾazîzân [52]). Or, rien n'est moins sûr. Il est vrai qu'on voit des deux côtés les rois « se lever » ou « se tenir debout », et ils « voient »

---

50. J. THEISOHN, *op. cit.*, pp. 121-122.

51. Texte éth. : *leʿûlân* ; Charles : « the exalted » ; Martin : « les grands ». Il s'agit des classes supérieures de la société. Toutefois le même mot (au singulier) désigne ce qui est orgueilleux dans Is 2,12.

52. Cette variante figure dans le Ms. qui sert de base à la nouvelle édition critique de M.A. KNIBB, *The Ethiopic Book of Enoch : A New Edition in the Light of the Aramaic Dead Sea Fragments*, vol. 1, Oxford 1978, p. 176.

— le Serviteur chez Isaïe, l'Élu (62,1, pour le sens seulement) ou le Fils d'Homme (62,3) dans le livre d'Hénoch. Mais un doute subsiste. En outre, l'antériorité du texte par rapport au Nouveau Testament n'est aucunement assurée. L'hypothèse d'une origine chrétienne garde sa probabilité, sinon pour l'« Apocalypse de l'Élu », du moins pour les passages qui mettent en scène le Fils d'Homme dans sa gloire. L'absence de toute allusion à la Passion de Jésus constituerait une objection sérieuse, si aucun passage apocalyptique du Nouveau Testament n'était dans la même situation. Mais il suffit de lire des textes comme Mt 13,41-43 ; 24,30-31 ; 25,31-46 ; Lc 17,22-37 (petite apocalypse du Fils de l'Homme, où on ne relève qu'une brève allusion à la Passion dans le v. 25), 21,25-28 ; 2 Th 1,6-10 ; 2,8 ; Ap 1,12-19 (sauf au v. 18) ; 19,11-21, — pour constater que la présentation de Jésus comme Fils d'Homme en gloire et Juge du dernier jour peut être faite dans des textes chrétiens sans que le drame de sa souffrance et de sa mort soit mentionné explicitement [53].

Les parallélismes entre les *Paraboles d'Hénoch* et le Nouveau Testament ne s'expliquent donc pas nécessairement par une dépendance de celui-ci : la synthèse entre le Messie davidique, le Fils d'Homme de Dn 7 et le Serviteur glorifié (dépeint d'après Is 42 et 49) pourrait bien avoir comme origine le Nouveau Testament lui-même, qui trouve dans ces textes le fondement scripturaire nécessaire à son interprétation de la figure de Jésus et à sa présentation dans la gloire. La pluralité des références bibliques qui sont sous-jacentes au *Paraboles d'Hénoch,* avec un entrelacs d'emprunts à l'Ancien Testament et d'expressions attestées dans le Nouveau, parlerait plutôt dans ce sens. Dans ces conditions, il serait imprudent d'attribuer à un courant ésotérique difficile à situer à l'intérieur du Judaïsme l'interprétation *individuelle* — et, qui plus est, *messianique* — de la figure du Serviteur. Ce n'est pas une question de principe, c'est une question de fait. Car la synthèse des *Testimonia* bibliques, opérée autour de la personne de Jésus pour expliquer le sens de sa Passion lié à son entrée en gloire, devient compréhensible comme résultat d'une relecture des Écritures faite à partir de l'expérience historique. Mais la

53. Cf. *L'espérance juive à l'heure de Jésus,* p. 156s.

même synthèse opérée gratuitement, à titre purement spéculatif, pour donner une nouvelle forme à l'espérance juive, reste
problématique : il lui manque un *Sitz im Leben* repérable.

Dans l'état actuel de la documentation, il est prudent de s'en
tenir à cette conclusion réservée. En particulier, la figure du
Serviteur souffrant présentée dans Is 52,13 — 53,12 me semble avoir été interprétée, dans le milieu juif où vivait Jésus,
d'une façon collective, telle qu'on la rencontre en Palestine
suivant le livre de Daniel et à Alexandrie d'après la traduction
grecque de la Septante. Cette interprétation rendait possible
l'application du texte à *tout* juste souffrant. C'est à partir de là
que la lecture christologique du Poème a été faite, à mon avis,
dans le Nouveau Testament. Je ne puis pas exclure avec
certitude le report des images glorieuses sur le Messie
davidique dans le Judaïsme pré-chrétien. Mais je doute qu'on
puisse recourir à 1 Hen 62,5 pour dire que l'image du Fils
d'Homme assis sur son trône de gloire a été empruntée par
Jésus aux *Paraboles d'Hénoch* (cf. Mt 19,28 et 25,31).
L'influence jouerait tout au plus au niveau rédactionnel de
l'évangéliste ; en outre, la priorité du texte des *Paraboles* reste
douteuse. En tout cas, l'image du Serviteur souffrant n'est pas
en cause dans ce parallélisme, et il n'est aucunement certain
que le Judaïsme du temps ait opéré une synthèse littéraire et
doctrinale entre tous les Poèmes du Serviteur : il les lisait dans
leur contexte et pouvait en détacher les passages qui lui
semblaient utiles, pour en faire l'application qu'il voulait. C'est
avec la même liberté que le Nouveau Testament va en opérer la
relecture.

CHAPITRE IV

L'INTERPRÉTATION DES POÈMES
DANS LE NOUVEAU TESTAMENT

L'Église chrétienne, au moment même où elle affirmait son originalité par rapport au Judaïsme, n'a pas conçu ses rapports avec lui en termes de rupture, mais en termes d'« accomplissement ». C'est pourquoi elle n'eut d'abord aucun autre livre saint que les Écritures reçues du Judaïsme, sous leur forme hébraïque dans les pays où l'on parlait une langue sémitique (l'hébreu ou l'araméen), sous leur forme grecque dans la Diaspora hellénisée. L'Évangile, c'est-à-dire l'annonce de ce que « Jésus avait dit et fait depuis le commencement jusqu'au jour où il fut enlevé » (Ac 1,1-2), servait de clef d'interprétation pour comprendre les Écritures, mais il en respectait intégralement la teneur [1]. Dans les « réunions en église » (1 Co 11,18), la lecture des textes était faite, en hébreu ou en grec, à partir de celle qu'on faisait dans les synagogues, et donc, à partir de l'interprétation qu'on en donnait couramment dans le Judaïsme palestinien ou hellénistique. Ce point ne doit pas être oublié, quand on veut situer correctement la lecture chrétienne des Poèmes du Serviteur en face de leur lecture juive : même au moment où elle leur appliquait une nouvelle clef pour en mettre le sens en évidence, elle ne pouvait ignorer ce qu'on en disait dans le Judaïsme contemporain. En effet, son but n'était pas de contredire la lecture juive, mais d'en dépasser

---

1. Je reprends ici sous forme brève ce que j'ai exposé un peu plus longuement dans *L'achèvement des Écritures*, Introduction critique au Nouveau Testament, vol. 5, Tournai-Paris 1977, pp. 57-66.

les limites en montrant que les textes trouvaient leur plein accomplissement en Jésus de Nazareth. Quant aux procédés pratiques auxquels elle recourait, ils ne différaient pas fondamentalement de ceux qu'utilisaient les docteurs juifs, puisqu'elle prenait place au sein de la même culture. Suivant les textes expliqués, on rencontre dans le Nouveau Testament de beaux exemples de *peshaṭ* et de *derash*, de *péshèr* analogue à ceux de Qumrân, bien plus que d'*allégorie* à la manière hellénistique. Toutefois Paul lui-même ne se faisait pas scrupule d'allégoriser (cf. Ga 4, 24, seul emploi du mot dans le Nouveau Testament).

Le recours aux Poèmes du Serviteur a certainement joué un rôle important dans l'élaboration de la christologie « à partir des Écritures » ; mais beaucoup d'autres textes y ont aussi concouru, d'une façon souvent inattendue. Il faut cependant distinguer plusieurs cas dans les reprises des Poèmes : les simples réminiscences qui se rapprochent des allusions littéraires, les imitations intentionnelles qui supposent une exégèse implicite, les citations directes dont le but et la portée sont à préciser dans chaque cas particulier. Le dossier à examiner est assez abondant. Le plus simple est d'en parcourir les données auteur par auteur. On y trouve : Paul et tout le Corpus qui se rattache à son nom, l'épître aux Hébreux et la 1re lettre de Pierre, Luc dans ses deux livres, Matthieu, Jean, probablement Marc. A partir des *logia* recueillis dans les évangiles, on peut en outre poser la question du rôle joué par les Poèmes dans l'expérience personnelle de Jésus, même si les paroles de celui-ci n'ont pas toujours été recueillies dans leur littéralité. Certains passages des Poèmes reparaissent à de nombreuses reprises. L'intérêt se concentre spécialement autour d'Is 52,13 — 53,12, où la Passion de Jésus est lue dans le filigrane du texte, exactement comme elle est lue dans le texte du Psaume 22 d'après Mt 27,39-50 [2]. On note en cours de

---

2. D'après Mc 15,34, le Ps 22,2 est la prière de Jésus en croix, alors que Lc 23,46 lui met sur les lèvres le Ps 31,6. Il y a là deux interprétations différentes du dernier cri de Jésus mourant (cf. X. LÉON-DUFOUR, *Face à la mort : Jésus et Paul*, Paris 1980, pp. 149-158). Mais dans Mt 27,39-50, les parallélismes entre le récit et le Psaume se corsent : les grands-prêtres insultent Jésus à l'aide des paroles du Ps 22,9. Jean note de même l'accomplissement du Ps 22,19, quand les soldats se partagent les vêtements de Jésus (Jn 19,24).

route que le livre d'Isaïe est utilisé tantôt dans son texte hébraïque directement traduit en grec, tantôt dans la paraphrase de la Septante : rien ne montre mieux l'équivalence de ces deux recensions comme « Écriture » aux yeux des auteurs du Nouveau Testament [3].

1. Textes du corpus paulinien

En parlant de Corpus paulinien, j'évite à dessein toute discussion sur l'origine littéraire de certaines épîtres dont l'authenticité est parfois contestée [4]. J'admets que l'épître aux Éphésiens peut avoir pour rédacteur un disciple de Paul étroitement dépendant de sa pensée et de ses lettres, comme le montrent ses multiples emprunts à l'épître aux Colossiens et aux grandes épîtres. La dépendance est beaucoup plus lâche pour les épîtres pastorales, mais on y trouve aussi plus d'une réminiscence des lettres de l'apôtre. De toute façon, les passages qui m'intéressent ici se trouvent presque tous dans les épîtres indiscutées.

1. L'écho des formulaires prépauliniens

Bien que Paul soit le premier auteur dont le Nouveau Testament ait conservé des textes, on rencontre occasionnellement dans ses lettres des formulaires de foi qui avaient passé avant lui dans l'usage [5]. La teneur fortement biblique de leur vocabulaire invite à en chercher l'origine du côté du Judéo-christianisme ancien, avec lequel Paul fut en relation à

---

3. En analysant les textes, je ne m'astreindrai pas à appuyer toutes mes options critiques par des références aux commentaires existants, en discutant les opinions qui diffèrent de la mienne : la tâche serait hors de proportion avec le but limité que je poursuis dans mon enquête. Néanmoins, je dois dire que je m'y suis souvent référé, ainsi qu'à divers articles qui touchaient au sujet. La longueur de l'enquête m'a seulement fait renoncer à l'érudition encyclopédique qu'on attend ordinairement de ce genre de travail.

4. On trouvera sur ce point mes options personnelles dans *L'achèvement des Écritures*, pp. 90-112, 132-135 et 138-141.

5. L'importance de ces formulaires, qui montrent l'insertion de Paul dans une tradition déjà existante, était déjà soulignée par L. Cerfaux, *Le Christ dans la théologie de saint Paul*, coll. « Lectio Divina » n° 6, Paris 1951, pp. 17-27. Depuis lors, l'intérêt que les critiques leur apportent n'a fait que croître.

Antioche et même, plus tôt encore, en Damascène et en Judée dans les années 30. Il allait alors de soi que l'annonce de l'Évangile, comme proclamations de la mort et de la résurrection de Jésus, fût faite « à partir des Écritures » et peut-être en marge de leur lecture synagogale, qui fournissait une excellente occasion aux prédicateurs chrétiens. Sous ce rapport, le tableau brossé par Luc dans Ac 13,14-42 apporte une indication qui peut être retenue, même si le discours rapporté est une composition lucanienne fondée sur une bonne documentation.

a) *Le « Credo » de 1 Co 15,3-4.* — Il faut d'abord mentionner le formulaire de 1 Co 15,3-4, explicitement présenté comme une tradition reçue et livrée : « Christ est mort pour (*hyper*) nos péchés conformément aux Écritures, il a été mis au tombeau, il est ressuscité le troisième jour conformément aux Écritures, il s'est fait voir… » (suit l'énumération des principales apparitions). La mention des Écritures invite à se demander sur quels textes repose l'assertion : « Christ est mort pour nos péchés. »

En fait, le seul endroit de la Bible où la mort d'un homme est mise en relation avec les péchés des autres pour en obtenir le pardon, est le texte d'Is 53,1-12. Un point reste toutefois à éclaircir : doit-on se référer au texte hébreu du prophète ou à sa paraphrase grecque ? Cela dépend du milieu où le formulaire de foi a été élaboré : dans le Judéo-christianisme palestinien de langue araméenne — ou de langue grecque d'après Ac 6,1 — 8,1 ? ou bien dans la Dispersion de langue grecque ? Dans le cas d'une origine araméenne, plusieurs versets sont à retenir : « Il fut transpercé pour (*min*) nos forfaits, écrasé à cause de (*min*) nos fautes » (53,5*ab*). « Le coup lui (vint) à cause (*min*) du forfait de son peuple » (53,8*c*, avec une mention implicite de la mort). Au point de vue thématique, l'idée revient à plusieurs reprises dans les vv. 4-6, 8, 10-12. Toutefois la correspondance entre *hyper* et l'hébreu *min* est très imparfaite ; mais il est normal que la littéralité des citations indiquées ne soit pas suivie, puisqu'il ne s'agit pas de dire seulement pour quelle raison le Christ est mort, mais dans quel but : pour obtenir le pardon de nos péchés. Dans le texte grec d'Isaïe, l'insistance sur la solidarité du Serviteur avec les pécheurs et la relation de sa mort avec les péchés est encore renforcée. On lit dans 53,4 : « Celui-là porte nos péchés et il souffre pour (*péri*) nous. » En 53,5 : « Il fut blessé à cause de (*dia*) nos iniquités et affaibli à cause de (*dia*) nos péchés. » En 53,8*c* : « Sa vie est enlevée de la terre ; en raison (*apo*) des iniquités de mon peuple il fut mené à la mort. » En 53,12*ef* : « Il a porté sur lui les péchés de beaucoup et fut livré à cause de (*dia*) leurs péchés. » Dans le dernier stique, l'idée a été introduite par le traducteur grec en modifiant l'original hébraïque.

Il faut remarquer que la particule *hyper* n'apparaît dans aucun de ces textes : on trouve *péri*, *dia* (qui marque la cause) et *apo* (en raison de). Les particules *dia* et *apo* conviendraient mal pour expliquer que le Christ est mort pour obtenir le pardon de nos péchés. Quant à *péri*, c'est une particule que Paul emploie abondamment pour dire « au sujet de... » (cf. 1 Th 4,13 ; 5,2 ; 1 Co 1,4 ; 1,11 ; 7,1.25 ; 8,1.4 ; 12,1 ; 16,1.12 ; 2 Co 1,8...). Il ne faut donc pas s'étonner de le voir préférer *hyper* pour construire un langage théologique plus précis. Il n'ignore pas le formulaire avec *péri* : dès 1 Th 5,10, on le voit parler de « Jésus Christ qui est mort pour nous » (*Ièsou Christou tou apothanontos péri hèmôn*) ; mais une partie de la tradition textuelle a éprouvé le besoin de changer *péri* en *hyper* pour clarifier l'expression[6] (*hyper* n'est retenu que par le Vaticanus, le Sinaïticus et un minuscule). L'alternance de *hyper* et de *péri* dans les manuscrits en des endroits qui contiennent une formule apparentée est d'ailleurs constante. Dans Ga 1,4, il est dit que « le Christ s'est donné[7] lui-même (*tou dontos héauton*) pour nos péchés » : on trouve *péri* dans P[46], l'Alexandrinus, le Sinaïticus, le Codex Bezae et plusieurs minuscules, si bien que la leçon a passé dans le *textus receptus* ; mais on a *hyper* dans le Vaticanus, le Seidelianus II

---

6. J'emprunte l'indication au Nouveau Testament de Nestle, car *The Greek New Testament*, de K. ALAND-M. BLACK, B.M. METZGER-A. WIKGREN, ne signale même pas la variation *péri* (p. 711, *in loco*), et l'on ne trouve rien de plus dans B.M. METZGER, *A Textual Commentary on the Greek New Testament* (1971), p. 633. B. RIGAUX, *Les épîtres aux Thessaloniciens*, Paris 1956, pp. 570-571, donne les références des deux leçons en remarquant : « Entre *hyper hèmôn* et *péri hèmôn*, la Koïnè ne fait pas grande différence » (p. 571). La remarque est exacte, mais j'enquête ici sur l'origine biblique de l'expression : il me semble que *péri* précède *hyper*, en raison de la référence possible à Is 53.

7. La question posée par le verbe « donner » (*didômi* au lieu de *paradidômi*, « livrer ») sera reprise plus loin à propos de Ga 2,20 (cf. p. 146).

et plusieurs minuscules [8]. Dans 1 Co 1,13, Paul interroge ses correspondants : « Est-ce Paul qui a été crucifié pour vous ? » — ce qui suppose la foi à la crucifixion du Christ *pour* nous. Cette fois, *péri* figure dans P^{46}, le Vaticanus et le Codex Bezae ; *hyper* dans les autres témoins [9]. Peut-être faut-il en conclure que les deux prépositions grecques avaient pratiquement le même sens dans cette formule. Mais peut-être aussi rendent-elles une formulation sémitique plus ancienne — très exactement : une formulation araméenne — que Paul aurait reçue comme déjà traditionnelle. Dans ce cas, on serait renvoyé à une interprétation araméenne d'Is 53,5 ou d'un texte apparenté. Dans la version grecque du Lévitique, l'expression *péri hamartias* est commune pour désigner le sacrifice « pour le péché » (Lv 4,3.14.20.26, etc. ; 16,3.5.6.9, etc.), alors qu'on n'y trouve jamais *hyper*. Mais c'est l'équivalent de l'hébreu *ḥaṭṭā't*, désignation technique du sacrifice pour le péché, et la particule est toujours accompagnée du mot *hamartias* (comme dans Ga 1,4), à la différence de ce qui se passe dans 1 Th 5,10 et 1 Co 1,13, où elle est suivie du complément qui désigne les hommes, bénéficiaires de la mort ou de la crucifixion du Christ. On ne peut donc chercher du côté de la terminologie du Lévitique l'origine de formules comme : « Christ est mort pour (*péri*) nous », ou « Christ a été crucifié pour (*péri*) nous ». On est ramené en direction d'Is 53,4 et de son contexte. La vraisemblance joue de même pour le formulaire traditionnel :

---

8. Cf. la remarque faite dans la note 6. M.-J. LAGRANGE, *Épître aux Galates*, Paris 1925, p. 4, hésite entre les deux leçons et penche pour *hyper* en raison de 1 Co 15,3. P. BONNARD, *L'épître de saint Paul aux Galates*, 2e édition, Neuchâtel 1972, p. 134, rappelle que la leçon *péri* était préférée par Oepke à cause des formulaires de la Septante, mais sans citer Is 53. A la suite de H. RIESENFELD., art. « Hyper », *TWNT*, t. 8, p. 515, il accepte que la formule avec *hyper* renvoie à Is 53,5, par l'intermédiaire d'un texte araméen qui aurait constitué « une des premières interprétations de la mort de Jésus. » L. CERFAUX, *Le Christ dans la théologie de S. Paul*, p. 24, rattachait la formule « pour nos péchés » à Is 53,6.12 LXX.

9. Nestle préfère ici la leçon *hyper* et rejette *péri* en note. B.M. Metzger ne soulève pas le problème. Je reste persuadé que l'alignement des textes sur *hyper* s'est fait à un second stade de la tradition manuscrite. P. Bonnard (*loc. cit.*) hésite pour donner la priorité à la formule « mort pour nous » ou « mort pour nos péchés ». 1 Co 15,3, en tant que tradition archaïque, fait pencher la balance du côté de « mort pour nos péchés » ; mais on y trouve *hyper*, et non *péri*.

« Christ est mort pour (*hyper*) nos péchés », bien que la Septante d'Isaïe ne l'atteste pas. Mais n'est-ce pas l'indice d'une origine araméenne pour cette profession de foi qui a fortement influé sur le langage théologique du Nouveau Testament ?

b) Une autre tradition reproduite par Paul doit être aussi prise en compte : c'est le court *récit du dernier repas de Jésus* introduit dans 1 Co 11,23-25. Ce récit commence par les mots : « Le Seigneur Jésus, la nuit où il était livré... » Or, le verbe « livrer » (*paradidonai* [10]) revient avec insistance dans Is 53 : « Le Seigneur l'a livré (= hébr. *hifgî*$^{a^c}$) pour nos fautes » (53,6c) ; « son âme a été livrée à la mort » (hébr. : « il a livré [*hè`èrâh*] son âme à la mort ») (53,12c) ; « il fut livré à cause de (*dia*) leurs péchés » (texte différent de l'hébreu, 53, 12*e*). Il ne faut pas forcer le rapprochement, car le verbe « livrer » est employé ailleurs pour d'autres que le Christ afin de noter le péril de mort immédiat (cf. 2 Co 4,11 pour les apôtres en général ; Mc 4,12 et Mt 1,14 pour Jean Baptiste ; Ac 27,1 pour Paul). Mais les nombreuses récurrences du même verbe dans le Nouveau Testament à propos de la Passion en font une sorte de terme technique : celui-ci peut provenir du stade très primitif où les récits de la mort de Jésus ont pris forme, dans un milieu judéo-chrétien de langue grecque, avec allusion à Is 53. De même, la formulation de la parole de Jésus sur le pain présente, chez Paul, une forme concise : « Ceci est mon corps qui est pour (*hyper*) vous » (1 Co 11,24). Ce qui vient d'être dit sur l'emploi de *hyper* vaut aussi pour ce cas [11]. Mais au-delà d'une réminiscence possible d'Is 53, on est alors renvoyé à la

---

10. L'article de F. BÜCHSEL, « Paradidômi », *TWNT*, t. 2, p. 172, est particulièrement décevant. On peut retenir la correspondance qu'il note entre ce verbe et la racine sémitique MSR (employée dans le Tg d'Is 53,12c). Mais ici la synthèse se fait à partir du grec, non du texte hébreu d'Is 53. Cf. H. CONZELMANN, *Der erste Brief an die Korinther*, Göttingen 1969, p. 232, note 44.

11. La formule brève de Paul (sans participe) fait difficulté. J. JEREMIAS, *La dernière Cène : Les paroles de Jésus*, coll. « Lectio Divina » n° 75, pp. 198 s., estime (après Dalman) qu'elle serait intraduisible en araméen : ce serait, sous cette forme, une création de Paul. (J'ajouterais : ou de sa source grecque). Beaucoup de témoins du texte y ajoutent un participe (cf. *The Greek New Testament*, p. 604), comme dans le parallèle de Lc 22,19 (avec *didoménon*). Je serais plus réservé que Jeremias sur l'impossibilité d'une origine araméenne pour la formule brève.

mémorisation d'une parole de Jésus lui-même : serait-ce dans sa bouche qu'il faudrait chercher la première origine de ce recours à Is 53 pour interpréter sa mort ? Les textes évangéliques obligeront à regarder cette question de plus près.

c) On peut enfin citer le texte de Rm 4,24-25 qui conserve une courte *profession de foi* : «... nous qui croyons en Celui qui ressuscita Jésus notre Seigneur d'entre les morts, lequel fut livré à cause de (*dia*) nos fautes et ressuscité pour (*dia*) notre justification.» L'introduction de la formule montre qu'il s'agit encore d'un matériel traditionnel [12]. Or on y reconnaît une citation implicite d'Is 53,12*ef* : «Il a pris sur lui les péchés de beaucoup et fut livré à cause de (*dia*) leurs péchés.» Seulement, cette fois, l'emprunt ne provient pas du texte hébreu d'Isaïe, mais de la Septante seule [13]. La mention de la justification peut toutefois rappeler aussi Is 53,11, dans l'hébreu et non dans la Septante : «Juste, mon Serviteur, justifiera des multitudes.» Le grec porte : «Le Seigneur veut ... justifier le juste qui est bon esclave (ou serviteur) (*eu douleuôn*) de beaucoup, et il portera lui-même leurs péchés.» Mais dans le cas présent, le Nouveau Testament est revenu à l'interprétation individuelle du texte pour l'appliquer à Jésus, unique juste.

Le faisceau d'indices qui vient d'être relevé conduit à une conclusion : le récit le plus archaïque de la Passion de Jésus et la première interprétation de sa mort, d'abord incompréhensible et scandaleuse, ont trouvé un éclairage inattendu dans le texte d'Is 52,13 — 53,12 : l'Église primitive les y a lues en filigrane. Le récit de la dernière Cène conservé par Paul invite en outre à se demander si cette lecture du texte n'a pas été inaugurée par Jésus lui-même, qui a pu y voir l'indication de la volonté de Dieu sur lui au moment où son destin d'homme allait se nouer.

---

12. Cf. L. CERFAUX, *Le Christ dans la théologie de saint Paul*, p. 26.

13. La dépendance est notée par beaucoup de commentateurs, par exemple : F. LEENHARDT, *L'épître de saint Paul aux Romains* (1957), p. 75 ; E. KÄSEMANN, *An die Römer* (1973), p. 121 ; C.E.B. CRANFIELD, *The Epistle to the Romans* (vol. 1, 1975), p. 251. Une référence à Is 53 pour expliquer la mention de la justification est aussi mentionnée par Käsemann et Cranfield. Ce dernier remarque que Paul emploie en cet endroit la particule *dia* avec deux sens différents.

2. *Les formulaires sotériologiques de Paul*

a) *La mort rédemptrice du Christ*.— Il n'est pas étonnant de retrouver les mêmes allusions scripturaires dans les passages où Paul formule de son propre chef une doctrine de la rédemption plus élaborée ou plus personnelle. Dans Ga 2,20, on lit déjà : « Il m'a aimé et s'est livré pour moi » (*paradontos héauton hyper émoû*), formule qui touche de près à celle de Ga 1,4 : *toû dontos héauton péri* (var. *hyper*) *tôn hamartiôn hèmôn*. Dans les deux cas, on peut légitimement songer à l'expression difficile d'Is 53,10b : *'im tāśîm 'āśām nafśô*. En effet, le verbe *śîm* est rendu par la Septante en cet endroit par le grec *didonai*, moyennant une transformation complète de la phrase (cf. aussi Is 60,17 ; 61,3, Jr 25,9 ; Ps 39,8 ; 66,2). D'autre part, le Nouveau Testament emploie avec le même sens *doûnai tèn psychèn* (Mc 10,45 ; Mt 20,28) et *tithénai tèn psychèn* (Jn 10,11.15.17 ; 13,37.38 ; 15,13), ce qui renvoie à l'hébreu *śîm nèfèš* ; quant au recours au pronom réfléchi pour rendre le réfléchi concret *nèfèš*, il n'est pas inouï dans le grec du Nouveau Testament [14]. La seule difficulté vient de ce que l'imitation du formulaire emprunté à Isaïe suppose que son texte est lu en hébreu avec un verbe au masculin : *'im yāśîm nafśô 'āśām* ; mais plus d'un critique est justement tenté par cette correction pour rendre le texte plus intelligible [15]. Bref, il est probable que Paul présente encore ici une réminiscence d'Is 53. On la retrouve dans la formule plus élaborée de 1 Tm 1,26, où il est dit que le Christ « s'est donné (*doûs*) lui-même en rédemption (*antilytron*) pour tous » (avec *hyper*). Le mot employé est très rare [16] (*hap.leg.* dans le Nouveau

---

14. Un exemple pratique : Mt 16,26 et Mc 8,36 parlent de « perdre son âme », alors que Lc 9,25 parle de « se perdre soi-même ».

15. J'ai résisté plus haut (p. 26) à cette tentation de corriger le texte, à la suite de H. Cazelles.

16. Le mot est aussi rare dans le grec classique et la *Koinè*. Les dictionnaires de Bailly et de Liddell-Scott ne citent, au sens de « rançon », que 1 Tm 1,26. F. PREISIGKE, *Wörterbuch der griechischen Papyrus urkundent,* I, col. 137, n'y ajoute qu'un texte de papyrus. Voir les autres exemples relevés par ARNDT-GINGRICH, *A Greek English Lexicon of the N.T.*, p. 74b. On ne cherchera donc pas dans Is 53 l'origine du thème de la rédemption en tant que « rachat ». Mais ce thème se trouve dans l'ensemble des chapitres où Is 53 atteste la valeur de la souffrance et de la mort du juste au bénéfice des pécheurs. La synthèse des deux est un élément spécifique du Nouveau Testament, pour expliquer le sens de la mort de Jésus.

Testament; seulement Ps 49,9 chez Aquila). Mais le thème du rachat est bien attesté dans le contexte littéraire d'Is 53, avec *lytron* (Is 45,13, où il s'agit de Cyrus) et avec le verbe *lytrousthai* (Is 41,14 ; 43,1.14 ; 44,22-24 ; 51,11 ; 52,3). La proximité des textes d'Isaïe est donc encore sensible.

Vers la même époque que l'épître aux Galates, l'épître aux Philippiens cite textuellement une hymne au Christ [17], paulinienne ou pré-paulinienne (Ph 2,6-11), qui met en antithèse l'humiliation et la glorification du Christ : le Christ s'est anéanti « en prenant forme de serviteur » (*mophèn douloû labôn*) et il s'est humilié « en devenant obéissant jusqu'à la mort, la mort de la croix » (2,7-8) ; c'est pourquoi Dieu l'a « surexalté » en lui donnant le Nom qui est au-dessus de tout nom, afin qu'au nom de Jésus « tout genou fléchisse... et que toute langue confesse : ''Jésus Christ est Seigneur'' » (vv. 9-11). On note dans cette finale une reprise d'Is 45,23 LXX : ce texte n'appartient pas aux Poèmes du Serviteur, mais il se trouve dans leur contexte littéraire immédiat. Or, deux détails de l'hymne peuvent renvoyer aux Poèmes : d'une part, le titre de Serviteur (*doulos*) et, d'autre part, son exaltation (avec le verbe rare *hyperypsoûn*). On a remarqué plus haut [18] que, dans la Septante d'Isaïe, le mot *doulos* est employé à deux reprises en Is 49,1-6 : « Tu es mon serviteur, Israël, et en toi je serai glorifié » (v. 3*a*) ; « ...lui qui me façonna comme serviteur pour lui-même » (v. 6*a*). Bien que le mot paraisse synonyme de *pais* dans ce contexte, il insiste davantage sur la condition humiliée de servitude (cf. Mc 10,44). Par ailleurs, le dernier Poème commence en évoquant l'exaltation (*hypsoûn*) du Serviteur (*pais*) de Dieu, qui contrastera avec son humiliation et sa mort (53,12*a*). On ne peut prouver à coup sûr l'imitation de ce

---

17. La bibliographie de ce texte est immense. On peut se référer à R. P. MARTIN, *Carmen Christi (Philippians II, 5-11) in Recent Interpretation and in the Setting of Early Christian Worship*, Cambridge 1967 ; J. GNILKA, *Der Philipperbrief* (HThK X/3), Fribourg-en-B. 1968, pp. 111-147 ; J.F. COLLANGE, *L'épître de saint Paul aux Philippiens* (CNT 10a), Neuchâtel 1973, pp. 74-97. J'ai touché à ce texte dans une série d'articles de *Biblica* (1972, pp. 495-507 ; 1973, pp. 25-42 et 169-186), mais sans soulever le problème abordé ici. La dépendance du texte par rapport aux Poèmes du Serviteur est souvent postulée par principe dans un but théologique, sans preuve décisive fondée sur le vocabulaire du texte (sauf l'emploi de *doulos*).

18. Cf. *supra*, p. 90.

poème par Paul (ou l'auteur de l'hymne), mais le contact est d'autant plus probable que la Septante d'Is 53,8 paraphrase le texte hébreu en disant : « Dans l'humiliation (*tapeinôsis*, cf. Ph 2,8 : *étapeinôsen héauton*) son jugement a été enlevé... et il fut mené à la mort. » Il s'agit d'autre chose que d'un parallélisme thématique : la reprise implicite d'Is 45,23 LXX invite à reconnaître ici des réminiscences qui renvoient toutes à la IIᵉ Partie d'Isaïe, où prennent place les Poèmes du Serviteur. On note par ailleurs que les autres versions grecques d'origine juive ont tendu à généraliser l'emploi de *doulos* pour désigner le Serviteur : ainsi Aquilla en Is 42,1 ; 49,6 ; 52,13. Dans le cas présent, ce n'est pas la fonction rédemptrice du Christ qui est énoncée à l'aide d'expressions fournies par l'Écriture ; c'est le rapport entre sa croix et sa résurrection qui fait l'objet d'une réflexion contemplative et fournit le thème de la prière [19].

Avec 2 Co 5,14 — 6,2, on revient à la théologie de la rédemption d'une façon plus élaborée et plus personnelle que dans les formulaires précédents. Pour commencer, Paul part de l'idée que le Christ, en se faisant solidaire de notre mort corporelle, nous a fait mourir avec lui à l'être ancien pour que naisse en nous un être nouveau (5,14-17). A deux reprises, il redit donc que le Christ « est mort pour (*hyper*) nous » : on a vu plus haut [20] quelle était l'origine probable de cette formule (vv. 14 et 15). Cette idée conduit Paul à interpréter la mort de Jésus comme un « sacrifice pour le péché » (*ḥaṭṭa't*, non *'āšām*, dans la terminologie du Lévitique), et il va jusqu'à dire dans une formule dense : « Celui qui n'avait pas connu le péché (cf. pour le sens Is 53,9cd), Dieu l'a fait péché [21] pour nous »

---

19. La citation d'Isaïe 45,23, LXX dans les vv. 10-11 ne suffit pas pour prouver que l'hymne a été composée en grec. La question d'un arrière-plan araméen reste posée, surtout si le texte provient d'un milieu culturel bilingue (la Palestine ou la Syrie) ; cf. *Biblica*, 1973, pp. 176-186. Mais il va de soi que la version grecque d'Isaïe fournissait une expression toute faite pour la traduction de l'hymne, là où la Bible était lue dans cette langue au cours des « réunions en église ».

20. Voir pp. 141-143.

21. Bien que la Septante du Lévitique traduise *ḥaṭṭa't* au sens de « sacrifice » par *péri hamartias*, Paul emploie ici une formule ramassée qui rend servilement le mot par *harmatia*. Il n'y a pas lieu de spéculer à partir de là sur l'identification de Jésus avec le « péché » humain, sur lequel Dieu ferait retomber sa colère. Cette interprétation de 2 Co 5,21 n'a que trop nui à la juste compréhension de la rédemption, conçue comme expiation pénale

(5,21) : telle est la source de notre justification (cf. encore Is 53,11*cd*, selon l'hébreu). En conséquence, le ministère de réconciliation confié à l'apôtre qui annonce l'Évangile (5,18-21) doit être reçu par les fidèles comme une grâce : « Nous vous exhortons à ne pas recevoir en vain la grâce de Dieu. Car il dit : ''Au temps propice je t'ai exaucé et au jour du salut je t'ai secouru.'' C'est maintenant le temps propice, c'est maintenant le jour du salut » (6,1*b*-2). Dans l'hébreu comme dans le grec, la citation fait partie d'un oracle adressé au Serviteur, individuel en hébreu, collectif en grec. Paul n'insiste pas sur cet aspect du texte. Il s'arrête seulement aux deux expressions qui, sans perdre leur lien avec leur contexte général, permettent de définir l'« Aujourd'hui » chrétien [22] comme le « temps propice » et le « jour du salut ». L'intérêt se déporte vers un détail du texte grec qui n'était pas central dans le développement d'Is 49, 1-13, où les poèmes primitifs étaient déjà étroitement reliés à leur contexte subséquent : la méthode de recours à l'Écriture pour fonder l'exhortation qui y est rattachée, est typiquement rabbinique. Mais la citation faite suppose que Paul lisait tout ce passage en rapportant au Christ ce qui était dit du Serviteur. Faut-il en conclure qu'il revenait, par-delà l'interprétation collective qui avait cours dans le Judaïsme de son temps, au sens individuel des Poèmes ? Certainement pas dans la perspective originelle de leur composition, mais dans celle de leur « accomplissement » au jour où Dieu « a fait péché pour nous »… « celui qui n'avait pas connu le péché » (5, 21). Les Juifs mettaient leur espérance dans les mérites des justes sans omettre le fait de leur souffrance imméritée, mais Paul a découvert que Jésus est *l'unique Juste* qui est mort pour nous (5,14-15). Cette restriction dans l'exégèse du texte n'annule pas son interprétation juive : elle la conduit à son terme réel.

Finalement, la doctrine est reprise sous une forme concise

(cf. les exemples cités dans mon étude sur *Péché originel et rédemption, examinés à partir de l'épître aux Romains*, Tournai-Paris 1972, pp. 206-220).

22. J'emprunte ici la formulation de l'épître aux Hébreux (He 3,13), dont le sens est identique à celui de la formule paulinienne avec *nyn*, « maintenant » (Rm 3,26 ; 8,1.18 ; 11,5 ; 13,11 ; Ga 4,25, parmi un grand nombre de références) ; cf. G. STÄHLIN, art. «*Nyn*», *TWNT*, t. 4, pp. 1106-1114, sans distinction entre les divers auteurs.

dans le passage très dense de Rm 5,6-9. Par rapport au texte
d'Is 53, on ne trouve rien de plus que dans 2 Co 5,15 : « ... au
temps fixé, (Christ) est mort pour des impies (*hyper asébôn*) »
(5,6) ; « ... alors que étions encore pécheurs, Christ est mort
pour (*hyper*) nous » (5,8). Mais la réflexion sur les impies et
les pécheurs est un développement propre à Paul : il suffit de
constater l'enracinement de sa théologie dans une relecture
d'Is 53 appliqué à la mort du Christ.

b) *Adaptation des textes au ministère de Paul.*— L'usage de
l'Écriture est plus libre dans les endroits où Paul reprend des
expressions empruntées aux Poèmes du Serviteur, ou même fait
des citations formelles, pour les adapter à sa propre vocation et
à l'exercice de son ministère. Les épîtres en présentent trois
cas.

Dans Ga 1,15, Paul évoque en ces termes sa vocation :
« Lorsqu'il plut à Celui qui m'avait mis à part (*ho aphorisas
mé*) dès le sein de ma mère et appelé (*kalésas*) par sa grâce, de
révéler son Fils en moi... » Les commentateurs hésitent ici
entre une réminiscence de Jr 1,5 et d'Is 49,1 : Paul comprend-
il sa vocation sur le modèle de celle du prophète ou de celle du
Serviteur de YHWH ? Le verbe *aphorizô* ne se trouve dans
aucun des deux textes, mais le verbe *kalé-ô* figure dans
Is 49,1. De même, le mot *koilia* figure des deux côtés, mais *ek
koilias mètros* est propre à Is 49,1. Il est donc sûr que
l'emprunt vient de là, bien que Jr 1,5 ait été à l'arrière-plan du
texte où le Serviteur rapportait sa vocation. Paul ne s'assimile
pas pour autant au Serviteur. Connaissant sa Bible par cœur, il
reprend simplement une expression propre à décrire l'appel
qui, dans le dessein de Dieu, précéda la manifestation sensible
de la Parole de Dieu dans sa vie. Cela montre, à l'évidence, que
le texte d'Is 49,1-13 est fortement présent à sa mémoire,
comme on l'a déjà constaté à propos de 2 Co 6,1-2 : il l'a
assez médité pour que la formule littéraire du v. 1 lui vienne
spontanément aux lèvres quand il dicte sa lettre.

Dans Rm 10,16, le cas est différent, car on est en présence
d'une citation formelle d'Is 53,1. Après avoir évoqué la
prédication de l'Évangile à l'aide d'Is 52,7 cité d'après la
Septante, il aborde le problème de l'incrédulité juive :
« ... Tous n'ont pas obéi à l'Évangile. Isaïe dit en effet :
''Seigneur, qui a cru à ce qu'il a entendu de nous ?'' Ainsi la

foi vient de ce qu'on entend, mais ce qu'on entend vient par la parole du Christ. » La citation est encore faite d'après le grec, qui contient seul le mot « Seigneur ». A la manière des rabbins qui citent l'Écriture, Paul détache la phrase du contexte où elle figure, pour y faire entendre une résonance qu'on n'y découvrirait pas spontanément. En effet, ni l'hébreu ni le grec ne parlaient de l'incrédulité des auditeurs de la Parole. Sous ce rapport, il s'agit donc d'une accommodation qui adapte le texte à des circonstances nouvelles. Mais cela suppose qu'aux yeux de Paul tout le Poème d'Is 52,13 — 53,12 constitue une annonce anticipée de la croix de Jésus : chaque mot, chaque expression, prend donc son sens dans cette perspective. Or, il est possible de comprendre dans un sens dubitatif la formule interrogative : « Qui a cru... ? » Il est donc légitime de l'appliquer à la situation présente, où l'oracle du livre saint trouve son accomplissement : à l'Évangile de la croix, fondé sur Is 53, la masse juive répond par un refus. La lecture chrétienne du texte devient ainsi créatrice de sens, exactement comme la lecture juive l'avait été jadis : entre les deux, la venue de Jésus a introduit un élément nouveau dans le dévoilement du dessein de Dieu et la « révélation de son bras » (Is 53,1*b*).

Il en va de même pour la citation d'Is 52,15 dans Rm 15,21. Paul parle en cet endroit de son désir d'évangéliser « les régions où l'on n'avait pas encore invoqué le nom de Jésus », afin de « (se) conformer à ce qui est écrit : ''Ceux à qui (rien) n'avait été annoncé à son sujet, verront, et ceux qui n'avaient (rien) appris, comprendront''. » On est loin du texte primitif, si on s'en tient aux règles de la lecture historique. On est même loin de la Septante, où la phrase servait à montrer l'émerveillement des nations et des rois devant le Serviteur souffrant puis glorifié. Mais l'annonce de l'Évangile n'a-t-elle pas justement pour objet la souffrance et la glorification de Jésus, Serviteur de Dieu, devant les nations et les rois qui n'appartiennent pas au peuple d'Israël, et Paul n'a-t-il pas pour vocation particulière l'évangélisation du monde païen (cf. Ga 2,7-9) ? L'adaptation du texte n'est donc pas aussi arbitraire qu'elle le paraît d'abord, pourvu qu'on ne la sépare pas de la lecture d'Is 52,13 — 53,12 effectuée à la lumière de la croix et de la résurrection de Jésus. *Ce n'est pas Paul*, à proprement parler, *qui crée le nouveau sens du texte : c'est l'accomplissement de*

*l'Écriture dans l'événement de Jésus Christ qui donne à tous
ses détails un relief inattendu.* Le recours à des procédés
rabbiniques pour mettre ce sens en évidence n'est qu'un
élément culturel secondaire, subordonné au précédent. Il faut
ajouter que Paul, en citant dans ces deux cas la Septante
comme Écriture, montre qu'elle possède à ses yeux la valeur
d'une Parole de Dieu au même titre que le texte hébraïque
d'Isaïe.

II. AUTRES ÉPÎTRES

Même si le dossier des autres épîtres est moins abondant que
celui de Paul, il conduit à des conclusions très semblables.
C'est pourquoi il pourra être examiné plus rapidement. Il ne
concerne, en fait, que l'épître aux Hébreux et la 1re lettre de
Pierre.

1. *L'épître aux Hébreux*

Dans ce discours soigneusement composé [23], le nombre des
citations bibliques et des expressions empruntées aux livres
saints est considérable. On y trouve aussi des exégèses
détaillées qui permettent de cerner de près la méthode de
l'auteur. Citant la Bible dans sa version grecque, celui-ci met
au service de son exhortation pastorale, adressée à des
Judéo-chrétiens, un art d'interpréter les textes très raffiné et
très subtil. Tout compte fait, cet art est plus proche des
méthodes rabbiniques que de l'allégorisme alexandrin. Ce
dernier exerce une influence certaine sur la typologie de
l'auteur, en tant qu'expression du rapport entre les deux
Testaments : la relation « terre/ciel » fournit une conception
symbolique des réalités religieuses où l'on retrouve un écho du
moyen-platonisme, comme chez Philon d'Alexandrie. Mais ce
symbolisme s'entrelace avec une représentation linéaire du
dessein de Dieu accompli dans l'histoire [24] : le culte de

---

23. L'épître est «une prédication envoyée par écrit» (A. VANHOYE,
« L'épître aux Hébreux», dans *Les lettres apostoliques*, Introduction critique
au Nouveau Testament, vol. 3, Tournai-Paris 1977, p. 207). Je renvoie pour
ce texte à la bibliographie donnée par le même auteur, *op. cit.*, p. 320.

24. Ce point est étudié avec ampleur par C. SPICQ, *L'épître aux Hébreux*,
Études Bibliques, Paris 1952, t.1, pp. 53-76.

l'alliance ancienne était à la fois l'ombre (*skia* : 8,5 ; 10,1), la copie (*hypodeigma* : 4,11 ; 8,5 ; 9,23), la réplique (*antitypos* : 9,24), du sacrifice du Christ qui est advenu au terme des temps et qui s'est consommé dans l'archétype céleste (*typos* : 8,5) du temple de la terre. Aussi en possédons-nous actuellement, dans l'Aujourd'hui chrétien, l'image véritable (*eikôn* : 10,1) qui en manifeste la réalité. Cette façon de comprendre le rapport entre l'alliance du Sinaï et l'alliance nouvelle dont le Christ est le médiateur, conduit l'auteur à comparer l'événement constitué par la mort du Christ et son entrée en gloire, inséparables d'une de l'autre, au rituel du Jour des Pardons (9,1-14) ; mais ce développement est lui-même intégré à une réflexion sur l'accomplissement de la nouvelle alliance [25] annoncée par Jérémie (Jr 31,31-34, cité en 8,6-12 et 10,15-17). C'est dans ce cadre que figure une citation implicite d'Is 53,12.

Le problème posé est celui de l'«abolition du péché» : les sacrifices d'animaux étaient incapables de l'assurer, comme le montre leur répétition continuelle (9,26). Mais le sacrifice du Christ l'a obtenu d'une façon définitive : «Le Christ ... s'est offert une seule fois pour prendre sur lui (*anénegkein*) les péchés de beaucoup» (9,28). Par «beaucoup», il faut entendre ici le grand nombre, la multitude, l'ensemble des hommes sauvés par l'unique médiateur. L'expression est textuellement empruntée à Is 53,12*e* LXX. Cette reprise montre que tout le dernier Poème du Serviteur est appliqué à la Passion du Christ, exactement comme dans la théologie paulinienne, puisque Is 53 permet d'interpréter la mort de Jésus comme «sacrifice pour le péché». Il est vrai que le parallèle établi par l'auteur entre le rituel du Jour des Pardons et l'ensemble que forment la Croix et la Glorification du Christ, paraît assimiler la mort de Jésus à celle des victimes offertes pour expier les péchés du peuple : il y avait là «un symbole (*parabolè*) pour le temps actuel» (9,9). Mais la comparaison ne ramène aucunement la mort de Jésus au modèle ancien : elle joue *a contrario* pour montrer la

---

25. La *Formgeschichte* de l'épître permet d'isoler, en cours de développement, plusieurs canevas d'homélies sur des textes scripturaires (cf. «La formation du Nouveau Testament», dans *L'achèvement des Écritures*, Tournai-Paris 1977, p. 132). Ici, l'inclusion du développement entre deux citations du même texte de Jérémie ne laisse aucun doute à cet égard : c'est le principe même des homélies rabbiniques.

différence entre les deux. Les animaux étaient offerts, en un temps où le prêtre était distinct de la victime. Mais le Christ, prêtre et victime à la fois, s'est offert lui-même, conformément au texte d'Is 53. Le versement du sang avec lequel il entra dans le Temple céleste (9,12) n'eut de valeur qu'en raison de l'attitude intérieure dont il était le signe. Ici, l'épître recourt au Ps 40,7-9 LXX pour évoquer cet aspect des choses : c'est pour « accomplir la volonté de Dieu » que le Christ a fait « l'oblation de son corps » grâce à laquelle nous sommes sanctifiés (10,10). L'idée du sacrifice d'expiation est ainsi dominée d'un bout à l'autre par celle du sacrifice d'alliance. Conformément au texte de Jr 31,31-34, l'alliance opère positivement ce que l'expiation, en tant que suppression des péchés, réalise sur un plan négatif. Aussi bien, l'oracle de Jérémie se termine-t-il lui-même par une promesse de pardon et d'oubli des péchés (He 8,12 et 10,17, citant Jr 31,34 d'après la Septante).

Il est caractéristique que l'auteur rapproche dans son développement les deux *Testimonia* d'Ex 24,8 (sur le sang de l'alliance) et d'Is 53,12 (sur l'enlèvement des péchés d'un grand nombre), pour définir le sacrifice de Jésus. On retrouve ces deux mêmes textes à l'arrière-plan du récit de la Cène dans Mt 26,28, tandis que Lc 22,20 reprend dans le même contexte l'allusion à la nouvelle alliance qui provient de Jr 31,31ss. Tout se passe comme si l'épître rassemblait, sous une forme très élaborée, des matériaux traditionnels qui ont servi à interpréter la Passion de Jésus, « mort pour nos péchés conformément aux Écritures » (1 Co 15,3). Elle s'inscrit ainsi d'une façon originale dans une tradition exégétique que saint Paul laissait déjà apercevoir.

2. *La première lettre de Pierre*

On peut relever deux passages importants dans la 1re lettre de Pierre [26], quand on veut savoir comment son auteur lisait le dernier Poème du Serviteur.

---

26. Je me réfère aux commentaires de E. G. SELWYN, *The First Epistle of St. Peter*, Londres ²1949 ; K. H. SCHELKLE, *Die Petrusbriefe. Der Judasbrief*, HThkNT, Fribourg-en-B. 1961 ; C. SPICQ, *Les épîtres de saint Pierre*, coll. « Sources bibliques », Paris 1966 ; L. GOPPELT, *Der erste Petrusbrief*, KEK, Göttingen 1978. On y trouvera le commentaire détaillé des passages que j'examine rapidement dans un but restreint.

a) *Un formulaire de la sotériologie.* — Le premier passage est assez proche de la théologie paulinienne. On lit dans 1 P 3,18 : «Christ, une fois pour toutes, est mort (ou a souffert) en raison des péchés (*péri hamartiôn*), juste pour des injustes, afin de nous mener à Dieu.» Ce verset présente six variantes dans sa tradition textuelle[27]. Avec le verbe «souffrir», on trouve «en raison des péchés» (en particulier dans le Vaticanus), ou «pour (*hyper*) nos/les péchés» (plusieurs minuscules). Avec le verbe «mourir», on trouve «en raison des péchés pour nous» (*hyper hèmôn* : Sinaïticus, minuscules et versions), ou «pour vous» (Alexandrinus, versions et quelques Pères), ou «en raison de nos péchés» (Codex Ephræm., versions et un Père). Il est bien difficile de restaurer le texte original. L'abondance des emplois de *paschô* dans la lettre (1 P 2,19-20 ; 2,21 avec la formule : «Christ a souffert pour vous»; 2,23 ; 3,14.17 ; 4,1.15.19) ne parle pas en faveur de son emploi en 4,18 : l'emploi unique d'*apothnèskô* a toutes chances d'être primitif, mais les scribes l'ont aligné sur le langage habituel de l'épître. L'expression *hyper hèmôn* ou *hyper hamartiôn* (*hèmôn*) est un alignement du même genre, qui renvoie à des formulaires courants de saint Paul. Les passages d'Is 53 qui ont été cités plus haut[28] à propos du formulaire de 1 Co 15,3 peuvent donc être repris ici, bien qu'aucun ne renferme à la lettre l'expression de 1 P 3,18 : celle-ci condense le sens de plusieurs d'entre elles. Un emploi de *péri* avait été relevé en Is 53,4 «celui-là porte nos péchés et il souffre (*odunatai*) en raison de nous.» Mais c'est peut-être la mention du «Juste» et des «injustes» qui est la plus indicative. On lit en 53,11*c* (hébreu, non LXX) : «Juste, mon serviteur justifiera des foules...» Et la suite mentionne sa mort et le péché des foules. La réflexion sur le sens de la Passion se déploie donc au contact d'Is 53. Mais il semble que la lecture de ce passage oscille ici entre le texte hébreu et la Septante.

b) *L'hymne de 1 P 2,21-25.* — Un peu plus haut, l'épître contient un passage lyrique qui est peut-être emprunté à un chant liturgique[29]. Or, il résume et paraphrase Is 53 (et

27. Voir le détail dans B. M. METZGER, *A Textual Commentary on the Greek New Testament*, p. 692. L'option prise est différente de la mienne.

28. Cf. *supra*, pp. 141-143.

29. Cf. M.-E. BOISMARD, *Quatre hymnes baptismales dans la première épître de Pierre*, coll. «Lectio Divina» 30, Paris 1961, pp. 111-132.

peut-être 50,4-9) pour présenter le Christ souffrant. Je me contente de la traduire en soulignant les emprunts textuels et en donnant la référence de ces emprunts ou des réminiscences possibles :

> [21] Christ a souffert pour vous (var. nous), vous laissant un exemple pour que vous marchiez sur ses traces :
> [22] lui, *il n'a pas fait de péché* (53,9c),
> *et il ne s'est pas trouvé de fraude dans sa bouche* (53,9d) ;
> [23] lui, insulté, ne rendait pas l'insulte,
> souffrant, il ne menaçait pas (réminiscence d'Is 50,6?),
> mais se livrait à celui qui juge avec justice (cf. 50,8?) ;
> [24] *il a pris sur lui nos fautes* (53,12e) dans son corps sur le bois,
> afin qu'ayant trépassé aux péchés, nous vivions pour la justice (53,11d hébr?) ;
> *Par sa meurtrissure* vous avez *été guéris* (53,5d).
> [25] Vous *étiez* en effet *errants comme des brebis* (53,6a),
> mais vous vous êtes tournés maintenant vers le berger et gardien de vos âmes.

Il est clair que, pour lire la Passion dans le texte d'Is 53, telle une image vue par transparence, l'auteur (ou mieux, sa source lyrique) a fait un choix d'expressions caractéristique en y ajoutant les détails nécessaires (par exemple : Christ a souffert « dans son corps sur le bois »). Pour transférer le texte de l'hymne dans une homélie, il a introduit des « vous » là où Is 53, et probablement son imitateur lyrique, portait des « nous ». La réflexion sur les fruits de la mort du Christ trouvait dans Is 53, tantôt une expression suffisante (la « guérison » métaphorique d'Is 53,5d), tantôt un point de départ qui exigeait un complément (le rassemblement des « brebis errantes, » complété par une allusion vraisemblable à Ez 34, peut-être relu à la lumière de paraboles évangéliques). Le v. 23 renferme peut-être deux réminiscences d'Is 50,6.8 : comme il ne s'agit

---

L'utilisation de l'hymne dans l'homélie — que je crois baptismale (cf. *L'achèvement des Écritures*, pp. 115 s. et 135 s.) — entraîne des retouches mineures. Mais peut-on dire que l'antiquité du texte est telle que saint Paul en dépendrait (M.-E. BOISMARD, *op. cit.*, pp. 119-129) ? Ne s'agit-il pas plutôt d'une reprise parallèle des mêmes thèmes empruntés directement à Is 53, lecture traditionnellement liée à l'interprétation de la Passion ?

pas de reprises littérales, on ne peut parler que d'une possibilité [30]. Il suppose connu, en tout cas, un récit de la Passion qui présentait le Christ aux outrages : Jésus, en souffrant, se tait. Mais on peut se demander si le récit en question, quand il notait ces détails, n'était pas lui-même en contact avec le Poème du Serviteur d'Is 50,4-11. Ce serait une constatation intéressante, car elle montrerait que la lecture chrétienne du Second Isaïe rapprochait déjà les textes relatifs au Serviteur qui avaient une résonance apparentée et se prêtaient à une interprétation christologique. Mais on sait que le Poème d'Is 50 n'a jamais reçu d'interprétation collective en milieu juif, pour autant qu'on puisse en juger.

Ici, le titre de Serviteur n'apparaît pas. On ne trouve d'ailleurs le mot *doulos* dans l'épître qu'en 2,16, au pluriel (« serviteurs de Dieu »). En 2,21, le titre de Christ (= Messie) a pris sa place pour ouvrir le récitatif lyrique. Cela suppose que la réflexion christologique superpose les images du Messie royal et celle du Serviteur d'Is 53, mais c'est la figure personnelle de Jésus qui entraîne cette superposition. L'application d'Is 53 à sa Passion est d'ailleurs moins difficile à opérer que celle des textes messianiques à la gloire royale de sa résurrection. Quoi qu'il en soit, la lecture du dernier Poème du Serviteur est plus proche du *peshaṭ* rabbinique que du *midrash* subtil — pourvu que le principe de l'accomplissement de la prophétie dans la personne de Jésus soit accepté comme clef fondamentale. L'interprétation collective attestée par la Septante et le livre de Daniel, en tant qu'application du texte aux justes souffrants, n'est pas niée à proprement parler : elle se concentre seulement sur le seul homme qui, aux yeux des croyants chrétiens, soit Juste devant Dieu et, à ce titre, puisse obtenir le salut des pécheurs par sa souffrance et sa mort. Cette façon de faire ne présuppose aucune interprétation messianique du texte dans le Judaïsme du temps.

---

30. Le répertoire des parallélismes relevés dans le Nouveau Testament ne signale, pour Is 50,4-11, que trois passages possibles : He 1,11 et Is 50,9 (à travers la citation du Ps 102,26-28) ; Rm 8,33 et Is 50,8 (mais l'appel au Dieu juste concerne tous les élus de Dieu, non le Serviteur comme dans 1 P 2,23) ; Mt 26,67 et 27,30 (signalé dans *The Greek New Testament*, textes sur lesquels il faudra revenir).

III. Les Évangiles de Marc et de Matthieu

Si je regroupe ici les évangiles de Marc et de Matthieu en laissant provisoirement de côté celui de Luc, c'est parce que Luc est l'auteur de deux livres qu'il ne faut pas séparer et parce que Marc et Matthieu sont étroitement apparentés dans les passages où figurent les *Logia* de Jésus qu'il faut examiner. Mais les passages théologiques de Matthieu seront examinés à part. Quant à la date des œuvres, elle n'a dans le cas présent qu'une importance secondaire. J'admets que Marc remonte à la fin des années 60, probablement après le début de la guerre juive; mais il conserve évidemment des matériaux plus anciens [31]. Le livret de Matthieu me paraît se situer au mieux dans les années 80 [32]; il y a toute chance pour qu'il connaisse et utilise Marc, mais il peut adapter à ses propres buts la recension marcienne des paroles de Jésus. Il est donc parfois difficile de dire si la dépendance possible par rapport aux textes d'Isaïe se situe au niveau rédactionnel des évangélistes, à celui de leurs sources ou, finalement, à celui des *Ipsissima verba Jesu*. Il faut pourtant viser les paroles de Jésus à partir des textes évangéliques étudiés critiquement, pour savoir si Jésus a recouru aux Poèmes du Serviteur dans ses déclarations publiques et s'en est inspiré dans ses comportements.

1. *Les Logia de Jésus*

a) *Le Logion sur la rançon*. — Ce logion est cité dans le même contexte par Marc (10,45) et Matthieu (20,28) : seul diffère le mode de liaison entre les versets qui le précèdent et son texte, ce qui est l'indice de son indépendance dans la tradition des logia [33]. Un autre indice de cette indépendance est

---

31. Je reprends ici la position tenue dans *L'achèvement des Écritures*, pp. 113-115.

32. *Ibid.*, pp. 120-123.

33. On peut trouver une bibliographie sur ce verset dans le commentaire de R. PESCH, *Das Markusevangelium*, HThK, t. 2, pp. 166-167 (arrêtée à la date de 1976). Mais on n'est pas obligé d'admettre avec l'auteur que le texte de Mc 10,45*b* est «une interprétation de la mort de Jésus qui se situe sûrement dans le Judéo-christianisme hellénistique, sous l'influence de la tradition de la Cène et de l'interprétation christologique du concept de réconciliation provenant d'Is 53,10-12, revu à travers Jésus» (p. 163). Je proposerai une conclusion plus nuancée.

fourni par Luc : celui-ci place le parallèle des versets précédents (Mc 10,41-44 et Mt 20,24-27) dans un contexte tout différent (Lc 22,25-27) et il en utilise une autre recension. On peut donc traiter le logion comme une pièce à part : « Le Fils de l'Homme n'est pas venu pour être servi mais pour servir (*diakonèsai*) et donner sa vie (litt. : son âme) en rançon (*lytron*) à la place de beaucoup (*anti pollôn*). » Cette parole est-elle inspirée par Is 53, et remonte-t-elle à Jésus lui-même ? Les deux choses sont très discutées chez les critiques.

Commençons par les contacts avec Is 53. Si on se réfère à la Septante, il faut reconnaître qu'ils sont minimes. Le rapport entre le fait de servir et la condition de serviteur est un trompe-l'œil, car le verbe employé (*diakoné-ô*, et non *douleuô*) ne renvoie pas à un hébreu *'âbad* mais plus probablement à *šārēt* (pi.). Le recours hypothétique à un intermédiaire araméen n'arrange rien, car le serviteur est bien désigné par le mot *'èbèd*, mais le verbe correspondant veut dire « travailler » ou « faire », sauf dans le dérivé *ša'bed* qui signifie « asservir » (verbe dénominatif). Il est bien dit, en Is 53,11, que Dieu veut « justifier le juste qui sert bien un grand nombre » (*eu douleuonta pollois*). Mais pour trouver un rapport entre cette déclaration et le texte du logion, il faut relier plus étroitement celui-ci au verset qui précède, comme cela se produit dans la recension de Matthieu : « Celui qui veut être parmi vous le premier, sera votre esclave (*doulos*) (Mc : « l'esclave de tous »), de même que le Fils de l'Homme, etc. » Il est vrai qu'en cet endroit *doulos* et *diakonos* sont mis en parallèle, mais cela implique-t-il que *douleuô* et *diakoné-ô* soient synonymes dans le *logion* de la rançon ? La référence à Is 53,10c pour expliquer « donner sa vie » (*doûnai tèn psychèn autou*) a pour elle de meilleurs arguments. L'hébreu fait de « son âme » le sujet du verbe qui a pour complément *'āšām* (« sacrifice de réparation ») ; mais plusieurs versions, suivies par la plupart des commentateurs modernes, lisent le verbe au masculin : « s'il place son âme (= lui-même) comme sacrifice de réparation... » Il est tentant de rapprocher ce texte, paraphrasé dans la Septante, de l'expression évangélique : « donner son âme en rançon ». Malheureusement, la littéralité hébraïque a un excellent correspondant en grec : *tithèmi tèn psychèn*, bien attesté dans l'évangile de Jean pour dire la même chose que

Marc et Matthieu notent ici avec le Verbe *didômi*[34] (cf. Jn 10,11.15.17.18 ; 13,38 ; 15,13 ; 1 Jn 3,16). Ce verbe renvoie à un hébreu *nātan* (= aram. *yᵉhab / nᵉtan*), ce qui écarte l'hypothèse d'un décalque d'Is 53,10. En effet, on cherche en vain dans la concordance un endroit où *śîm* serait rendu par *didonai*. Enfin, la correspondance entre *lytron* et l'hébreu *'āšām* est une pure conjecture. Le mot *lytron*, rare dans la Septante, renvoie généralement à des dérivés de *gā'al* ou de *pādâh*, sauf dans Is 45,13 où il est dit que Cyrus renverra les déportés d'Israël « sans rançon ni présents » (*ou méta lytrôn oudé méta dôrôn*). J'ai noté plus haut[35] que le thème de la rédemption (*lytrousthai, lytrôsis, lytron*) pouvait effectivement provenir du IIᵉ Isaïe, contexte littéraire du dernier Poème du Serviteur ; mais il ne figure pas dans celui-ci, et *'āšām* n'est jamais rendu par *lytron*.

Il ne reste donc que la formule finale *anti pollôn*. La mention de la multitude figure effectivement de façon répétée dans Is 53,11-12 ; mais cette fois, c'est la préposition *anti* qui fait difficulté : elle est étroitement corrélative à l'emploi du mot *lytron* (une rançon « en échange de... »), et l'idée correspondante est absente de ce texte. On doit d'ailleurs constater que, parmi les formulaires de la rédemption, l'expression de notre *logion* est unique en son genre (avec *anti*) dans le Nouveau Testament (ou trouve ailleurs *dia, péri* ou *hyper*). Le formulaire le plus proche serait, dans la Bible hébraïque, celui d'Is 43,3 : « J'ai donné pour ta rançon (*kofᵉkā*) l'Égypte, Koush et Sébâ en échange de toi (*taḥtèykā*). » Mais le grec emploie en cet endroit le mot *allagma* et la particule *hyper*. Ainsi l'enquête revient au point mort. On peut tout au plus admettre un parallélisme de pensée qui souligne l'originalité du *logion*. Son parallèle le plus proche serait le texte, déjà mentionné, de 1 Tm 2,6 : Le Christ « s'est donné en rançon

---

4. L'expression avec *doûnai* est un *hap. leg.* dans le Nouveau Testament. Dans 1 Th 2,8, avec *métadoûnai*, elle a un tout autre sens. Avec *nātan* ou son équivalent grec, elle est très rare dans l'Ancien Testament. Dans Jg 9,17, « exposer sa vie » recourt au verbe *šālak*. Sir 29,15 emploie l'expression dans un sens affaibli proche de 1 Th 2,8. La référence la plus claire est celle de 1 M 2,50 : « Donnez vos vies (*dote tas psychas hymôn*) pour l'alliance de nos pères. » Mais dans 2 M 7,37, on a le verbe *prodidômi*, et dans 2 M 14,38, le verbe *paraballô*. Cf. *supra*, p. 146, à propos de Ga 1,4 et 2,20.

35. *Supra*, p. 146s.

(*antilytron*) pour (*hyper*) tous. » Mais peut-être l'auteur de la lettre connaissait-il le *logion*, dont il combinait un mot (*lytron ... anti*) avec la formulation plus habituelle de la rédemption (*doûnai ... hyper*). Le contact au plan des idées avec Is 53 ne suffit pas pour assurer une dépendance littéraire.

b) *La parole de Jésus sur le vin.* — J'ai déjà signalé [36], à propos du récit de la Cène conservé par saint Paul, la dépendance probable des paroles de Jésus sur le pain et le vin par rapport à Is 53. Ce problème peut être repris au sujet de la parole sur la coupe, qui s'amplifie de Marc à Matthieu [37]. Marc porte : «Ceci est mon sang, (celui) de l'alliance, qui est répandu pour beaucoup» (Mc 14,24). Matthieu ajoute : «*Buvez-en tous, car* ceci est mon sang, (celui) de l'alliance, qui est répandu pour beaucoup *en rémission des péchés*» (Mt 26,27-28). L'allusion à Ex 24,8 («le sang de l'alliance», comme dans He 9,20) donne un sens sacrificiel à la mort de Jésus dans la perspective de l'alliance à renouer, sans allusion explicite à Jr 31,31-34 (à la différence de Paul et de Luc qui parlent de la nouvelle alliance). Mais l'expression «pour beaucoup» (*hyper pollôn*) peut effectivement renvoyer à Is 53,12, dans l'hébreu ou dans le grec, surtout si l'on songe aux parallèles des lettres pauliniennes qui font plus clairement allusion à ce texte [38]. Le contact assez ténu de Marc a si bien été saisi par Matthieu qu'il le corse en ajoutant : «...en rémission des péchés» (*eis aphésin hamartiôn*). Bien que l'expression ne figure pas telle quelle dans Is 53, l'idée est sous-jacente à plusieurs passages, qu'elle résume en quelque sorte (cf. vv. 4-5,11-12). Il est vrai que, dans Is 53, il est question de la mort et ici, du sang. Mais l'allusion à la mort sanglante est claire.

Faut-il attribuer aux évangélistes cette interprétation de la mort de Jésus à partir d'Is 53 ? Le contexte dans lequel la parole est conservée s'y oppose. En effet, il s'agit du récit qui fonde la répétition du «repas du Seigneur» dans l'Église chrétienne, en tant que repas à la table du Christ ressuscité (du Seigneur !), mais à l'aide des gestes mêmes qu'il a accomplis

---

36. *Supra*, p. 144s.
37. Voir l'enquête de J. JEREMIAS, *La dernière Cène : Les paroles de Jésus*, pp. 199-205 et 209-215.
38. *Supra*, pp. 141-143 et 146-150.

dans son dernier repas et des paroles qui ont alors explicité le sens de la mort qu'il allait affronter. Un tel *Sitz im Leben* est éminemment conservateur. Les variantes entre les récits montrent que la littéralité des paroles de Jésus nous échappe à jamais : nous n'en avons que des résumés variés, substantiellement authentiques [39]. Mais s'il est vrai que les paroles ainsi répétées contiennent une allusion à Is 53 pour donner un sens à la mort de Jésus, tout porte à croire que la tradition a conservé là un souvenir originaire qui montre le texte présent à la pensée de Jésus. Ce point doit être retenu.

c) *Les annonces de la Passion.* — Les trois annonces de la Passion au cours de la vie publique de Jésus se retrouvent chez les trois évangélistes synoptiques, dans le même ordre et le même contexte général. Il est probable que Matthieu et Luc dépendent de Marc sur ce point, tout en introduisant dans le texte des variantes de détail (cf. Mc 8,31 ; 9,31 et 10,34-35, avec les par.). Il est inutile d'y chercher une mémorisation littérale des paroles de Jésus. En toute hypothèse, ce ne seraient que des résumés de discours. Comme ils ont été mis en forme après coup, il est normal qu'ils portent la marque des événements arrivés entre temps. De fait, la troisième annonce donne un condensé du récit de la Passion lui-même, en notant ses principales étapes. Plusieurs détails sont à relever dans le cadre de la présente enquête. Tout d'abord, l'emploi insistant du verbe « livrer » (Mc 9,31, et par. ; 10,33 et par.) rappelle ce qui a été dit plus haut sur la réminiscence possible d'Is 53 dans le choix de ce verbe [40]. Ensuite, les éléments retenus dans le condensé du récit évangélique que constitue la troisième annonce ne parlent pas seulement de la condamnation à mort mais aussi des supplices qui la précèdent : « ... ils le bafoueront (*empaizousin autôi*), cracheront sur lui (*emptysousin autôi*), le flagelleront (*mastigôsousin auton*), le mettront à mort, et après trois jours il ressuscitera » (Mc 10,34). Luc ajoute à cette énumération des supplices l'évocation du Christ aux outrages

---

39. Au terme de sa longue étude sur les récits parallèles de la Cène et les paroles qu'ils conservent, J. JEREMIAS, *op. cit.*, p. 240, conclut à bon droit : « le noyau commun des récits de la Cène nous a conservé un souvenir valable pour l'essentiel de ce que Jésus a dit à la Cène. » Conclusion nuancée après les recherches minutieuses sur l'*Ipsissima vox* de Jésus.

40. *Supra*, pp. 144.

(*hybristhèsetai*) (Lc 18,32). On trouverait aisément des parallèles pour chaque verbe dans les récits de la Passion. Il n'y a pas
lieu d'imputer ce fait à une apologétique à courte vue qui aurait
eu pour but d'écrire une prophétie *ex eventu*, pour montrer que
Jésus « avait tout prédit » : la tradition des annonces, dont la
triple répétition montre l'importance, a pour objet de montrer
Jésus affrontant lucidement et résolument une situation dont il
prévoit l'issue fatale. La foi de ses disciples au moment de
l'épreuve où « Satan les passera au crible » (Lc 22,31) constitue
pour lui une préoccupation majeure : il faut qu'ils se préparent
comme lui à faire face à cette nécessité (*dei* : Mc 8,31 ;
Lc 9,22 ; 17,25). Mais il est normal que la formulation *post
eventum* de ses paroles commande le choix des détails qui y
figurent. Je laisse de côté le problème particulier de la
résurrection « après trois jours » (Marc) ou « au troisième jour »
(Matthieu-Luc) : il ne concerne pas le problème examiné ici [41].

Or, ces détails rappellent, à s'y méprendre, ceux qu'on
trouve dans la présentation du Serviteur persécuté (Is 50,6).
Malgré les divergences entre le texte hébreu et la Septante, on
y relève les coups (gr. *mastigas* ; ici *mastigôsousin*), les
outrages (hébr. k^e*limmôt* ; gr. *aischynè*, avec un sens affaibli ;
ici *empaizousin* et *hybristhèsétai*, ce qui est plus fort), les
crachats (ici *emptyousin* ; gr. *emptysmatôn*), les soufflets
(*rapismata*, gr. seul, repris dans les récits de la Passion :
Mc 14,65 et Mt 26,67). On peut donc légitimement se
demander si les détails insérés dans les annonces de la Passion,
d'une part, et les traits sélectionnés dans les récits correspondants, d'autre part, n'ont pas été retenus sous la pression du
texte d'Is 50,6 (grec ou hébreu), parce que celui-ci avait trouvé
son accomplissement dans la destinée historique de Jésus. La
question posée à propos de 1 P 2,23 [42] trouve ainsi une solution
positive : de même que le Psaume 22 a été « vécu » par Jésus
en croix, qui en a fait sa dernière prière, de même Is 50,4-11 a

---

41. Il n'y a pas lieu non plus de faire de cette annonce de la résurrection
une simple *prophétie ex eventu* : c'est simplement l'expression de l'espérance
de Jésus qui recourt à la chronologie symbolique du troisième jour, en
attendant que l'expérience pascale des disciples donne à l'expression un
contenu chronologique (cf. « La résurrection de Jésus et son arrière-plan
biblique et juif », dans *La résurrection du Christ et l'exégèse moderne*, coll.
« Lectio Divina » 50, Paris 1969, pp. 46-49.

42. *Supra*, p. 157.

été « vécu » par lui dans les heures qui précèdent la croix, en attendant qu'Is 52,13 — 53,12 reçoive son plein sens par sa mort et sa glorification.

Même si l'on ne cherche pas dans les annonces de la Passion ses *Ipsissima verba*, il n'est donc pas interdit de penser que le pressentiment de ses souffrances l'ait amené à laisser chanter dans sa mémoire ces textes qui, comme les Psaumes de souffrance, correspondaient si bien à la destinée qui l'attendait. C'est du moins ce que les évangélistes ont laissé entendre en y puisant les termes dont ils ont émaillé le rappel des paroles de Jésus puis le récit de ses dernières heures. La relecture des textes dans la lumière de la résurrection avait achevé de les éclairer pour eux. Mais leur attention n'avait-elle pas déjà été éveillée par les allusions que Jésus y avait faites de son vivant ?

2. *La théologie de Matthieu*

Les réminiscences d'Is 50 et 53 qui viennent d'être relevées dans la tradition des logia de Jésus peuvent refléter la relecture chrétienne de ces textes, même si elles ont des racines dans les paroles primitives de Jésus. Mais la réflexion théologique sur sa Passion et sur son ministère a entraîné d'autres références aux Poèmes du Serviteur. Matthieu en introduit deux dans les *Testimonia* dont il parsème son livret[43] pour montrer que les faits et gestes de Jésus ont « accompli les Écritures ».

a) *La citation de Mt 8,17.* — Après un tableau général des guérisons opérées par Jésus, l'évangéliste conclut : « ... afin que s'accomplît ce qui a été dit par le prophète Isaïe : " Il a pris nos infirmités et portés nos maladies" " (Is 53,4a) » (8,17). Deux remarques s'imposent au sujet de cette citation. Tout d'abord, elle n'est pas faite d'après la Septante, qui avait complètement modifié le texte hébreu pour énoncer plus explicitement le caractère « vicarial » de la souffrance du Serviteur, personnification des justes : il souffre à cause des hommes dont il porte les péchés. La traduction est donc refaite

---

43. L. VAGANAY, *Le problème synoptique*, Tournai-Paris 1954, pp. 237-240, a étudié cette liste de dix *Testimonia*. Il remarque que les dix citations, qui « ont un cachet spécial, sont toujours faites amplement sinon entièrement d'après l'hébreu » (p. 240). Mais faut-il en conclure que l'auteur du dossier est différent de l'évangéliste lui-même ? A mon avis, celui-ci a pu réunir son propre dossier avant de l'introduire dans la composition finale de son livret.

à partir de l'hébreu. Sous ce rapport, elle est même aussi littérale que celle [44] qui est attribuée à Symmaque par Eusèbe de Césarée et Procope de Gaza, à Aquila par le Ms.88 : « Véritablement (*ontôs*, traduction littérale de *'āken* ; le Ms.88 lit : *autos* comme ici Matthieu), c'est nos maladies qu'il a prises sur lui (*anélaben* ; Mt lit *élaben*, plus éloigné de *nāśā'*) et nos peines (le Ms.88 porte *polémous* au lieu de *ponous*) qu'il a endurées (*hypémeinen* ; Mt traduit mieux *ébastasen*, pour l'hébr. *sābal*). » Les mots hébraïques *ḥºlî* et *mak'ôb* sont aussi bien rendus par le couple *asthénéias* et *nosous* (Matthieu) que par *nosous* et *ponous* (Sym. ou Aq.). Il est dommage que Théodotion manque pour ce début du verset. Une légère divergence sépare Matthieu de l'hébreu : le mot *autos*, qu'il place en tête, correspond en hébreu à la redondance du sujet *hû'* en hébreu, placé juste avant le verbe. Toutefois l'évangéliste choisit les mots de sa traduction pour les adapter au contexte dans lequel il place la citation d'Isaïe : *élaben* étire le sens de *nāśā'* et *nosous*, celui de *mak'ôb* (plutôt « souffrance » ou « douleur »). On peut supposer que, dans un milieu judéo-chrétien de langue araméenne ou hébraïque, la citation textuelle subissait la même dérive grâce au jeu possible sur le sens des mots. Mais ici, la traduction fixe ce sens en fonction des miracles de Jésus, dont la conformité aux Écritures doit être montrée. Ce n'est pas le seul cas où l'on relève un fait de ce genre dans le Nouveau Testament.

En effet — c'est la seconde remarque — le stique est arraché à son contexte primitif et détaché du sens qu'il avait là. Dans le texte hébreu, les maladies et douleurs physiques des spectateurs qui réfléchissaient sur la souffrance du Serviteur, étaient en cause, soit d'une façon métaphorique, soit plutôt pour désigner les châtiments qui les avaient atteints en tant que pécheurs et que le Serviteur avait pris sur lui. Au contraire, dans le texte évangélique, la citation est appliquée, d'une façon littérale, aux maux physiques des hommes que Jésus prend en charge pour les guérir, non pour les subir. Il s'agit donc d'une accommodation littéraire pure et simple. Mais celle-ci suppose l'interprétation christologique de tout le Poème : elle joue habilement sur les moindres détails de son texte pour les faire parler, quitte à

---

44. Voir les textes dans le second registre de critique textuelle donné par J. ZIEGLER, *Isaias*, pp. 276-277.

leur imposer un sens qu'ils n'avaient pas primitivement. L'opération nous renseigne sur les habitudes culturelles de l'interprète, très proches de celles des rabbins dont les Midrashîm présentent plus d'une fois des subtilités semblables. Elle est « créatrice de sens », dans la mesure où les mots du texte « objectif » peuvent effectivement devenir les supports de la signification qui y est projetée. (Les psychanalystes lacaniens et les techniciens de l'analyse structurale pourraient-ils s'en plaindre ?) Mais on est aux frontières de l'herméneutique, exactement comme on l'était lorsque la Septante recréait le texte hébreu d'Isaïe.

b) *La citation de Mt 12,17-21.* — Le second *Testimonium* est compris d'une façon beaucoup plus proche de son sens littéral. Il s'agit du discours prophétique qui présente le Serviteur dans Is 42,1-4. Matthieu l'introduit au milieu d'une section narrative (Mt 11,1 — 12,50) dont le contenu est fort peu unifié. La résonance du texte cité correspond même très mal à celle de la majorité des péricopes qui y figurent : le jugement sévère de Jésus sur sa génération (11,16-19), l'invective contre les villes du lac (11,20-24), l'épisode des épis arrachés (12,1-8), la querelle de Jésus et des pharisiens qui attribuent ses miracles au Prince des démons (12,23-37, suite en 12,43-45), l'épisode du signe de Jonas qui se termine par le jugement sévère de Jésus sur « cette génération » (12,38-42). Même la guérison de l'homme à la main desséchée a pour conclusion le complot des pharisiens qui tiennent conseil pour perdre Jésus (12,9-14). Entre ce dernier épisode et la citation d'Isaïe, Matthieu a seulement introduit une notice très générale qui n'a qu'un rapport vague avec ce texte : « Jésus, sachant (cela), s'en alla de là, et beaucoup le suivirent, et il les guérit tous, et il leur enjoignit de ne pas le faire connaître publiquement » (12,15-16). Les commentateurs expliquent comme ils peuvent la présence de la citation en cet endroit. Jésus accomplit-il l'oracle « par la discrétion dont il entoure son activité bienfaisante » ? La raison mise en avant [45] est aussi subtile que les exégèses rabbiniques les plus raffinées. Peut-être faut-il songer à la proximité du « logion johannique » conservé à peu de distance (11,25-27) et suivi, chez Matthieu, par un

---

45. Voir *Bible de Jérusalem*, nouvelle édition (1973), p. 1431, note *f*.

second logion qui insiste sur l'enseignement de Jésus «doux et humble de cœur» (11,28-30). Cette fois, la tonalité du texte est en harmonie avec celle de la citation, et l'on raccorderait sans peine Mt 12,17-21 à Mt 11,25-30. Effectivement, les deux épisodes intercalaires (Mt 12,1-8 et 12,9-14) ont été arrachés par Matthieu au contexte où Marc les place (la section des cinq conflits rapportés dans Mc 2,1 — 3,6) et Luc après lui (Lc 5,17 — 6,11). On en vient à se demander pourquoi Matthieu a fait ce déplacement, mais il faut accepter qu'il l'ait fait en fonction de sa logique propre.

Toujours est-il qu'il avait en main une liste des *Testimonia* dont il devait parsemer son livret. Il a dû trouver un endroit pour placer Is 42,1-4 de telle façon que ce texte évoque, d'une façon très large, l'activité ministérielle de Jésus. Peut-être ne faut-il pas chercher d'autre raison profonde à sa «mise en situation». Comme dans le cas précédent, il ne s'appuie pas sur la Septante. Celle-ci ne correspondrait d'ailleurs pas à son propos, puisqu'elle propose une interprétation collective de la figure du Serviteur. Les autres versions grecques d'origine juive, conservées dans des fragments d'origine hexaplaire ou dans des citations, reviennent à l'interprétation individuelle pour ce Poème [46], mais la traduction de Matthieu ne coïncide avec aucune d'entre elles. Il est probable qu'il utilise une traduction particulière où la littéralité de l'hébreu est adaptée au sens que l'évangéliste veut lui superposer. Son texte se présente ainsi [47] :

> [1] Voici mon Serviteur que *j'ai choisi*, mon *Bien-aimé* en qui mon âme s'est complue.
> Je *mettrai* mon Esprit sur lui, *et il présentera* le Jugement aux nations.
> [2] Il ne *disputera* pas et ne *criera* pas; *nul* n'entendra sa voix sur *les* place*s*.

---

46. On notera qu'Aquila et Symmaque emploient le mot *doulos* en 42,1, alors que la Septante et Théodotion gardent *pais*, comme dans la citation de Matthieu. On peut s'interroger sur leur identification du Serviteur individuel. S'agirait-il du Messie davidique qui établira la Tôrah sur la terre? Ce sera l'interprétation du Targoum.

47. Je souligne les mots qui présentent une modification substantielle de sens par rapport à l'hébreu. Dans le v. 3, la différence ne porte que sur des nuances pour rendre la signification des verbes.

> [3] Il ne cassera pas le roseau froissé, n'éteindra pas la mèche fumeuse, (3^c-4^a)...
> [4b] jusqu'à ce qu'il *ait conduit* le Jugement *à la victoire*, et *les nations* espéreront *en son nom*.

La finale montre que l'évangéliste connaît le texte de la Septante, puisqu'il a conservé la modification que le traducteur grec avait introduite en Is 42,4c : « les nations espéreront » (*ethnè elpiousin*), à la place des « îles » chères au Second Isaïe. Mais la substitution de « son nom » (*tôi onomati autou*) à « sa loi » (*épi tôi nomôi autou*) préludait déjà à sa christologie. En outre, il modifie à sa manière le texte de 42,4b, sans aucun appui dans l'hébreu. Il omet deux stiques dans sa citation (vv. 3c et 4a) : « Il exposera le Droit fidèlement, ne faiblira pas et ne fléchira pas. » Le v. 3c répétait le v. 1d, et les deux verbes du v. 4a seraient mal à leur place après leur emploi dans le v. 3ab (« froisser » et « fumer » dans le grec de Matthieu). Le v. 2 ne change pas de sens général, mais sa littéralité est rendue de façon assez libre, à l'aide de mots et de tournures qui conviennent au cas de Jésus. Dans les vv. 1d et 4d, le mot *krisis* reçoit le même sens hébraïsant (Jugement = Droit) que dans la Septante : il n'y a pas lieu de songer à l'annonce du Jugement de Dieu, mais à la promulgation du Droit divin, règle religieuse qui régit les rapports entre les hommes et Dieu. De ce point de vue, la vieille version grecque des vv. 2d et 4c répondait par avance au dessein de l'évangéliste, puisqu'elle insistait sur l'universalisme de l'annonce du Droit : Jésus-Serviteur donnera aussi pour règle aux disciples d'annoncer la Bonne nouvelle aux nations, suivant le récit de leur envoi après la résurrection (Mt 28,19).

En changeant le temps du verbe dans le v. 1c, Mathieu se démarque de l'hébreu et de la Septante. Comme il attribue l'oracle à Isaïe, il place dans l'avenir le don de l'Esprit au Serviteur. Il rend d'ailleurs librement le verbe hébraïque *nātan* par le grec *tithèmi*. Il songe en effet à la scène du baptême de Jésus, qui donnera un contenu concret à cette promesse : « je mettrai mon Esprit sur lui » (cf. Mt 3,16-17). C'est si vrai qu'il modifie en conséquence le texte du v. 1ab afin d'y introduire la formule qu'on trouve dans ce récit : « Voici mon Fils *bien-aimé*, en qui *je me suis complu* » (3,17b). Non seulement il écarte ainsi en cet endroit le principe de l'interprétation collective que la Septante y avait introduit (« Jacob mon serviteur,… Israël mon élu…) ; mais il s'astreint à tout recomposer en supprimant un mot hébreu (« … je le soutiens ») et en remplaçant le titre d'Élu (*éklektos*) par un verbe de sens approchant (*hon éirètisa*, « que j'ai choisi » ou « préféré »). La mention du Bien-aimé (*ho agapètos mou*) a une portée tout à fait particulière. C'est le seul endroit où ce mot est appliqué à Jésus dans le Nouveau Testament sans être accompagné du mot « fils » (*ho hyios mou*) ; dans ce groupement, il ne revient qu'à propos du baptême (Mc 1,11 ; Mt 3,17 ; Lc 3,22), de la Transfiguration (Mc 9,7 ; Mt 17,5 ; Lc 9,35, où les meilleurs manuscrits portent « élu » ; 2 P 1,17, qui dépend probablement de la tradition matthéenne), de la parabole des Vignerons homicides (Mc 12,6 ; Lc 20,13, retouche probable qu'ignore Matthieu). Il est clair que l'évangéliste modifie ici Isaïe dans un sens christologique. Le *Testimonium* allégué par lui n'a donc pas pour but de prouver que Jésus est bien le Serviteur annoncé dans le livre d'Isaïe. Mais, puisque Jésus est déjà reconnu comme le Serviteur d'Isaïe, Matthieu projette sur lui l'oracle d'Is 42,1-4 et en adapte la littéralité au mystère du Christ qu'il veut dévoiler à ses lecteurs.

On peut présumer sans crainte d'erreur que l'interprétation christologique d'Is 52,13 — 53,12 a précédé cette application du premier Poème du Serviteur à Jésus. Matthieu innove en le reliant à celui qui présente le Serviteur souffrant. Mais il revient pour cela, par-dessus la version grecque, au texte hébreu qu'on lit à la synagogue dans les pays où on ne parle pas le grec (Palestine ou Syrie). Il écarte du même coup l'interprétation collective du texte : au sein d'Israël, Serviteur et Élu, Jésus est le seul que Dieu ait choisi pour en faire son Bien-aimé. En complétant par ce moyen les données littérales du texte hébreu, Matthieu explicite son sens « plénier » d'une façon totalement imprévisible. Cette herméneutique nouvelle est une façon originale d'exposer la théologie chrétienne à l'aide d'expressions prises dans les Écritures et corsées par des données évangéliques. Est-ce le texte qui dévoile la personne de Jésus, ou la personne de Jésus qui dévoile le sens du texte et sa visée profonde en l'« accomplissant » ? Les deux choses sont également vraies, car la foi de l'interprète fait circuler sa pensée dans les deux sens. Les libertés qu'il prend avec le texte ne sont pas supérieures à celles qu'autorisait la culture juive du temps. Mais il faut remarquer que Matthieu inaugure ainsi une méthode d'exposition doctrinale qui sera celle des Pères de l'Église : toute l'Écriture témoigne de Jésus-Christ, Fils Bien-aimé et Serviteur de Dieu.

IV. L'oeuvre de Luc

Les deux livres de Luc ne doivent pas être séparés, pour savoir quel rôle les Poèmes du Serviteur y jouent et comment Luc les interprète. Il faut toutefois les traiter séparément en notant, dans l'évangile, les indices qui peuvent renvoyer à Jésus lui-même. Les Actes doivent être examinés en premier lieu, parce qu'ils touchent à l'interprétation post-pascale des Poèmes dont on a déjà rencontré des exemples chez saint Paul, dans l'épître aux Hébreux et dans la *I^a Petri*.

1. *Les données des Actes des apôtres*

Le dossier des Actes est assez abondant. Il renferme plusieurs allusions significatives à Is 52,13 — 53,12 et une exégèse explicite de ce texte, plus une adaptation originale d'Is 42,1-7 qui présente un parallélisme remarquable avec la réflexion de saint Paul sur sa propre vocation.

a) *Jésus, Serviteur souffrant*. — Tous les passages relatifs à Is 52,13 — 53,12 se trouvent dans les discours [48] où Luc

---

48. La bibliographie des discours des Actes est abondante. Pour la bibliographie établie à la date de 1950, on peut se référer à J. Dupont, *Études sur les Actes des apôtres*, Paris 1967, pp. 43-50. L'ouvrage de U. Wilckens., *Die Missionsreden der Apostelgeschichte. Form- und traditionsgeschichtliche Untersuchungen*, Neukirchen 1961, fait l'objet d'un compte rendu critique du même auteur (*op. cit.*, pp. 133-155). Bibliographie plus récente sur l'interprétation de l'Ancien Testament dans les Actes : F. Bovon, *Luc le théologien*, Neuchâtel-Paris 1978, pp. 84-88. Études plus poussée des citations bibliques : J. Dupont, « L'utilisation apologétique de l'Ancien Testament dans les discours des Actes» (1953), dans *Études sur le livre des Actes*, pp. 245-282 (voir pp. 258-262, les textes d'Isaïe); «Les discours de Pierre dans les Actes et le chapitre 24 de l'évangile de Luc», dans *L'évangile de Luc : Problèmes littéraires et théologiques* (Mémorial L. Cerfaux), Gembloux 1973, pp. 329-374. P.S. White, *Prophétie et prédication : Une étude herméneutique des citations de l'Ancien Testament dans les sermons des Actes*, Lille 1973. Je laisse de côté les études consacrées aux discours où ne figure aucune citation des Poèmes du Serviteur.

donne une certaine idée de la première prédication chrétienne adressée à des hommes — Juifs ou prosélytes — qui connaissent les Écritures et leur interprétation courante dans le Judaïsme du temps.

Dans le discours de Pierre après la guérison du boiteux du Temple (Ac 3,12-26), on relève trois expressions empruntées au Poème du Serviteur souffrant :

> «...le Dieu de vos pères a glorifié son Serviteur (*paida*) Jésus (cf. Is 52,13 LXX) que, de votre côté, vous aviez livré (cf. Is 53,12) et renié devant Pilate, alors que celui-ci décidait de le relâcher; mais vous, vous avez renié le Saint et le Juste (cf. Is 53,11c) et vous avez réclamé qu'on vous accorde la grâce d'un assassin» (Ac 3,13-14).

L'allusion explicite à la *glorification* du Serviteur [49] renvoie certainement à la version grecque d'Is 52,13, puisque ce verbe ne figure pas dans le texte hébraïque. Cette référence assure la réalité des deux allusions plus ténues qui suivent. Celle qui est derrière le verbe « livrer » a déjà été rencontrée chez saint Paul [50], qui reprenait lui-même des formulaires de foi reçus par tradition. Celle qui fonde la désignation de Jésus comme « le Juste » a été repérée à partir de l'hymne christologique de la *I^a Petri* [51]. En rassemblant ces trois allusions dans le même discours kérygmatique, Luc permet de saisir sur le vif l'origine biblique de deux titres christologiques importants : le Serviteur et le Juste.

Dans la prière de la communauté réunie après la délivrance de Pierre et de Jean, qui ont comparu devant le Sanhédrin (Ac 4,24-30), on trouve un midrash du Psaume 2,1-2, qui est explicitement cité [52]. L'application du texte aux événements récents de l'histoire de Jésus présente une affinité certaine avec les *Pesharîm* qumrâniens, car elle rapproche chaque mot du texte d'un détail des événements sans trop se soucier du

---

49. Sur l'emploi de *pais* dans ce texte et le suivant, cf. E. HAENCHEN, *Die Apostelgeschichte* (KEK), pp. 169 s.

50. Cf. *supra*, p. 144.

51. *Supra*, p. 155.

52. Outre les commentaires du passage, voir J. DUPONT, *op. cit.*, pp. 297-299. Sur les *Pescharîm* de Qumrân, voir la bibliographie indiquée plus haut, chap. 3, note 23 (p. 127).

contexte où il figurait primitivement. Mais au-delà de cette technique de lecture, qui est un élément caractéristique de la culture du temps, l'interprétation repose fondamentalement sur la reconnaissance de Jésus comme Messie d'Israël (cf. le mot *christos* qui figure dans le Psaume et est cité dans le v. 26). Or, il est dit dans ce commentaire que « Hérode et Pilate se sont ligués, en vérité, avec les nations et les peuples d'Israël contre ton saint Serviteur (*paida*) Jésus, que tu as oint » (4,27). Le qualificatif de « saint » (*hagion*) reprend le texte d'Ac 3,14 ; mais le titre de Serviteur est emprunté à Is 53,12, seul Poème où le Serviteur soit présenté comme souffrant. En outre, une liaison implicite est effectuée, par l'allusion à l'onction, entre ce texte et un autre *Testimonium* tiré du même livre d'Isaïe (Is 61,1-3, cité dans Lc 4,17-19) pour inaugurer le ministère de Jésus en lui conférant un style plus prophétique que messianique (au sens royal de ce mot). Luc atteste ainsi que, pour la foi chrétienne, trois lignes de pensée différentes se recoupent dans la personne de Jésus : celle du messianisme royal qui détermine son titre de Christ (Ps 2), celle du ministère prophétique consacré par l'onction de l'Esprit (Is 61,1-3, interprété indépendamment de son contexte primitif[53]), celle du Serviteur souffrant (Is 52,13 — 53,12). Mais sur ces trois points, la lecture juive des textes allégués est révisée dans un sens original par la lecture chrétienne.

Le texte d'Ac 8,30-35 est plus intéressant encore, parce qu'il

---

53. Dans son contexte primitif, le texte d'Is 61,1-3 conserve un discours du grand-prêtre qui a reçu l'Esprit de Dieu lors de son onction consécratoire et qui proclame une « année de grâce » conçue sur le modèle de l'année sabbatique ou jubilaire. Je partage sur ce point les vues de H. CAZELLES, *Le Messie de la Bible*, Tournai-Paris 1978, pp. 156-157 (cf. ma note dans : « Soixante-dix semaines d'années », *Biblica* 50 [1969], p. 178, n. 2). Je me demande toutefois si la proclamation en question fut faite à l'occasion d'une année sabbatique ou jubilaire rattachée à un cycle régulier : on pourrait alors en calculer la date en se rappelant que 587 était une année sabbatique (cf. Jr 34,8-22) ; ou bien si elle prit place au moment du sacre d'un nouveau grand-prêtre (cf. Nb 35,25.28). Si l'on se réfère à Za 3,1-8, la vêture du grand-prêtre Josué semble postérieure à février 519, et Za 4,13-14 paraît annoncer le double sacre de Josué et de Zorobabel. Mais cette lecture « historique » d'Is 61,1-9 et 10-11 a été perdue de vue au cours des relectures qui, par la suite, rattachèrent l'ensemble du livre au prophète du VIIIᵉ siècle. C'est alors seulement que le texte prit l'allure d'un discours annonçant le messianisme « prophétique ». Le Nouveau Testament part de cette relecture pour appliquer le texte à la prédication de Jésus.

montre sur le vif le passage de la lecture juive à la lecture chrétienne à propos d'une citation explicite d'Is 53,7-8, cité d'après la Septante. Le recours à cette version, dont j'ai montré plus haut la valeur propre comme réinterprétation du texte primitif, est tout à fait à sa place dans une scène où figurent l'eunuque de la reine d'Éthiopie, prosélyte hellénophone, et Philippe, un des chefs préposés à la direction des chrétiens hellénistes. L'eunuque et Philippe lisent le texte de la Septante comme Parole de Dieu. Toute prétention à le juger en fonction du texte hébraïque dont il rendrait le sens d'une façon plus ou moins fidèle, serait donc hors de propos. Les critiques qui en seraient tentés pour exercer leur judicature en matière d'exégèse, montreraient qu'ils ignorent les problèmes spécifiques de l'herméneutique dont ils explorent un secteur limité. L'eunuque lit un passage d'Isaïe devant lequel plus d'un esprit juif a dû buter : «Comme une brebis il a été mené à la tuerie ; et comme un agneau devant son tondeur, ainsi il n'ouvre pas la bouche. Dans l'humiliation son jugement a été enlevé : qui racontera sa génération ? Car sa vie est enlevée de la terre» (Is 53,7b-8c). Tel quel, le texte soulève un problème important. Bien que l'interprétation collective du Poème soit à l'arrière-plan de sa traduction, la dissociation des stiques qui le composent laisse assez de flou autour de la figure du Serviteur pour qu'on puisse hésiter sur son identité dans certains passages : s'agit-il d'Israël considéré en bloc, ou du reste des justes, ou du Juste par excellence dont il est question en Is 53,11 ? Une interprétation individuelle des versets cités ici ne serait pas en contradiction avec la lettre du texte grec. Il y a là un point de départ normal pour la question naïve de l'eunuque : «De qui le prophète parle-t-il : de lui-même ou d'un autre ?» (8,34). La Septante, on l'a vu [54], attribuait au prophète, ou à la corporation dont il était le représentant typique, le texte autobiographique d'Is 50,4-9. Serait-ce aussi le cas ici ? Le contexte montre pourtant clairement que le prophète parle d'un autre, à la 3e personne. Mais *quel* autre, s'il s'agit d'un individu ? La suite pourrait indiquer qu'il s'agit du Juste par excellence (cf. 53,11) : qui donc est ce Juste ? La question de Philippe à l'eunuque est pertinente : «Comprends-tu ce que tu lis ?» Et lui : «Comment le pourrais-je si personne ne

---

54. Cf. *supra*, pp. 95-97.

me guide ?» (8,30*b*-31*a*). Il y a là un point de départ excellent pour que Philippe puisse parler comme il le fait : «Commençant par cette Écriture, il lui annonça la Bonne Nouvelle (*euaggélisato*) de Jésus» (8,35). Est-ce de l'apologétique ? Il n'y a ni défense de la foi chrétienne contre une attaque juive qui la mettrait en question, ni démonstration fondée sur la correspondance entre ce qui était prédit et ce qui est arrivé. Il y a une annonce de ce qui est advenu en tant que «Bonne nouvelle», la mort de Jésus, et une herméneutique du passage d'Isaïe qui mettait le salut des pécheurs en rapport avec la souffrance du Juste. «Christ est mort pour nos péchés, conformément aux Écritures» (1 Co 15,3) : la vieille tradition[55] citée par saint Paul comme «Évangile» (15,1) n'était pas autre chose qu'un résumé de la Passion, en référence à Is 53. Philippe fait la même opération, mais en partant du texte pour «évangéliser» le prosélyte en lui annonçant Jésus, Serviteur souffrant.

b) *L'interprétation d'Is 42,1-7.* — Il arrive que Luc fasse un usage plus libre des Poèmes du Serviteur, en reprenant leurs expressions d'une façon proche des simples réminiscences littéraires. On a vu plus haut[56] que, dans Ga 1,15, Paul évoquait sa vocation en s'inspirant d'Is 49,1, texte proche de Jr 1,5. Or, Luc introduit aussi dans son livre trois récits de la vocation de Paul[57] (Ac 9,1-18 ; 22,5-16 ; 29,9-18). Dans le troisième, où Paul raconte lui-même l'événement au cours de sa comparution devant le roi Agrippa II, il explique comment le Christ en gloire s'était adressé à lui en disant :

> «C'est pour ceci que je t'ai apparu : pour t'établir comme serviteur (*hypèrétès*) et témoin de ce que tu as vu de moi et de ce que je t'en ferai voir encore, en te délivrant du peuple et des nations (païennes) vers lequelles je t'envoie (cf. Jr 1,5-8) pour ouvrir leurs yeux, afin qu'elles se tournent des ténèbres vers la lumière et du pouvoir de Satan vers Dieu, afin qu'elles reçoivent la rémission des péchés et l'héritage avec les sanctifiés grâce à la foi en moi» (26,16-18).

---

55. *Supra*, pp. 141-144.

56. *Supra*, pp. 150.

57. Outre les commentaires des Actes, on peut se référer au livre de G. LOHFINK, *La conversion de Saint Paul*, trad. fr., Paris 1967, p. 88 s.

La vocation apostolique est représentée avant tout sur le modèle de la vocation prophétique de Jérémie. Mais une mission s'y superpose pour préciser la finalité de celle de Paul : il s'agit de l'évangélisation des nations païennes, «pour ouvrir les yeux des aveugles» (Is 42,7*a*) et les faire passer des ténèbres à la lumière (cf. 42,6-7 combiné avec 42,16). On voit par cette finale que le texte d'Is 42,1-7 n'est pas détaché de son contexte littéraire, puisque celui-ci est apparemment lu jusqu'au v. 17. La citation implicite obtenue par la combinaison de deux passages n'a pas pour but d'identifier Paul au Serviteur dont parle le texte d'Isaïe. C'est le Christ en gloire qui lui confère cette mission, parce qu'il est lui-même «la lumière des nations» (Is 42,6*d*). Aussi le discours de Paul se termine-t-il en insistant sur ce point pour montrer la conformité de son ministère avec les Écritures :

> «J'ai témoigné (cf. v. 16) devant petits et grands sans rien dire d'autre que ce que Moïse et les prophètes ont déclaré devoir arriver, à savoir, que le Christ souffrirait et qu'étant le premier de la résurrection des morts il annoncerait la lumière au peuple et aux nations (païennes)» (Ac 26,22*b*-23).

Le tissu de ce texte entrelace plusieurs fils tirés de divers passages scripturaires. L'allusion à Is 42,6*d* et 49,6*d*, identiques dans le grec comme dans l'hébreu («lumière des nations»), est très claire. L'ensemble suppose la fusion de la figure du Messie davidique (titre de Jésus Christ), du Serviteur d'Is 42 et 49 (lumière des nations) et du Serviteur souffrant d'Is 52,13 — 53,12. Jésus réunit les trois dans sa personne, conformément aux Écritures, et le prédicateur s'en souvient quand il interprète son existence. C'est même au-delà de sa mort, en tant que premier des ressuscités, que Jésus remplit cette fonction d'évangélisateur d'Israël et des nations pour leur annoncer la lumière. La vocation de Paul est une mise en acte de ce fait qui donne sens à l'Église chrétienne. Faut-il dire qu'en interprétant ainsi les textes Luc s'écarte de leur littéralité ? Il faut reconnaître au contraire qu'il s'y conforme. Mais il la surcharge d'une plénitude inespérée, parce que la croix et la résurrection de Jésus y ont introduit une dimension nouvelle en l'«accomplissant». C'est le principe même du sens

« plénier » de l'Écriture. Celui-ci ne résulte pas d'une spéculation intellectuelle, mais de l'événement de Jésus Christ mort et
ressuscité qui en dévoile la portée.

2. L'évangile de Luc

Une fois reconnue cette méthode de lecture, les allusions aux
Poèmes qu'on peut relever dans l'évangile de Luc s'expliquent
d'elles-mêmes [58]. Cependant certaines d'entre elles soulèvent la
question de la référence aux paroles de Jésus pour fonder la
nouvelle interprétation des textes d'Isaïe.

a) *Une composition lucanienne.* — Commençons l'enquête
par une composition typiquement lucanienne : le Cantique de
Siméon (Lc 2,30-32). A la différence de ceux de Marie et de
Zacharie, il ne semble pas reprendre un cantique chrétien de
style archaïque en le plaçant dans le cadre de l'enfance de
Jésus. Non seulement il s'intègre très bien à l'épisode dans
lequel il figure, mais il en constitue le sommet et il présente en
résumé un aspect de la théologie de Luc. Or, il est tissé de
réminiscences scripturaires qui renvoient toutes au Second
Isaïe [59] (Is 40,5 et 52,10, pour l'expression de Lc 2,30-31 ;
Is 42,6 et 49,6 combiné avec 46,13, pour Lc 2,32). On peut en
conclure que Luc a composé ce cantique en marge d'Is 50 —
55, section du livre que la communauté chrétienne de son
temps lisait assidûment : « le salut préparé à la face de tous les
peuples », c'est Jésus dont Siméon salue la venue, car il est
lui-même « la lumière qui apporte aux nations la révélation et la
gloire d'Israël, peuple (de Dieu) ». Les références à Is 42,1-7 et
Is 49,1-6 montrent implicitement qu'il est le Serviteur de ces
Poèmes. Luc avait montré précédemment, en composant le
récit de l'annonciation, qu'il est aussi le Messie davidique
(Lc 1,32b-33a) et le Fils d'Homme dont le règne n'aura pas de

---

58. Il va sans dire que les textes analysés ici rapidement doivent être
examinés en détail à l'aide des commentaires de l'évangile de Luc, par
exemple, K. H. RENGSTORF, *Das Evangelium nach Lukas*, NTD 3,
Göttingen ²1962 ; H. SCHÜRMANN, *Das Lukasevangelium*, HThK, t. 1,
Fribourg-en-B. 1969 (seul paru).

59. Voir les commentaires de K. H. Rengstorf, pp. 47 s., et de H. Schürmann, pp. 125 s. Cf. R. E. BROWN, *The Birth of the Messiah : A Commentary
on the Infancy Narratives in Matthew and Luke*, New York 1977, pp. 438 s.
Les trois auteurs signalent, mais diversement, les réminiscences intentionnelles du Second Isaïe dans ces trois versets.

fin (Lc 1,33b). On reconnaît à ces allusions la méthode de théologie que Luc affectionne : les titres du médiateur de salut, empruntés à des passages divers des Écritures, s'accumulent pour présenter la personne de Jésus et expliquer le sens de sa mission.

b) *Passion et résurrection de Jésus.* — On peut se demander où Luc a puisé cette compréhension des Écritures, ou plus exactement, comment celle-ci a pris naissance dans le milieu apostolique dont l'évangéliste a reçu la tradition. Luc s'en explique dans le dernier chapitre de son livret. En effet, c'est au temps des apparitions du Christ ressuscité qu'il attribue la relecture des Écritures qui pouvaient s'appliquer à la Passion de Jésus et à sa résurrection elle-même. Dans l'épisode des disciples d'Emmaüs [60], Jésus, « en commençant par Moïse et en parcourant tous les prophètes », explique aux deux voyageurs ce qui le concerne dans les Écritures : « Ne fallait-il pas que le Messie souffrît pour entrer dans sa gloire ? » (Lc 24,25-27). Le même thème reparaît dans les dernières instructions données aux Onze [61] : « Il faut que s'accomplisse tout ce qui a été écrit de moi dans la Loi de Moïse, les Prophètes et les Psaumes », dit-il. « Alors il leur ouvrit l'esprit à la compréhension des Écritures et il leur dit : "Ainsi est-il écrit que le Messie doit souffrir et ressusciter d'entre les morts le troisième jour, etc." » (Lc 24,44-46). La mention des diverses sources scripturaires — qui englobent en fait la Bible entière ! — explique que le langage de la christologie se soit construit à partir d'une combinaison de textes empruntés à des livres différents et relatifs à plusieurs figures eschatologiques distinc-

---

60. La bibliographie de ce texte est abondante. On la trouvera dans l'étude détaillée de J. WANKE, *Die Emmanuserzählung*, Leipzig 1973, pp. IX-XVI.

61. L'identité de l'apparition aux Onze, à laquelle fait allusion 1 Co 15,5 (où les Onze sont devenus le groupe connu des Douze), et des quatre récits différents qu'en donnent les évangélistes (Mt 28,16-20 ; Lc 24,36-49, repris sous une autre forme dans Ac 1,4-8 ; Jn 20,19-23 ; Mc 16,14-18, dans la finale longue qui connaît Matthieu, Luc et Jean), est une certitude pratique aux yeux des critiques, malgré la forme très différente des narrations et des paroles rapportées. Voir la présentation d'ensemble donnée par A. GEORGE, « Les récits d'apparitions aux Onze, à partir de Lc 24,36-53 », dans *La résurrection du Christ et l'exégèse moderne*, coll. « Lectio Divina » n° 50, Paris 1969, pp. 75-104. Mais la question soulevée ici n'est pas traitée dans cet article, qui a un autre objet.

tes. On chercherait en vain un seul texte où le thème de la mort et celui de la résurrection soient mis en relation avec le Messie royal. Par contre, celui de la mort est au centre des Psaumes du Juste souffrant (notamment le Ps 22) et du dernier Poème du Serviteur (Is 53). Quant à celui de l'entrée en gloire, il se trouve explicitement dans la Septante d'Is 52,13. Au témoignage de Luc, *ce sont donc les manifestations du Christ glorifié qui ont permis aux apôtres de relire et d'interpréter d'une façon nouvelle tous les textes relatifs au Juste souffrant* : d'une part, les Psaumes, et d'autre part, les Poèmes du Serviteur.

Il va de soi qu'au plan littéraire les discours tenus par Jésus aux disciples d'Emmaüs et aux Onze dans les deux scènes que je viens d'évoquer sont des compositions typiquement lucaniennes. Mais ces compositions ont clairement pour but de rattacher aux apparitions du Ressuscité la *source première de l'herméneutique chrétienne*. En deçà des apparitions, il faut toutefois compter avec d'autres paroles de Jésus qui ont dû rester incomprises jusqu'aux événements de la Passion : « Telles sont bien, ajoute Jésus, les paroles que je vous ai dites quand j'étais encore avec vous : il faut que s'accomplisse », etc. (Lc 24,44*a*). L'évangéliste renvoie ainsi discrètement à des logia prononcés par Jésus durant sa vie publique. Mais si Jésus a parlé de l'« accomplissement des Écritures » par la fin tragique qui l'attendait, ne faut-il pas supposer qu'il avait lui-même médité les mêmes textes relatifs au Juste souffrant, dans Isaïe et dans les Psaumes ? On est ramené à une question que les évangiles de Marc et de Matthieu ont déjà soulevée [62].

c) *Les paroles de Jésus durant la Cène.* — Il est inutile de reprendre ici ce que Luc possède en commun avec Matthieu et Marc dans les annonces de la Passion et les paroles de Jésus sur le pain et la coupe : les variantes entre les trois Synoptiques ont été relevées plus haut [63]. Mais Luc présente un trait original : à la fin du récit de la Cène, il est seul à introduire une citation explicite d'Is 53,12 : « ... Car je vous le dis, il faut que s'accomplisse en moi ce qui est écrit (*to gégramménon*), à savoir (= *to* !) : Il a été compté parmi les criminels » (Lc 22,37). La citation correspond exactement au texte hébreu

---

62. Cf. *supra*, pp. 162, 164.
63. *Supra*, pp. 144 s., 161 s.

dont la Septante s'écarte quelque peu (*en tois anomois* au lieu de *méta anomois*). Cet indice écarte l'hypothèse d'un emprunt direct à la version grecque traditionnelle. Est-il suffisant pour conclure que Luc reproduirait une tradition judéo-chrétienne encore proche de la lecture hébraïque d'Isaïe, donc d'origine palestinienne ? Le verset présente trop de traits rédactionnels proprement lucaniens. L'emploi du participe *to gégramménon*, qui suppose la lecture d'un texte écrit, se retrouve dans Lc 4,17 et 20,17 (cf. 2 Co 4,13), au pluriel dans Lc 18,31 ; 21,22 et 20,44 (cf. Ac 13,29 ; 24,14). En outre le texte cité est introduit par le mot grec *to*, comme dans Rm 13,9 et Ga 5,14. Tout porte à croire que Luc a placé lui-même cette citation à la fin du récit de la Cène pour préparer le récit de la Passion qui va suivre, de même que certains témoins de Marc l'ont ajouté après Mc 15,27 où il est question des deux brigands. L'emploi du mot *anomois*, rare dans le Nouveau Testament, revient dans Ac 2,23 où il s'applique aux exécuteurs de la sentence de mort. Bref, l'addition est lucanienne, mais cela ne veut pas dire qu'elle dévie de la ligne ouverte par Jésus, dans sa façon de comprendre sa propre mort et de lire Is 53 : l'évangéliste sait qu'à partir des paroles mêmes de Jésus il peut *lire* le drame de la Passion dans le Poème du Serviteur souffrant. On conviendra donc que le témoignage de Luc converge avec celui des deux autres Synoptiques pour rattacher à Jésus lui-même l'initiative de cette nouvelle lecture de l'Écriture. Toutefois cette lecture s'est développée par étapes : énigmatique avant la Passion [64], elle a pris consistance avec les apparitions du Ressuscité, puis elle s'est déployée dans la première prédication chrétienne, pour aboutir aux textes conservés dans le Nouveau Testament.

V. Le IVᵉ Évangile

Les réminiscences des Poèmes du Serviteur sont absentes de l'Apocalypse de Jean, pourtant tissée d'allusions bibliques. Il

---

64. Énigmatique : en ce sens que les disciples de Jésus n'y avaient pas encore accoutumé leur esprit ni leur foi. Mais leur référence ultérieure aux paroles de Jésus pour fonder cette lecture des textes montre qu'elle était déjà faite par lui, au moins pour Is 52,13 — 53,12. L'étonnant, c'est de voir qu'à partir de là le même principe de lecture christologique conduisit les prédicateurs de l'Évangile à sélectionner les quatre Poèmes du Serviteur pour les rapprocher les uns des autres et les appliquer à Jésus.

est vrai que le portrait du Serviteur et l'évocation de ses souffrances sont bien les descriptions les moins « apocalyptiques » de la littérature prophétique, car elles font très peu appel aux constructions imaginaires et aux symboles visuels. L'auteur préfère donc évoquer le triomphe du Messie davidique, qui est aussi le Fils d'Homme de Dn 7 (Ap 1,13) et le Justicier d'Is 63,1-6 (Ap 19,13), en le montrant comme l'Agneau immolé : Agneau pascal d'Ex 12, et non agneau symbolique d'Is 53,7. Il connaît pourtant la IIᵉ Partie du livre d'Isaïe, puisqu'il fait allusion à Is 55,4 dans Ap 1,5. Les épîtres johanniques doivent pareillement être laissées de côté. Reste le IVᵉ évangile, qui renferme une allusion à Is 53 et une citation explicite du même chapitre, plus une allusion douteuse à Is 42 et 49.

a) *L'allusion de Jn 1,29*[65]. — Dans Jn 1,29, le Baptiste appelle Jésus « l'Agneau (*amnos*) de Dieu qui enlève (*airôn*) le péché du monde. » Le mot *amnos* renvoie à la Septante d'Is 53,7, alors que dans l'Apocalypse *arnion* renvoyait à l'emploi du gen. plur. *arnôn* dans Ex 12,5 LXX (sauf l'Alexandrinus : *amnôn*). Le verbe *airô* ne correspond pas à celui de la Septante dans Is 53,4 (*phérei*, puis un verbe paraphrasé),

---

65. Parmi les commentaires de Jean, on peut consulter sur ce point M.-E. BOISMARD, *Du baptême à Cana*, coll. «Lectio Divina» nº 18, Paris 1956, pp. 43-45, qui hésite entre Is 53 et Ex 12 ; C. K. BARRETT (Londres 1955), p. 147, qui accepte la dépendance d'Is 53 et refuse l'idée d'une fausse traduction de l'araméen *ṭalyâ* qui pourrait signifier «serviteur» ou «agneau» ; R. SCHNACKENBURG (t. I, Fribourg-en-B. 1965), pp. 285-289, qui tend à accepter tous les rapprochements proposés en estimant que la théologie de Jean peut les reprendre ensemble ; R. BULTMANN (trad. angl. 1971, avec les *Suppléments* de 1966), pp. 95-97, qui estime peu importante la question des allusions bibliques ; R. E. BROWN (t. I, New York 1966), pp. 58-63, qui admet la dépendance par rapport à Is 53 et pense que l'agneau pascal est aussi à l'horizon. Mais l'agneau pascal était-il sacrifié pour «enlever le péché du monde» ? F. M. BRAUN, «Le sacrifice d'Isaac d'après le Targum», *Nouvelle Revue Théologique* 101 (1979), pp. 490-493, examine le passage de Jn 1,29. Rappelant le jeu de mots possible sur le double sens de *ṭalyâ*, il se contente de dire : «Il est possible que le Serviteur de Yahvé d'Is 53 ait influencé l'évangéliste» (note 30). Mais, à son avis, «Jean a voulu montrer que (Jésus) avait remplacé les agneaux de la Loi ancienne» (p. 491). Finalement, il cherche dans l'expression un écho de l'*Aqedat Yiṣḥaq*, telle qu'on en lit la scène dans le Targoum palestinien de Gn 22 («Tu es l'agneau pour l'holocauste, mon fils»). Mais aucune de ces allusions n'explique l'expression «enlever le péché du monde».

53,11c (*anaphérô* au futur), 53,12e (*idem*, à l'aoriste). Mais le
texte hébreu d'Is 53,11c et 12e n'est pas éloigné du sens
qu'implique l'expression johannique : « il prendra en charge
leurs fautes » (53,11 : *ăwônōtāyw yisbōl*) ; « il a porté le péché
de beaucoup » (*ḥēṭ' rabbîm nāśā'* : 53,12). L'expression toute
faite *nāśā' 'awôn* veut dire « enlever la faute » (Lv 10,17 ;
Ps 85,3 ; Is 33,24) et on trouve le même verbe avec le mot
ḥaṭṭā't (Ps 32,5). La traduction d'Is 53,12e pourrait donc être
faite légitimement dans la même perspective : « Il a enlevé le
péché (au singulier comme chez Jean !) de beaucoup. » Il est
très vraisemblable que la formulation johannique reprend celle
de ce texte en le retraduisant à partir de l'hébreu et en le
rapprochant de l'Agneau dont parle le v. 7 du même chapitre.
Mais l'évangéliste (ou sa source [66] ?) substitue « le monde » aux
foules (*rabbîm*) de l'hébreu, en raison du rôle que joue le
« monde » dans sa théologie propre. On sait que le mot grec
kosmos n'a pas de correspondant exact en hébreu biblique [67],
mais Jean lui donne un sens englobant qui inclut évidemment
les *rabbîm* d'Is 53,12. Il ne faut pas oublier toutefois qu'il
utilise aussi la typologie de l'agneau pascal pour présenter le
Christ en croix (Jn 19,36, citation complexe qui entremêle
Ex 12,10. 46 et Ps 34,21). Un écho de ce symbolisme pourrait
aussi être présent dans la parole de Jn 1,29.

Une allusion à Is 42,6 et 49,6, où le Serviteur est qualifié de
« lumière des nations », est plus problématique dans la parole
de Jésus : « Je suis la lumière du monde » (Jn 8,12 ; 9,5 ;
expliqué par 12,46). L'équivalence des nations et du monde
n'est pas impossible, car Jean n'emploie jamais le mot *ethnè* au
pluriel (on ne trouve chez lui que le singulier du même mot, à
propos du peuple juif : Jn 11,48-52, 4 fois). En outre, le
passage des ténèbres à la lumière (8,12b) s'est déjà rencontré

---

66. Je n'entrerai pas ici dans la discussion sur les sources ou les étapes
rédactionnelles du IVᵉ évangile. (Sur ce point, voir l'état des questions
présenté par E. COTHENET, « Le quatrième évangile », dans *La tradition
johannique*, Introduction critique au N.T., vol. 4, Tournai-Paris 1977,
pp. 173-193.)
67. Sur la conception johannique du « monde », voir H. SASSE, art.
« Kosmos », *TWNT*, t. 3, pp. 894-896 ; R. E. BROWN, *The Gospel according to John*, pp. 508-510 ; R. BULTMANN, *Theologie des N.T.*, § 42.
(J'utilise la trad. angl., vol. 2, pp. 15-21). Sur le « péché du monde »,
cf. F.-M. BRAUN, *Jean le théologien*, t. 3, Paris 1966, pp. 37-40.

dans Ac 26,16-18, grâce à une allusion combinée qui renvoyait à Is 42,6 et 42,16. La référence implicite de Jean n'est donc pas impossible, mais on ne peut pas spéculer sur elle.

b) *La citation de Jn 12,38.* — Au cours de sa réflexion sur l'incrédulité des Juifs [68], qui reporte jusqu'au temps de Jésus le fait massif observé dans le Judaïsme contemporain (Jn 12,37-43), l'évangéliste cite nommément une phrase du dernier Poème du Serviteur : «... ils ne croyaient pas en lui, afin que s'accomplisse (*plèrôthè*) la parole du prophète Isaïe qui a dit : ''Seigneur, qui a cru à ce qu'il a entendu de nous, et à qui le bras du Seigneur a-t-il été révélé ?'' (Is 53,1)». Un second *Testimonium* cite ensuite Is 6,9-10, qu'on retrouve dans Mc 4,12 ; Mt 13,14-15 ; Lc 8,10 ; Ac 28,26-27. Or, saint Paul, on l'a vu [69], avait illustré le même type de réflexion à l'aide de la même citation d'Is 53,1 (cf. Rm 10,16). Il s'agit donc d'un « lieu théologique » classique. Ces deux citations d'Isaïe figurent dans un passage qu'on peut regarder comme la conclusion du « Livre des signes » — quels que soient la date qu'on assigne à cette « source » et les remaniements intérieurs qu'on croit y déceler [70]. L'utilisation d'Is 53,1 suppose acquises l'annonce de Jésus Messie et Fils de Dieu, puis l'interprétation de sa mort, à l'aide du dernier Poème du Serviteur. Dans cette perspective, qui montre la consonance entre l'Évangile et les Écritures, l'incrédulité juive est douloureusement ressentie par Jean comme par Paul. Dans les deux cas, ce problème est présenté à des chrétiens de langue grecque, puisque Paul et Jean citent Is 53,1 d'après la Septante (reconnaissable à l'addition du mot « Seigneur »). Les conclusions tirées à propos de la citation faite par Paul valent donc aussi pour Jean.

La phrase tirée du texte est mise en valeur sans référence à sa portée primitive, mais non sans égard pour son contexte littéraire. Cette façon de faire correspond aux habitudes de la

---

68. On peut se reporter ici aux commentaires du texte : R. BULTMANN, trad. angl., pp. 452-454 ; R. E. BROWN, pp. 484-486 ; R. SCHNACKENBURG, t. 2, pp. 515-520.

69. Cf. *supra*, pp. 151 s.

70. Cf. E. COTHENET, *op. cit*, pp. 153, 184-187. Les deux citations du livre d'Isaïe sont attribuées à deux couches rédactionnelles différentes par M.-E. BOISMARD, *L'évangile de Jean*, Paris 1977, pp. 327-329. Est-il sûr qu'on puisse tirer des conclusions aussi précises de la critique rédactionnelle ? Mais ce point importe peu pour l'enquête présente.

culture juive, bien connue par la littérature rabbinique. Le formulaire qui introduit la citation[71] (avec le verbe *plèroûn*, « accomplir ») est identique à celui de Mt 8,17 et 12,17 (cf. Jn 13,18 ; 15,25 ; 17,12 ; 19,24, et les dix *Testimonia* de Matthieu). Cette notion de l'« accomplissement des Écritures » suppose que tous les textes sacrés sont regardés comme une vaste « prophétie » — à la fois promesse et annonce voilée — du salut réalisé dans la personne de Jésus. En conséquence, la manifestation concrète de ce salut, qui peut être reconnue dans ses paroles, ses attitudes, ses actes, son drame, sa mort, sa résurrection d'entre les morts et finalement l'expérience liée à la proclamation de son Évangile, confère à tous les textes une plénitude de sens que l'interprète doit mettre en évidence. Quant à montrer *comment* chacun d'eux s'y rapporte et quel aspect il en dévoile, les procédés exégétiques fournis par la culture juive sont à la disposition de l'évangéliste comme ils l'étaient à celle de saint Paul. Cet aspect culturel de l'herméneutique ne doit pas être confondu avec les principes directeurs qui en guident les opérations.

VI. De l'herméneutique juive
a l'herméneutique chrétienne

Après avoir examiné les traces que les Poèmes du Serviteur ont laissées dans le Nouveau Testament, analysé leur interprétation dans l'Église primitive et détecté les procédés employés pour la mettre en œuvre, il faut s'interroger, pour finir, sur les rapports entre l'herméneutique juive et l'herméneutique chrétienne à cette époque où l'Église est en train d'affirmer son originalité au sein du Judaïsme puis en face de lui.

1. *Les points communs*

a) *Au point de vue culturel*, on est vraiment dans le même monde des deux côtés, même là où l'évangélisation du milieu grec est entreprise, par exemple chez saint Paul et saint Luc. Mais il est vrai que le Judaïsme hellénistique s'était déjà

---

71. Sur ce formulaire et son arrière-plan juif, voir les textes cités par Strack-Billerbeck, *Kommentar zum N.T. aus Talmud und Midrasch*, t. 1, p. 74.

implanté dans la culture grecque tout en gardant son originalité, comme en témoigne la Septante. L'herméneutique juive et l'herméneutique chrétienne ont donc, sous ce rapport, des points communs très visibles. Même référence aux textes lus pour eux-mêmes, *prout sonant*, sans égard pour leur situation historique exacte, leur portée primitive, l'intention plus ou moins claire de leurs auteurs humains. Même valorisation occasionnelle de leurs phrases séparées du contexte littéraire où elles figurent, pour faire surgir de leurs moindres mots un (ou des) sens possible(s) à l'aide de stratagèmes qui n'ont rien à voir avec nos méthodes d'analyse. Même souci de lire et d'actualiser les textes en fonction d'une situation où se posent des problèmes concrets et où certaines tâches pratiques doivent être remplies. Même façon de verser dans les textes un contenu que leur lecture naïve ne décelait pas nécessairement, et ainsi de *créer* un sens qui développe leurs virtualités dans toutes les directions possibles à partir d'une littéralité ouverte à cette surcharge.

b) *Au point de vue religieux*, les deux herméneutiques présentent aussi un certain nombre de traits fondamentaux qui les rapprochent. Même reconnaissance des Écritures comme livres inspirés et, à ce titre, comme témoins qualifiés de la Parole de Dieu, puisqu'on reporte sur leur ensemble ce qui avait d'abord accrédité la prédication des prophètes (cf. 2 P 1,21, où la « prophétie d'Écriture » s'étend implicitement à toute la Bible ; 2 Tm 3,15-16, où l'on trouve la formulation de l'« inspiration divine »). Même foi au dessein de Dieu qui a pour fin le salut des hommes et se réalise dans les événements de l'histoire. Même conviction d'une relation essentielle entre les Écritures, considérées comme promesses, et cette réalisation dont on décèle les indices dans l'expérience d'Israël mais qui reste toujours ouverte sur « l'Avenir de Dieu ». Même certitude d'être fidèle au sens profond que Dieu a enfermé sous la lettre des textes, quand certains événements y font surgir une signification qui dépasse leur portée primitive, l'amplifie, l'emplit d'un contenu que les premiers auditeurs ou lecteurs ne pouvaient pas encore y découvrir.

2. *Les divergences*

a) *La question de la clef de lecture.*— La raison profonde des divergences entre les deux herméneutiques est relativement facile à déceler : ce ne sont pas les mêmes événements qui servent de « révélateurs » (au sens photographique du mot) et de clefs de lecture pour comprendre les textes dans le Judaïsme et dans l'Église commençante. Du côté juif, la situation de la Diaspora alexandrine, la réaction de la foi devant la persécution d'Antiochus IV, la position particulière de la communauté de Qumrân au sein du Judaïsme palestinien, conduisent légitimement à l'interprétation *collective* des Poèmes du Serviteur qu'on trouve dans la Septante, dans le livre de Daniel et dans les accommodations plus libres de Qumrân [72]. Ni Jésus, ni le christianisme primitif n'ont démenti, à proprement parler, cette interprétation qui rendait possible l'application des Poèmes, soit à Israël dans la mesure où on pouvait le considérer comme le Serviteur fidèle de son Dieu, soit à tout Juste souffrant qui vivait pour son propre compte le drame évoqué dans Is 52,13 — 53,12.

En effet, ce qui est premier dans l'interprétation chrétienne des Poèmes, ce n'est pas l'identification du Serviteur de YHWH au Messie davidique, pour que la figure composite qui en résulte soit ensuite projetée sur la personne de Jésus, reconnu comme Messie de son vivant. C'est au contraire la reconnaissance de Jésus comme l'unique *Juste* qui a expérimenté dans sa vie et sa mort le destin réservé au Serviteur d'Is 50,4-11 et 52,13 — 53,12, et qui a accompli par là le dessein de salut dont ce dernier texte promettait la réalisation. A partir de là, les autres textes qui présentaient le Serviteur dans sa fonction médiatrice (Is 42 et 49) ont pu être reportés sur lui. Mais ce fut là une relecture des textes postérieure à la Passion et aux apparitions du Christ ressuscité. Alors le problème de sa messianité, posé et discuté de son vivant mais contredit par son échec et sa mort misérable, fut reposé dans une perspective entièrement nouvelle : celle qu'ouvrait la glorification du Serviteur souffrant. Du même coup, l'interprétation collective des Poèmes dans le Judaïsme du temps put

---

72. Il ne faut évidemment pas mettre sur le même plan l'herméneutique de la Septante et du livre de Daniel, qui relève de la révélation pour les auteurs du Nouveau Testament, et celle des textes de Qumrân (ou éventuellement, des *Paraboles d'Hénoch*), qui représente une interprétation particulière des textes sacrés dans le cadre de la tradition orale où la foi n'est pas engagée au même titre.

subir à son tour une transformation qui en réservait l'application à Jésus : par sa mort et sa résurrection, celui-ci devenait la clef de leur juste compréhension, comme le montrent tous les passages du Nouveau Testament où ils sont cités, utilisés, imités adaptés. Il est remarquable que l'intuition de la foi ait ainsi retrouvé, par une autre voie, le principe d'unité qui les reliait les uns aux autres au moment de leur composition. Mais il faut remarquer que cette lecture chrétienne ne les séparait pas de leur contexte littéraire : c'est tout le Second Isaïe qui a fourni aux auteurs du Nouveau Testament une provision de *Testimonia* aptes à fonder la théologie chrétienne du salut.

b) *La référence à Jésus*. — La genèse de ce processus interprétatif, qui reconnaît une importance hors de pair à la Passion et à la résurrection du «Saint Serviteur Jésus» (Ac 4,27) n'exclut pas du tout que Jésus lui-même l'ait mis en route. On sait combien il se montra réservé en face des titres que ses auditeurs tendaient à lui donner : prophète, rabbi, Messie... Il n'en a refusé aucun, mais il s'est gardé de les revendiquer[73]. Les représentations qui flottaient dans les esprits étaient trop ambiguës pour qu'il parût les accepter en endossant le personnage que ses contemporains voulaient lui faire jouer. Il est rare qu'il ait dévoilé sa pensée à ce sujet. Ou bien, s'il semblait la dévoiler en acceptant tel ou tel titre, il y joignait des paroles et des actes déconcertants qui faisaient de lui une énigme. Même l'expression «fils de l'homme», que les évangiles mettent souvent dans sa bouche et jamais dans celle de ses auditeurs, n'opérait pas une identification claire entre le Fils d'Homme de Dn 7 et sa modeste personne[74].

L'absence du titre de Serviteur parmi ceux qu'on lui a donnés ou qu'il parut accepter s'explique suffisamment par l'interprétation collective des Poèmes qui avait cours à son époque, tant en Judée que dans la Diaspora grecque : le mot

---

73. Je ne puis que renvoyer, sur ce point, aux conclusions générales de mon enquête sur *L'espérance juive à l'heure de Jésus*, Tournai-Paris 1978, pp. 271-275. Je laisse ici de côté le titre de «Fils», qui est d'ordre existentiel et non fonctionnel, puisqu'il concerne la relation de Jésus à Dieu et non son rôle auprès des hommes.

74. Une discussion sur ce point serait ici hors de propos. Je laisse donc cette question de côté. Sur l'identification du Fils d'Homme et du Serviteur d'Is 42 et 49 dans les Paraboles d'Hénoch, voir *supra*, pp. 132-137.

Serviteur n'était pas un « titre » comme ceux de Messie, de Prophète, de Docteur ou de Fils de l'Homme pouvaient l'être à des points de vue très différents. Mais les comportements de Jésus, sa manière d'enseigner, son souci exclusif de la fidélité à Dieu, sa façon d'affronter lucidement la mort et de donner un sens à la fin tragique qui l'attendait, ne correspondaient-ils pas au portrait spirituel du *Juste* que les Poèmes faisaient entrevoir ? Les évangélistes ne s'y sont pas trompés, quand ils les lui ont appliqués jusque dans les détails de leur littéralité. Parmi les textes sacrés qui jouèrent un rôle effectif dans sa propre compréhension de lui-même, les Poèmes n'ont-ils pas occupé une place de choix, surtout à partir du moment où il vit clairement que l'accomplissement de sa vocation le conduirait à la mort [75] ? Les allusions qu'on relève dans quelques Logia évangéliques parlent effectivement dans ce sens, et la projection des Poèmes sur le déroulement de son ministère et sur sa Passion peut fort bien être le prolongement d'une appropriation qu'il a lui-même inaugurée.

L'ensemble du Nouveau Testament ne permet pas d'éluder cette question. Il oblige même à envisager une telle possibilité, capitale pour l'herméneutique chrétienne. Mais il ne permet pas d'atteindre une certitude critique absolue, sauf sans doute pour le Poème du Serviteur souffrant qui a laissé sa marque profonde sur quelques Logia capitaux, notamment ceux de la dernière Cène. Mais comment pourrait-on parler de certitude critique acquise par voie scientifique, dans un domaine qui touche de si près à la foi ? La reconnaissance de Jésus comme le Serviteur des Poèmes, le seul Juste qui a donné sa vie pour les foules et les a effectivement justifiées par sa mort, l'Agneau qui a enlevé le péché du monde, ne saurait faire l'objet d'une démonstration purement rationnelle : elle est liée au libre engagement qui constitue l'acte de foi. Ce point aussi est une donnée essentielle du Nouveau Testament : c'est la foi en Jésus Christ qui est devenue par là créatrice de sens : un sens « plénier » comme celui que le Judaïsme pré-chrétien y projetait, mais un sens différent, un sens nouveau, comme était nouveau l'événement unique de Jésus Christ.

---

75. Il faudrait mentionner aussi à ce propos les Psaumes du juste souffrant ; cf. l'utilisation des Ps 22 et 69 dans les récits du crucifiement.

3. Herméneutique et lecture historique

En évaluant ainsi à sa juste mesure la création d'un sens inédit — ou plutôt, de plusieurs sens différents les uns des autres mais aptes à communiquer les uns avec les autres — dans une Écriture dont la littéralité avait été fixée plusieurs siècles auparavant, je ne prétends pas du tout dévaluer l'effort de lecture historique qui fut au point de départ de mon enquête. Bien au contraire, car la mise en forme du texte tel que la Bible hébraïque l'a conservé serait inexplicable sans le jeu des facteurs historiques qui en ont conditionné la composition. Il est impossible de recourir à lui sans examiner avec soin cet « Extra-texte », en fonction duquel son auteur l'a produit. Mais ses lectures successives ont fait émerger à la surface de ses mots une pluralité de sens possibles dont l'historien de la foi juive et chrétienne doit prendre acte. Sa lecture par le traducteur — ou mieux, l'adaptateur — grec constituait déjà une re-création dans laquelle le Judaïsme hellénistique puisa certains aspects de ses croyances. Il convient de faire aussi une lecture « historique » de ce texte nouveau, en repérant ses coordonnées et en mesurant sa portée. L'herméneutique chrétienne a trouvé son point de départ *dans les deux textes* — grec et hébreu — qui s'offraient à elle. On a pu constater en effet que les auteurs du Nouveau Testament citaient indifféremment la Septante et la traduction littérale de l'hébreu, quand ils se proposaient d'établir une relation entre les Poèmes du Serviteur et le Serviteur réel qu'ils avaient découvert en Jésus. Mais la lecture qu'ils en faisaient était elle-même conditionnée par l'interprétation qui avait cours, à leur époque, dans le Judaïsme palestinien et alexandrin. Leur herméneutique s'inscrivait donc à l'intérieur d'une autre herméneutique.

Quant à la question de savoir si la référence historique au personnage qui a occasionné la composition des Poèmes présente quelque intérêt pour éclairer leur interprétation dans le Nouveau Testament, elle se pose en effet. D'autant plus que le Nouveau Testament est revenu à une interprétation individuelle qui rend seule compte de leur littéralité. Mais si cette opération a été possible, n'est-ce pas parce qu'il existait entre le Serviteur historique et Jésus, Serviteur eschatologique, une homologie de mission et de destin qui a fait du premier la *préfiguration* du second — pour reprendre un langage que le Nouveau

Testament a accrédité à propos d'autres personnages, d'autres expériences historiques, d'autres institutions [76] ? Ce point aussi constitue une donnée essentielle de l'herméneutique chrétienne. Il permet d'établir une liaison étroite entre la lecture historique des textes étudiés ici et les herméneutiques successives qui les ont interprétés. Mais en touchant à ce point, on débouche sur des questions générales qu'il faudra examiner en terminant la présente enquête.

---

76. J'ai essayé de faire ailleurs la théorie de cette question, qui est souvent traitée sans une attention suffisante aux principes qui la fondent. Voir les exposés donnés dans *Sens chrétien de l'Ancien Testament*, pp. 209-247 et 286-326; dans *La Bible, Parole de Dieu*, pp. 265-309. Ces exposés reprennent des vues classiques venues de l'époque patristique et du moyen âge, en les systématisant et en les reliant à l'étude critique de l'Ancien Testament. En ce qui concerne le sens «figuratif» du personnage qui se cache derrière la figure du Serviteur historique, il est clair que le Nouveau Testament n'y a recouru que de façon implicite, puisque la lecture juive des textes et l'interprétation collective qui l'accompagnait en oblitérait totalement la personnalité.

CHAPITRE VI

L'INTERPRÉTATION DES POÈMES
DANS LE TARGOUM D'ISAÏE

L'Église naissante a rapproché les uns des autres les Poèmes du Serviteur pour les appliquer à Jésus, de même qu'elle lui appliquait d'autres textes scripturaires qui visaient primitivement le Messie davidique, le Fils d'Homme de Daniel 7, le « Prophète » d'Is 61,1-3, et bien d'autres. Les Poèmes n'étaient pas pour autant séparés de leur contexte dans la lecture chrétienne : que celle-ci prît comme point de départ le texte hébreu ou la Septante, elle rapportait au prophète du VIIIe siècle la totalité du livre d'Isaïe, exactement comme le faisaient les Juifs à la même époque. Mais au milieu des chapitres 40 à 55, que les thèmes du Règne de Dieu, du Salut et de la Rédemption traversaient constamment, ces textes émergeaient pour en montrer l'artisan, soit sous l'angle de sa vie terrestre marquée par l'expérience de la souffrance et de la mort, soit dans sa glorification ultra-terrestre qui avait fait de lui la « lumière des nations ».

Il faut se demander, pour finir, comment s'est effectuée la confrontation de cette interprétation nouvelle avec celle qui avait cours dans le Judaïsme du temps. Ni les évangiles, ni le reste du Nouveau Testament, ne permettent de l'entrevoir clairement. En outre, il est très difficile de suivre à la trace le sillage des Poèmes dans les écrits juifs des deux premiers siècles chrétiens. J'ai évoqué plus haut le problème que posent, sur ce point, les *Paraboles d'Hénoch*[1] : leur situation histori-

---

1. Cf. *supra*, pp. 129-137.

que reste une énigme pour les critiques, et il n'est pas sûr que leur application d'Is 42 et 49 à l'Élu ou au Fils d'Homme ne soit pas due à des retouches ou des additions chrétiennes. Ni le 4e livre d'Esdras, ni l'Apocalypse de Baruch (syriaque) n'en remploient les expressions. On n'en trouve aucune citation, même occasionnelle dans la *Mishna*. Les Midrashîm tannaïtes n'en font que des citations très rares. Il faut attendre les deux Talmuds pour les voir alléguer parfois, au même titre que beaucoup d'autres passages d'Isaïe. Fort heureusement, leur paraphrase synagogale est bien connue grâce au Targoum de Jonathan sur les Prophètes. C'est pourquoi celui-ci me servira de fil conducteur pour savoir comment le Judaïsme, réorganisé après 70, en a expliqué le texte. Avant de l'examiner en détail, je crois utile de situer d'abord ce Targoum par rapport aux controverses qui, à partir du Ier siècle, opposèrent entre elles deux communautés croyantes qui avaient en commun le même livre « canonique », c'est-à-dire « régulateur » de la foi et de la vie : les Écritures fixées dans un recueil aux contours définis.

I. SITUATION DU TARGOUM

1. *Le conflit des interprétations*

A défaut de textes juifs, presque muets sur les controverses avec l'Église durant les quatre premiers siècles, on peut se référer aux livres laissés par les écrivains chrétiens. Il n'est pas difficile de constituer ainsi un dossier où reparaissent toutes les citations des Poèmes auxquelles le Nouveau Testament a imposé une interprétation christologique.

a) *L'usage liturgique chrétien*. — Comme la lecture de l'Écriture ne peut pas être séparée, à cette époque, de l'assemblée chrétienne dans laquelle elle est proclamée publiquement puis expliquée dans une homélie, on peut songer en plus d'un cas à un usage liturgique qui a gravé les textes dans les mémoires. Par exemple, pour montrer l'humilité du Christ, la *Lettre de Clément*[2] (16,3-14) cite *in extenso* Is 53,1-12, en enchaînant immédiatement le Psaume 22 (21),7-9. L'*épître de*

---

2. Voir l'édition de A. JAUBERT, *Clément de Rome : Épître aux Corinthiens*, coll. « Sources chrétiennes » no 167, Paris 1971, pp. 125-129.

Barnabé [3], pleine de polémiques contre les Juifs, explique (5,2) que le Christ a souffert en lui appliquant Is 53,5-7 dans une citation tronquée, puis Is 50,6-7 également incomplet, d'après la Septante ; enfin Is 50,8-9 puis 50,7c sert à présenter (6,1) la victoire pascale de Jésus (dans une traduction très différente de celle de la Septante). Il y a là probablement les restes d'un Florilège [4] que connaît aussi Irénée (*Démonstration de la prédication apostolique* [5], 88 ; cité d'après l'*Adversus haereses* [6] IV, xxxiii, 13). Dans la *Démonstration,* Irénée reproduit encore une chaîne de *Testimonia* relatifs à la Passion [7] : Is 52,13 — 53,5, puis un texte de Psaume difficile à identifier, puis Is 50,6 ; Lam 3,30 ; Is 53,5-6 et 53,8, probablement de seconde main. La Septante est le texte ordinairement cité par tous ces auteurs. Mais ce n'est pas seulement la Passion qui y est lue : la médiation du Fils comme révélateur du Père (cf. Jn 1,18) est aussi présentée par Irénée [8] à l'aide d'Is 42,1-4, cité dans Mt 12,18-21 et modifié dans l'*Adversus haereses* latin (III, xi, 6) à l'aide du mot « Fils » (« Voici mon *Fils* bien-aimé en qui je me suis complu », d'après le récit matthéen du baptême de Jésus : Mt 3,17). Les homélies sur l'Écriture rendent le même son. Dans un fragment d'origine incertaine,

---

3. Voir l'édition de P. PRIGENT - R.A. KRAFT, *Épître de Barnabé,* coll. « Sources chrétiennes » n° 172, Paris 1971, pp. 112-115.

4. Étude détaillée du problème, par P. PRIGENT, *L'épître de Barnabé I-XVI et ses sources,* coll. « Études bibliques », Paris 1964, pp. 157-168.

5. Je cite la *Démonstration de la prédication apostolique* d'après l'édition (traduite en français) de L.M. FROIDEVAUX, coll. « Sources chrétiennes » n° 62, Paris 1971 (= 1959), pp. 154-155.

6. IRÉNÉE de LYON, *Contre les hérésies,* Livre IV, éd. critique sous la direction de A. ROUSSEAU, coll. « Sources chrétiennes » n° 100, vol. 2, pp. 830-833.

7. *Démonstration de la prédication apostolique,* chap. 68 (*éd. cit.,* pp. 134-135). Le chap. 69 poursuit la lecture du même texte en citant Is 53,5-6.7.8, avec un commentaire qui l'applique à la Passion. Le chap. 70 commente Is 53,8b : « sa génération, qui la racontera ? » (*op. cit.,* pp. 135-138.

8. IRÉNÉE de LYON, *Contre les hérésies,* Livre III, éd. A. ROUSSEAU, coll. « Sources chrétiennes » n° 211 (vol. 2), pp. 156-157. Le texte grec du passage n'est restitué que d'après la traduction latine, confrontée avec la traduction arménienne. L'éditeur rend le *filius* du latin par le grec *pais,* qui rejoint le texte de la Septante. C'est une hypothèse possible qui expliquerait la divergence entre la citation d'Irénée et celle de Matthieu, empruntées toutes deux à la Septante. Mais la version latine n'en fait pas moins écho au récit du baptême de Jésus.

Méliton de Sardes [9] explique la typologie d'Isaac dans un commentaire de Gn 22 ; mais il recourt à Is 53,7 pour montrer le Christ souffrant sous les traits de l'Agneau. Un peu plus tard, dans une homélie pascale inspirée du *Traité sur la Pâque* d'Hippolyte [10], on voit citer successivement Is 53,9 ; 53,2-3 ; 42,6-8 ; mais ces textes s'enchaînent sur Is 35,6 et 1 Co 15,26. On pourrait sans difficultés multiplier les exemples.

b) *Saint Justin.* — L'attention peut toutefois se concentrer sur S. Justin, parce que son *Dialogue avec Tryphon* est précisément un écrit de controverse où l'adversaire est un rabbin juif [11]. Certes, Justin s'appuie aussi sur les Écriture dans son *Apologie* adressée à Antonin le Pieux, pour montrer que Jésus est bien venu avec les traits qu'avait annoncés l'Esprit prophétique [12]. Son dossier scripturaire est abondant et désordonné. Cette fois, les deux premiers Poèmes du Serviteur n'y figurent pas. Mais une série de textes à la 1re personne montre quels *Testimonia* étaient alors appliqués à la Passion comme prières du Christ, dans la perspective ouverte par sa récitation du Psaume 22 sur la Croix : Is 65,2 ; Is 50,6-8 ; Ps 22 (21), 19.17 ; Ps 3,6 ; Ps 22 (21),8-9 (*Apologie* I, chap. 38). Les parallèles entre Is 50,6 et les récits de la Passion ont été relevés à propos des évangiles ; Justin fait d'ailleurs allusion à Mt 27,39-43 pour clore ce chapitre. Plus loin, il montre comment Jésus a voulu se faire homme et subir l'ignominie. « Écoutez, dit-il, les prophéties qui parlent dans ce sens »

---

9. MÉLITON de SARDES, *Sur la Pâque et Fragments,* éd. O. PERLER, coll. « Sources chrétiennes » no 123, Paris 1966, p. 235, fr. IX. Les fragments IX, X et XI commentent tous Gn 22 (sacrifice d'Isaac).

10. P. NAUTIN, *Homélies pascales. I. Une homélie inspirée du Traité sur la Pâque d'Hippolyte,* « Sources chrétiennes » no 27, Paris 1950, pp. 172-175 (nos 47-48).

11. Faute d'une édition plus récente, je cite Justin d'après l'édition de G. ARCHAMBAULT, 2 vol., coll. Hemmer et Lejay, Paris 1909. Je me réfère aussi à W.A. SHOTWELL, *The Biblical Exegesis of Justin Martyr,* Londres 1965 (voir p. 32, sur la citation d'Is 42,5-13). L'auteur compare la méthode de Justin et celle des rabbins contemporains. Étude plus fouillée : P. PRIGENT, *Justin et l'Ancien Testament,* « Études bibliques », Paris 1964. L'auteur analyse une à une les citations de Justin et conclut que, dans le *Dialogue avec Tryphon* et dans les *Apologies,* elles sont empruntées à son ouvrage perdu « Traité contre toutes les hérésies ».

12. L. PAUTIGNY, *Justin : Apologies,* coll. Hemmer et Lejay, Paris 1904 ; voir le chap. 38, p. 77, et le chap. 50, pp. 101-105.

(50,1). Puis il cite *in extenso* Is 52,13 — 53,8. Après un mot de commentaire qui résume les apparitions où Jésus apprit à ses disciples « à lire les prophéties qui annonçaient ces choses » (50,12), il reprend la citation d'Is 53,8-12, toujours d'après la Septante, et la complète par une évocation du Seigneur en gloire (d'après Ps 24,7-8 et Dn 7,13). Il est clair, d'après ce texte, que la concordance des deux Testaments constitue pour lui une pièce essentielle de la présentation de Jésus aux païens.

Mais cet appel aux Écritures est contesté par l'interlocuteur juif de l'apologiste chrétien. Tryphon[13] s'applique à mettre Justin en contradiction avec lui-même. Pour parler de la Parousie du Christ en gloire après la Passion, Justin a cité in extenso Dn 7,9-28 dans une version plus proche de Théodotion[14] que de la Septante (*Dialogue* 31). Alors Tryphon : « Ces Écritures et d'autres semblables nous obligent à attendre comme glorieux et grand Celui qui, tel un Fils d'Homme, reçoit de l'Ancien des jours le règne éternel[15], tandis que votre soi-disant Christ fut sans honneur et sans gloire, à tel point qu'il est tombé dans la dernière des malédictions de la Loi de Dieu, puisqu'il fut crucifié » (32,1). Justin, reprenant le texte d'Is 53,2-9 en résumé, explique qu'il faut distinguer les deux

---

13. L'identification de Tryphon avec Rabbi Tarphôn, cité par les sources rabbiniques, importe peu dans la recherche présente. Toutefois, cette identification est regardée comme possible par S.W. BARON, *Histoire d'Israël : Vie sociale et religieuse,* trad fr., t. 2, p. 769. Mais il note que ce Juif réfugié en Grèce n'était « en aucune façon typique du Juif palestinien ordinaire… Les dirigeants officiels de Palestine et de Babylonie considéraient les controverses publiques avec une grande défiance. » Je ne saurais en juger, mais il est vrai que la discussion — qui n'est probablement pas entièrement fictive — se déroule en grec, sur la base de la Bible grecque. Justin reproche aux Juifs d'avoir corrompu la vieille version pour y gommer certains *Testimonia* messianiques (cf. 43,7-8 et 67,1). Tryphon défend, à propos d'Is 7,13, la traduction *néanis* au lieu de *parthénos :* il se réfère sûrement à la traduction d'Aquila, refaite sur l'hébreu. Il est probable que la même version est utilisée par lui pour les Poèmes du Serviteur ; mais Justin ne lui donne pas assez la parole pour qu'on puisse en juger.

14. Voir l'étude critique de R.H. CHARLES, *Commentary on Daniel,* Oxford 1929, pp. cxvi-cxxii. Charles parle d'un Pré-Théodotion. Mais la question de cette version grecque a été reprise à une époque plus récente, et il est clair que la seconde version grecque est antérieure au Nouveau Testament (voir *supra,* p. 123, notes 11 et 12).

15. On relève ici une interprétation messianique du Fils d'Homme de Daniel, parallèle à celle de 4 Esd 13.

Parousies du Christ, la première dans l'ignominie et la seconde dans la gloire (32,2 — 33,3) ; le texte du Ps 110 lui sert alors à présenter la seconde [16]. Le dernier Poème du Serviteur souffrant revient d'ailleurs constamment sous sa plume pour justifier, aux yeux de son interlocuteur juif, la nécessité de la Passion qui le scandalise (cf. notamment 110, 1-2, l'allusion aux objections des Docteurs juifs qui attendent la manifestation du Messie en gloire [17]) ; on ne compte pas moins de trente citations de ce texte éparses dans sa discussion. Une fois même, en 13,2-9, il cite d'un bout à l'autre Is 52,10 — 54,6 sous une forme qui présente quelques variantes avec le texte commun de la Septante [18] : l'ampleur du morceau montre à l'évidence que le Poème n'est pas séparé de son contexte antécédent et subséquent. On peut se demander s'il ne s'agirait pas d'une lecture liturgique, choisie pour rassembler dans un seul texte le thème du salut, celui du Serviteur souffrant et celui de la nouvelle Jérusalem.

A partir de là, l'interprétation christologique des Poèmes se reporte sur tous les autres, pour expliquer la situation du Christ et son rôle dans la réalisation du salut. Du Poème C (Is 50,4-11), Justin retient ici surtout l'ouverture : « Le Seigneur me donne une langue pour savoir quand il me faut dire la Parole » (50,4*a*). Et il applique le texte à « la puissance de son verbe vigoureux par lequel il confondit toujours les pharisiens et les scribes qui discutaient avec lui » (102,5) [19]. Le Poème A (Is 42,1-7) est cité par morceaux à plusieurs reprises : en 65,4-6, Justin cite Is 42,6-13 et conclut : « Vous avez compris que Dieu donnera sa gloire à celui qu'il a établi ''lumière des nations'', et à nul autre, mais non point, comme dit Tryphon,

---

16. Édition ARCHAMBAULT, t. 1, pp. 139-143.

17. *Ibid.*, t. 2, pp. 162-165 : « Vos didascales reconnaissent, je le sais, que toutes les paroles de ce morceau sont dites du Christ. Ils disent aussi qu'il n'est pas encore venu, cela je le sais encore. Mais, continuent-ils, s'il en est qui disent qu'il est venu, on ne sait pas qui il est ; c'est seulement quand il se manifestera dans la gloire qu'alors on saura qui il est. »

18. *Ibid.*, t. 1, pp. 58-65. Le contexte de la citation ne concerne pas du tout la question du Messie, mais celle du « bain de la pénitence » qu'est le baptême. On notera toutefois qu'un peu plus haut Justin a cité Is 51,4-5 (chap. 11,3) et Is 55,3-5 (chap. 12,1).

19. *Ibid.*, t. 2, p. 132 s. Le contexte est un long commentaire du Psaume 22 (21), qui recouvre les chap. 98 à 105 (pp. 110-151).

comme si Dieu se réservait à lui-même sa gloire [20]. » En 122,3, la mission de Jésus auprès des nations est définie à l'aide d'Is 42,6-7, rapproché d'Is 42,16 et 43,10, afin de distinguer l'évangélisation des païens et la conversion des prosélytes [21]. En 123,6, Justin va jusqu'à dire que les chrétiens sont le véritable Israël [22] ; et comme Tryphon proteste (123,7), il cite Is 42,1-4 d'après la Septante, pour montrer qu'en cet endroit Dieu appelle Jésus «Israël» et «Jacob» d'une manière symbolique (*en parabolèi*). Ainsi l'interprétation collective du Poème est éludée par l'apologiste, non en récusant le texte qui la contient, mais en professant que Jésus est *le seul* qui mérite le nom d'Israël. Dès lors, le texte du Poème B, qui porte explicitement l'appellation d'Israël en l'appliquant au Serviteur, peut être lu sans difficulté comme concernant aussi Jésus. C'est en ce sens que 122,5 cite 49,8 (avec une légère variante par rapport à la Septante [23]), et que 121,4 précise [24] : « Il nous a été donné d'entendre, de comprendre et d'être sauvés par ce Christ, et d'apprendre à connaître toutes les choses du Père. C'est pourquoi il lui a dit : "Il est grand pour toi d'être appelé mon Serviteur, de restaurer les tribus de Jacob et de ramener la Dispersion d'Israël. Je t'ai établi comme lumière des nations, pour que tu sois *leur* salut jusqu'aux extrémités de la terre" (Is 49,6). » Ce qui était dit dans la Septante du rôle d'Israël par rapport aux nations, se restreint donc désormais à Jésus Christ mais ne perd pas son sens pour autant : l'Écriture, en tant que prophétie, s'accomplit en lui.

    c) *Origène*. — Justin occupe une place importante dans l'enquête entreprise ici. On pourrait explorer de la même façon beaucoup d'œuvres patristiques en aboutissant aux mêmes constatations, mais un écrivain mérite une place spéciale : c'est Origène. Dans sa réfutation du *Discours véritable* de Celse, il fait appel aux mêmes textes, interprétés de la même façon [25].

---

20. *Ibid.*, t. 1, pp. 313-315.
21. *Ibid.*, t. 2, pp. 224-229.
22. *Ibid.*, p. 234 s.
23. *Ibid.*, p. 228 s. Justin lit : *klèronomian klèronomèsai érèmous,* au lieu de *érèmou.*
24. *Ibid.*, p. 224 s.
25. J'emprunte les citations de l'ouvrage *Contre Celse* à l'édition de M. BORRET, coll. «Sources chrétiennes», t. 1, nº 132, Paris 1967. Je

L'universalisme du salut est pareillement prouvé à ses yeux par le texte d'Is 42,4c (cité d'après le texte particulier de la Septante) : «Les nations espéreront en son nom» (*Contre Celse* I, 53)[26], et aussitôt vient le texte d'Is 49,8-9[27] : «Je t'ai établi comme alliance des nations pour relever le pays, pour distribuer l'héritage dévasté, en disant à ceux qui sont dans les liens : "Sortez", et à ceux qui sont dans les ténèbres d'apparaître à la lumière. Et sur toutes les routes ils paîtront, et sur tous les sentiers seront leurs pâturages[28].» Quant à la Croix, scandale pour les Juifs, folie pour les païens (1 Co 1,23), c'est encore à l'aide du Poème D qu'Origène la justifie : «Puisque cet homme, prétendant tout savoir de l'Écriture, reproche au Sauveur de n'avoir dans sa Passion ni été secouru par son Père ni pu se porter secours à lui-même (allusion à Mt 27,43), il faut établir que cette Passion avait été prophétisée avec sa raison d'être : il était avantageux aux hommes qu'il mourût pour eux et subît les meurtrissures dues à sa condamnation[29].» Et l'apologiste cite de bout en bout Is 52,13 — 53,8 (I,54). Interrompant ici la discussion avec le contradicteur païen, il résume alors un débat qui l'a opposé une fois à «des hommes réputés savants chez les Juifs» (I,55). «Le Juif, dit-il, répliqua que ces prédictions visaient comme un individu l'ensemble du peuple, dispersé et frappé pour que beaucoup de prosélytes fussent gagnés à l'occasion de la dispersion des Juifs parmi les autres nations. Ainsi interprétait-il les mots : "Ton apparence sera mésestimée par les hommes" (52,14b), "ceux à qui (rien) n'avait été annoncé à son sujet verront" (52,15c), "homme qui est dans une calamité" (53,3c). J'amenais donc alors plusieurs arguments dans le débat, pour prouver qu'on n'a aucune raison d'appliquer à l'ensemble du peuple ces prophéties qui visent un seul individu[30].» Origène cite alors des versets qui s'adaptent mal à

modifie seulement la traduction des citations bibliques, pour l'aligner sur la version que j'en ai donnée plus haut.

26. *Op. cit.*, pp. 220-221.

27. Comme 2 Co 6,2 ne cite que le v. 8a, la suite de la citation est due à l'initiative d'Origène. On la trouvait chez Justin (*Dialogue* 122,5).

28. On remarquera que l'enchaînement du v. 9cd sur 9ab est suivi par Origène d'après la Septante, contre l'hébreu (cf. *supra*, p. 94). Voir le texte, *op. cit.*, pp. 220-223.

29. *Op. cit.*, pp. 222-223.

30. *Ibid.*, pp. 224-227.

l'interprétation collective, en demandant à son contradicteur comment il les interprète (53,4*ab*.5*ab*). La plus grande difficulté vient du texte : « A cause des iniquités de mon peuple il a été mené à la mort » (53,8*d*). « Car, dit-il, si l'objet de la prophétie est, selon eux, le peuple, comment dit-on qu'il est conduit à la mort par les iniquités du peuple de Dieu, s'il n'est autre que le peuple de Dieu ? » (*Contre Celse* I,55) [31].

On voit que le théologien tire parti habilement des incertitudes signalées plus haut, lors de l'étude de ce texte dans la Septante. Les incohérences de détail pouvaient s'expliquer par une méthode d'interprétation qui transposait les phrases du texte indépendamment les unes des autres. Mais que se passe-t-il, si on veut les rattacher logiquement les unes aux autres ? En revenant à l'interprétation individuelle, Origène a pour lui la logique intérieure du morceau. Il peut donc pousser ses pointes contre une herméneutique juive qui semble encore courante à son époque. On n'oubliera pas que le *Contre Celse* a probablement été composé à Césarée (ou une ville proche) vers 249 [32]. Même si Origène n'y discute que sur la Bible grecque, on ne peut guère douter que les opinions prêtées aux rabbins juifs dans son ouvrage étaient effectivement tenues à cette époque en Palestine. Ce renseignement indirect confirme la permanence de l'interprétation collective des Poèmes, telle qu'on l'a vue s'affirmer à la fois dans la Septante et dans le livre de Daniel — avec, naturellement, des variantes de détail qui tenaient à l'ingéniosité des interprètes. Il y a là un indice important pour mettre exactement en place l'interprétation qu'on va trouver maintenant dans le Targoum d'Isaïe.

---

31. *Ibid.*, p. 227.
32. Je suis ici les indications de P. NAUTIN, *Origène : Sa vie, son œuvre*, Paris 1977, pp. 375 s., 381, 412, 4 9. Origène a passé ou séjourné à plusieurs reprises à Césarée de Palestine (en 230-31, 232, 234 à 245, 246 à 248, 249), soit au total une vingtaine d'années avec des interruptions occasionnées par ses voyages. Bien qu'il n'ait pas connu l'hébreu, il n'est pas douteux qu'il ait eu une connaissance de première main sur le Judaïsme palestinien, auquel il doit les matériaux recueillis pour les *Hexaples*. Les discussions avec les docteurs juifs auxquelles il fait allusion ont pu se dérouler en grec, car plus d'un parmi eux le parlait. Mais à ses yeux, la Septante est la Bible chrétienne, comme il l'explique dans sa *Lettre à Jules Africain* (PG 11, 57-60 ; n° 4 de la lettre).

2. *La fixation de la tradition rabbinique dans le Targoum*

Il est impossible de chercher dans le Targoum des Prophètes un témoignage direct sur l'état de la tradition juive au temps de Jésus. Il était certainement connu en Babylonie au début du IVe siècle, où R. Joseph b. Ḥiyya le cite plusieurs fois[33]. Il renferme un certain nombre de matériaux anciens, d'origine palestinienne. Mais il faut en éprouver à chaque fois la valeur et l'antiquité. Dans le cas des Poèmes du Serviteur, on ne peut le faire que par recoupement grâce aux citations bibliques des Docteurs palestiniens ou babyloniens et à l'interprétation qu'elles supposent.

a) *Les Poèmes B et C*. — Il est tout à fait normal de voir interpréter au sens collectif le Poème B (49,1-12, avec son prolongement dans le texte hébraïque), puisqu'il renferme explicitement la notation : « Tu es mon serviteur, Israël, toi en/par qui je m'illustrerai » (49,3). De fait, ce verset est cité en ce sens par la *Mekhilta* sur Ex 15,2[34], tandis qu'une *baraïta* du Talmud de Babylone conserve une application claire d'Is 49,7 à Israël, « esclave des tyrans » (texte de R. Joshoua en discussion avec R. Éliézer b. Hyrkanos, entre 90 et 130, dans bT *Sanhédrin* 97*b*)[35]. De même, le Talmud de Jérusalem[36] cite une application d'Is 49,9 au grand retour des exilés (texte attribué à R. Samuel b. Nahmân, vers 260, dans jT *Sanhédrin* X, v, 29*c*). Mais la consonance est parfaite sur ce point entre la Septante et les docteurs palestiniens d'époque tannaïte ou amoraïte. Il est donc inutile de poursuivre l'enquête ; il suffira de voir si le Targoum conserve cette tradition bien établie.

Le texte du Poème C (Is 50,4-11) ne peut pas soulever non plus de question importante. Comme sa partie autobiographique ne se prête guère à une interprétation collective (cf. Is 50,4-

---

33. Cf. R. LE DÉAUT, *Introduction à la littérature targoumique*, Ire Partie, Rome 1966, pp. 124-127 ; E. SCHÜRER, *The History of the Jewish People in the Age of Jesus Christ*, Revised and Edited by G. VERMES & F. MILLAR, vol. 1, Édimbourg 1973, p. 101 s.

34. *Mechilta d'Rabbi Ismael*, edidit H.S. HOROVITZ, Jérusalem 1960, p. 126.

35. Voir la traduction du texte dans L. GOLDSCHMIDT, *Der babylonische Talmud*, t. 9, p. 68.

36. Traduction française dans M. SCHWAB, *Le Talmud de Jérusalem*, vol. 6/2, p. 61.

9a), on a vu la Septante l'appliquer à Isaïe lui-même, en reportant l'avertissement des vv. 10-11 sur le prophète comme « serviteur de Dieu ». La littérature rabbinique ne s'écarte pas de cette interprétation. Par exemple, une exégèse tardive du Lévitique [37] (*Lev. Rabba* 10,2, sur Lv 8,1-4) introduit le texte dans un récit amplifié de la vocation d'Isaïe : c'est lui qui, confronté avec le peuple rebelle, verra s'appliquer à son cas personnel l'expérience des mauvais coups décrite dans Is 50,6. Quant à l'avertissement final, il fait occasionnellement l'objet d'applications insolites, comme celle de *Genesis Rabba* 44 qui l'adapte artificiellement à la vocation d'Abraham, serviteur de Dieu [38].

b) *Les Poèmes A et D*. — Restent les Poèmes A (Is 42,1-7) et D (Is 52,13 — 53,12), dont on pourrait attendre quelques interprétations intéressantes dans la littérature rabbinique. Or, sur ce point, l'enquête est des plus décevantes. P. Billerbeck, dans son recueil de textes relatifs au Nouveau Testament, revient par deux fois sur cette question. A propos de Lc 2,32 (« lumière pour la révélation des nations »), il note : « Les textes correspondants d'Is 42, 6 et 49, 6 ne sont pour ainsi dire pas mentionnés dans la littérature rabbinique [39]. » Et à propos de la citation d'Is 42,1-4 dans Mt 12,17-21, il redit : « Ces paroles du prophète ne se rencontrent dans la littérature rabbinique que rarement et sans signification particulière [40]. » On ne peut donc guère s'attendre, dans ces conditions, à trouver des textes importants pour savoir comment les docteurs juifs interprétaient le Poème A. Sa première application messianique figure dans un texte tardif du Midrash des Psaumes [41]. A propos du Ps 43,1 (« envoie ta lumière et ta vérité »), il est dit que, pour la génération de l'exode, il y eut deux sauveurs, Moïse et Aaron (cf. Ps 105,26). De même, il y en aura deux pour la dernière génération : « ta lumière, c'est Élie, de la maison d'Aaron » (cf. Nb 8,2), et « ta vérité, c'est

37. Trad. dans H. FREEDMAN - M. SIMON, *Midrash Rabbah*, t. 4, Londres 1939, p. 122. L'explication est attribuée à R. Juda b.Siméon (docteur palestinien, v. 240).

38. Trad. dans *Midrash Rabbah*, t. 2, p. 525 (texte anonyme).

39. STRACK-BILLERBECK, *Kommentar*..., t. 2, p. 39.

40. *Ibid.*, t. 1, p. 630.

41. *Ibid.*, t. 1, p. 87.

le Messie fils de David» (cf. Ps 132,11); ou encore, «ta
lumière, c'est Élie», d'après Ml 3,23, et «ta vérité, c'est le
Messie, selon qu'il est écrit : ''Voici mon serviteur, je le
soutiens'' (Is 42,1)». La tradition n'est pas datée, mais elle
n'est certainement pas ancienne.

Pour le Poème du Serviteur souffrant, les citations sont
également rares. Cette fois, les matériaux ont été rassemblés,
sur la base des textes accessibles vers la fin du XIXe siècle,
dans le volume publié par S.R. Driver et Ad. Neubauer[42],
avec une *Préface* de E.B. Pusey (1877). Dans les *Prolégomè-
nes* de sa réédition (1969), R. Loewe a résumé les diverses
voies ouvertes par l'exégèse rabbinique ancienne[43]. Tantôt le
texte est appliqué aux justes en général, à qui il plaît à Dieu de
faire connaître la souffrance (ainsi l'aphorisme de R. Hunâ cité
par Rabbâ vers 260[44]). Tantôt il est appliqué à Moïse que Dieu
«a compté avec les criminels» (ainsi R. Shimlaï, docteur
palestinien vivant vers 250[45]). Tantôt, mais rarement, tel ou tel
de ses membres de phrases est appliqué au Messie, par
exemple, dans un aphorisme transmis par l'école de R. Juda le
Nasî (bT *Sanhédrin* 98*b*). Quel est, demande-t-on, le nom du
Messie? Après une série d'opinions fondées sur des textes
scripturaires, on lit : «Nos maîtres disaient : ''Le lépreux'' (=
frappé), car il est dit : ''il a porté nos maladies et pris sur lui
nos douleurs; et nous, nous le regardions comme châtié par
Dieu, frappé et humilié'' (53,4)[46]». La même opinion se
maintient dans le *Midrash Rabbâ* Rt 2,14[47] : on lui applique là

---

42. *The Fifty-Third Chapter of Isaiah According to the Jewish Interpreters*, rééd. New York 1969 (Prolegomenon by R. LOEWE).

43. *Ibid.*, pp. 17-19.

44. *Ibid.*, n° 2, p. 8 (= bT *Berakhôth* 5*a*).

45. *Ibid.*, n° 3, p. 8 s. (= bT *Sotah* 14*a*).

46. *Ibid.*, n° 1, p. 7; traduit plus intégralement dans L. GOLDSCHMIDT,
Der babylonische Talmud, t. 9, p. 73. L'attribution du texte est incertaine :
«nos maîtres», d'après Goldschmidt; «la maison (= école) de Rabbi
(Juda)», d'après le recueil cité dans la note 42.

47. Trad. dans FREEDMAN-SIMON, *Midrash Rabbah*, t. 8, p. 64. Il s'agit
d'un commentaire de Rt 2,14 dont le genre rappelle celui des *Pesharîm* de
Qumrân. Chaque mot ou groupe de mots est appliqué à un aspect de la
physionomie du futur Messie : il reçoit le «pain» de la royauté, mais ensuite
il souffre et il est privé pour un temps de sa souveraineté en attendant la
restauration de son trône. L'interprétation est due à R. Jonathan (b. Éléazar),
docteur palestinien vers 220.

le texte d'Is 53,5*ab*. Mais inversement, le *Midrash Rabbâ* sur
Nb 13,2 applique Is 53,12 («il a livré son âme à la mort») aux
souffrances des Israélites en exil [48], et c'est une scène de gloire
que le Midrash *Tanḥûma* sur Gn 27,3 va chercher dans
Is 52,13 pour décrire le Messie fils de David [49] : «Pourquoi
est-il appelé "grande Montagne" (Za 4,7)? Parce qu'il sera
plus grand que ses pères, car il est dit : "Voici que mon
Serviteur prospérera, grandira, s'élèvera, deviendra très haut"
(Is 52,13).» Et le commentaire explique qu'il sera supérieur à
Abraham, à Moïse et même aux anges du service. On ne dit
pas comment, dans cette perspective, les images de souffrance
sont expliquées ni de qui elles sont entendues.

Il faut le reconnaître, l'usage que les apologistes chrétiens
faisaient d'Is 52,13 — 53,12 pour justifier par l'Écriture la
croix de Jésus et sa reconnaissance comme Messie rendait la
partie difficile aux docteurs juifs. En conservant l'interprétation
collective du texte ou son application à tout juste, ils
prolongeaient une lecture traditionnelle qu'on a rencontrée à la
fois dans le Judaïsme palestinien et dans le Judaïsme alexandrin. Mais pouvaient-ils éviter de soulever la question messianique à propos du titre de «Serviteur» (52,13), alors que leurs
adversaires chrétiens le donnaient à Jésus-Messie, à partir de ce
texte et d'Is 42,1-4? A s'en tenir au point de vue culturel, leurs
méthodes de lecture ne différaient pas beaucoup de celles des
apologistes chrétiens : Origène lui-même ne se livrait pas à
l'allégorie de type alexandrin, quand il appliquait à Jésus la
lettre des oracles prophétiques! La subtilité était la même de
part et d'autre : des deux côtés, il fallait rendre raison des
moindres particularités de chaque texte. Et de même que
l'actualisation chrétienne des Poèmes prenait place dans une
liturgie qui célébrait le mémorial de la Passion et de la

---

48. Cette application prend place dans un commentaire allégorique du
Cantique des cantiques (5,1), avec un jeu de mots sur le nom du miel
(*yaʿar*) : Dieu donnera la joie aux Israélites dans le Jardin d'Éden, suivant le
texte cité («j'ai mangé mon miel et mon rayon de miel»), parce que «les
Israélites ont livré (*hèʿèrû*) leur âme à la mort en exil, selon l'Écriture : "Il a
livré (*hèʿèrâh*) son âme à la mort" (Is 53,12), et parce qu'ils se sont
appliqués à la Tôrah qui est plus douce que le miel» (cf. la trad. angl. dans
FREEDMAN-SIMON, *Midrash Rabbah*, t. 6, p. 501).
49. Voir le texte entier traduit dans *L'espérance juive à l'heure de Jésus*,
nº 98, pp. 249-251.

résurrection de Jésus, de même leur actualisation juive prenait place dans une liturgie synagogale où la foi était tendue vers la fidélité à la Tôrah, et l'espérance, vers la venue finale du Messie davidique et du salut national. C'est dans ce contexte qu'il faut placer la paraphrase synagogale qu'on va lire maintenant.

III. Traduction du Targoum des Poèmes

Comme précédemment pour la Septante, je détacherai le texte des Poèmes du Serviteur du contexte où il figure[50]. L'opération est discutable, dans la mesure où ces unités littéraires sont, en fait, liées à ce qui les précède ou à ce qui les suit. Mais elle peut se justifier pour permettre la comparaison du Targoum avec le texte hébreu, lu « historiquement », et la Septante, sa première interprétation. La subdivision des Poèmes A, B, C et D sera reprise lorsqu'elle sera utile à l'explication des textes correspondants.

A) Première série de textes (Is 42,1-7)

1. *Présentation du Serviteur* (42,1-4)

> ¹ Voici mon Serviteur [*le Messie*] : je le *ferai approcher* ;
> mon Élu en qui s'est complue *ma Parole*.
> Je mettrai mon Esprit *de sainteté* sur lui :
> il *révèlera mon* Jugement à des nations.
> ² Il n'appellera pas et ne clamera pas,
> et il n'*élèvera* pas sa voix au dehors.

---

50. Le texte classique de la Bible rabbinique de Venise, reproduit dans les Polyglottes d'Anvers et de Londres, est insuffisant dans le cas présent. A défaut d'une édition critique complète, on peut se reporter à J.F. Stenning, *The Targum of Isaiah*, Oxford 1949, dont le texte reproduit un Ms. de 1475 et l'apparat critique, le collationnement de dix autres Mss., et à A. Sperber, *The Bible in Aramaic*, t. 3, Leyde 1962, fondé sur un nombre moindre de Mss., mais recourant aussi aux citations du Targoum chez les auteurs médiévaux. J'utiliserai ici ces deux éditions, à travers lesquelles on connaît le texte particulier du Codex Reuchlin. L'édition de Stenning donne une traduction anglaise du Targoum, mais il faut toujours en vérifier la littéralité. Dans la présentation du texte français, j'ai laissé en place la disposition par stiques pour faciliter la comparaison avec l'hébreu.

> [3] Il ne brisera pas *les humbles qui sont comme un* roseau froissé,
> et il ne fera pas s'éteindre *les miséreux qui sont comme des* mèches faiblissantes.
> Il présentera le Jugement en vérité ;
> [4] il ne sera ni lassé ni fatigué,
> jusqu'à ce qu'il établisse le Jugement sur la terre,
> et que les îles attendent sa Loi.

J'ai laissé de côté dans la traduction un certain nombre de variantes mineures entre les manuscrits[51]. La plus importante est celle qui ajoute « le Messie » au début du v. 1 : elle figure dans le Codex Reuchlin, les deux éditions de la Bible rabbinique de Venise (suivie par les Polyglottes d'Anvers et de Londres), un Ms. de la Montefiore Library. Son absence dans les autres témoins peut faire douter de son antiquité, mais elle n'en représente pas moins une tradition interprétative qui a eu cours dans le Judaïsme et qu'on vient de rencontrer dans le Midrash des Psaumes. La substitution de la Parole (*mēmᵉrâ*) de Dieu à son « âme » (= lui-même) est conforme à une tendance habituelle du Targoum, écho de la théologie rabbinique. Il en va de même pour l'« Esprit de sainteté » (= Esprit saint). Comme dans la Septante, il est vraisemblable que le « Jugement » désigne ici le « Droit » (l'hébreu *mišpâṭ* a les deux sens). Pour le reste, la traduction est littérale à quelques nuances de sens près, sauf pour l'explication des métaphores du roseau froissé et de la mèche faiblissante, identifiés aux humbles et aux miséreux d'une façon qui rappelle le Targoum d'Is 11,4 et du Ps 72,4. L'interprétation messianique est donc logique, même si l'absence du mot « Messie » la laisse à l'état implicite. Il est classique, dans la théologie rabbinique, d'attribuer pour fonction au Messie le souci de rétablir l'obéissance à la Tôrah.

2. *Oracle adressé au Messie-Serviteur* (42,5-7)

> [5] Ainsi parle le Dieu éternel, YHWH,
> qui *a* créé les cieux et les a suspend*us*,

---

51. Au v. 3*c*, le Ms. suivi par Stenning et Sperber porte : « dans *sa* vérité ». Mais il faut suivre la Bible de Venise (contre tous les Mss.), qui porte : « dans la vérité » (= en vérité) — correction déjà acceptée par P. de Lagarde dans son édition du Codex Reuchlin, et reprise aussi par Sperber et Stenning.

parfait la terre et *ceux qui* l'*habitent*,
qui donne l'haleine au peuple qui est sur elle
et le souffle à ceux qui y marchent :

⁶ « Moi, YHWH, je t'ai promu en vérité et saisi par la main,
et je t'établi*rai* et te mett*rai* comme alliance du peuple,
comme lumière des nations,
⁷ pour ouvrir les yeux *de la maison d'Israël*,
eux qui sont comme des aveugles *par rapport à la Loi*,
pour faire sortir *leurs exilés d'entre les nations*,
eux qui sont *semblables à* des prisonniers,
et pour les délivrer de la servitude des royaumes,
où ils sont détenus comme des prisonniers des ténèbres.

Les modifications du v. 5 sont mineures : elles distinguent l'acte créateur de Dieu aux origines (verbes au parfait) et son activité actuelle dont bénéficient les créatures vivantes. Au v. 6, il y a déjà, comme dans la Septante, une distinction entre l'investiture du Serviteur, dans le passé, et sa mission future, définie dans les mêmes termes qu'en hébreu avec une distinction entre le peuple (d'Israël) et les nations. C'est par rapport à Israël que l'accomplissement de cette mission est décrite dans le v. 7, en explicitant le sens des métaphores du texte hébreu. Cette fois-ci, on retrouve les deux thèmes de la théologie rabbinique classique, qui correspondent aux deux soucis essentiels du Judaïsme réorganisé après 70 : la fidélité à la Tôrah et le rassemblement de tous les exilés. Ainsi l'actualisation du texte d'Isaïe est faite d'après une pré-compréhension qui en commande l'interprétation.

Comparée à la citation de Mt 12,17-21, l'exégèse du Targoum et les retouches apportées au texte des vv. 1-4 montrent déjà l'orientation divergente de la christologie chrétienne et de la doctrine messianique commune dans le Judaïsme rabbinique. Mais la divergence s'accentue fortement dans les vv. 5-7, où les deux exégèses chrétienne et juive ne peuvent évidemment plus aller au même pas. L'exégèse juive prolonge le sens originel du texte d'une façon qui montre la permanence d'un problème national concret : celui du rassemblement des Juifs dispersés depuis le temps de la Captivité. Mais elle accentue le nationalisme religieux du texte au point d'atténuer à l'extrême le rôle de « Lumière des nations » départi au Serviteur (v. 6*d*). Au contraire, l'exégèse chrétienne, déjà représentée par Ac 28,18 et Lc 2,32, puis développée par

S. Justin[52], part du v. 6 pour faire sauter radicalement le principe du nationalisme religieux. Les deux attitudes sont inconciliables. Or, elles commandent les deux lectures — messianique et christologique — du texte d'Isaïe. Elles développent contradictoirement deux virtualités du texte. Il faut le constater pour comprendre les deux herméneutiques qui se sont opposées dans ce cas précis.

B) Deuxième série de textes (Is 49,1-11)

Comme dans la Septante, cette seconde série de textes fait l'objet d'une interprétation collective fondée sur le v. 5. Elle conserve sa structure primitive : un discours autobiographique et deux oracles.

3. *Discours du Serviteur-Israël* (49,1-6)

[1] *Recevez*, îles, *ma parole*, et soyez attentifs, *royaumes*, de loin !
YHWH, *alors que je n'existais pas*, m'a préparé,
dès les entrailles de ma mère il a mentionné mon nom,
[2] et il a placé *ses paroles dans* ma bouche comme une épée tranchante,
il m'a abrité à l'ombre *de sa force*,
car il m'a placé *comme* une flèche *choisie qui est* cachée dans un carquois.
[3] Et il m'a dit : «Tu es mon serviteur, Israël, toi en qui je serai *célébré.*»

[4] Et moi j'ai dit : «J'ai peiné en vain, épuisé ma force pourquoi ? pour rien.
Pourtant mon droit est *à découvert* devant YHWH,
et le salaire *de* mes *œuvres* devant mon Dieu.»

[5] Et maintenant YHWH a dit,
lui qui me *disposa* dès le sein pour *être* un serviteur *servant devant lui*,
pour ramener *ceux de la maison de* Jacob à son *service*,
et pour qu'Israël soit rapproché *de sa crainte*,
et j'étais *glorieux devant* YHWH et *la Parole de* mon Dieu fut *mon appui*.

---

⁶ Et il a dit : «*Est-ce* peu pour *vous* que *vous soyez* appelé*s
mes* serviteur*s*
pour relever les tribus de Jacob et ramener les dispersions
d'Israël?
Je ferai aussi de toi une lumière des nations,
pour que ma *délivrance* advienne jusqu'aux extrémités de la
terre.

Les retouches et additions apportées au texte sont relativement
peu importantes, mais elles sont généralement commandées par
l'interprétation collective du passage. C'est le cas dans le v. 6
qui obligeait à envisager une interprétation individuelle du
Serviteur, dont la mission ne consistait pas seulement dans la
réalisation de la restauration nationale. Au même endroit,
l'adaptateur grec avait écrit : «Il est *grand* pour toi d'être
appelé mon serviteur...» Le targoumiste interroge : «Est-ce
peu pour *vous* d'être appelés *mes* serviteurs?...»

Il est clair que l'accent est mis sur le rassemblement des
Israélites dispersés et que ses artisans doivent être les membres
de la communauté qui sont qualifiés de «serviteurs» de
YHWH. Dans cette perspective, toutes les déclarations à la
1ʳᵉ personne du singulier (vv. 1-5 et 6*cd*) sont à entendre du
peuple personnifié. C'est lui qui s'adresse aux rives lointaines
et aux royaumes (hébr. «pleuplades») éloignés afin qu'ils
«reçoivent sa parole» (hébr. «écoutent», expression moins
forte) (v. 1*ab*). En effet, cette parole est faite des paroles
mêmes de Dieu, qui ont été mises dans la bouche d'Israël
(v. 2*a*) : l'explicitation de la métaphore montre la conscience
d'une mission nationale de témoignage à porter devant les
nations païennes. Mais la métaphore suivante voit son anthro-
pomorphisme atténué (v. 2*b*), et la troisième est transformée en
simple comparaison (v. 2*cd*). Il n'est pas sûr qu'au v. 3
l'orientation du texte hébreu soit respectée : Dieu sera-t-il
célébré (hébr. «je m'illustrerai») au moyen du Serviteur-
Israël, ou en lui, par le culte synagogal? De toute façon la
vocation d'Israël comme serviteur de YHWH est caractérisée,
dans le v. 5, par deux traits : le service cultuel (*pulḥān*) et la
crainte de Dieu. C'est à Dieu lui-même, semble-t-il, que le
targoumiste attribue la réalisation des deux buts poursuivis ainsi
définis : il a disposé (non «façonné», verbe trop anthropomor-
phique) Israël *afin de* ramener «ceux de la maison de Jacob»

vers son propre service et rapprocher Israël de sa crainte. Dès lors, la distinction entre le Serviteur — appelé Israël par antonomase — et le peuple, n'a plus de raison d'être : Israël trouve en son Dieu sa gloire et son appui (hébr. « force ») (v. 5*ef*). Tout à la fin, la substitution de la délivrance (*purqān* = rédemption) au « salut » provient du vocabulaire de la théologie rabbinique, comme la Parole (*mēm^erâ*) de Yhwh dans le v. 5*f*. Ainsi le texte est recomposé par petites touches : il est maintenant exclu qu'on puisse en faire une application christologique.

4. *Oracle adressé au Serviteur* (49, 7)

L'oracle primitif avait pour but d'encourager le Serviteur en vue de l'exécution d'une mission difficile. Parallèlement à la Septante, qui a retouché le texte pour l'adapter à Israël, serviteur de Dieu méprisé, le Targoum en modifie la littéralité en le mettant franchement au pluriel :

> [7] Ainsi *a parlé* Yhwh, le rédempteur d'Israël, son Saint,
> à *ceux* qui sont méprisés parmi les nations,
> à *ceux* qui sont *disséminés parmi les royaumes,*
> à *ceux* qui *ont été* esclaves pour des gouvernants :
> « Des rois *les* verront et ils se lèveront,
> des princes, et ils adoreront,
> à cause de Yhwh, *parce que* le Saint d'Israël est fidèle et
> *il s'est complu* en toi. »

Le passage du texte au pluriel permet de substituer au portrait du Serviteur méprisé un portrait du peuple dispersé et opprimé. Tout le texte qui introduit l'oracle est ainsi recomposé. L'oracle est traduit littéralement, avec substitution de « eux » à « toi » ; mais son texte est maintenant empreint de nationalisme religieux, puisqu'il annonce un changement de situation où le peuple réduit en esclavage se retrouvera en position dominante. Paradoxalement, l'extrême fin du verset revient à la 2e personne du singulier, ce qui donne à la phrase une certaine incohérence. Mais la substitution de « je me suis complu en toi » à « je t'ai choisi » renvoie également à Is 42,1*b*. Ainsi l'actualisation du texte répond au besoin d'espérance du peuple dispersé qui continue de faire face à sa situation d'épreuve : pour que son sens général corresponde à ce qu'on en attend, l'interprète n'hésite pas à en modifier substantiellement la littéralité.

5. *Second oracle pour le Serviteur-Israël* (49,8-9)

Le même processus est plus sensible encore dans l'oracle suivant, que la Septante traduisait d'une façon presque littérale tout en l'interprétant de façon collective :

> [8] Ainsi a parlé YHWH :
> « Au temps *où vous accomplissez mon* bon plaisir, *je reçois votre prière,*
> et au jour *de la détresse, j'instaure une délivrance et* vous assiste.
>
> Et je te prépare*rai* et t'établi*rai* comme alliance du peuple,
> pour restaurer *les justes qui gisent dans la poussière,*
> répartir des héritages qui sont dévastés ;
> [9] pour dire à *ceux qui sont* prisonniers *parmi les nations :*
> « Sortez ! »
> à ceux qui sont *détenus parmi les royaumes comme* dans les ténèbres :
> « Montrez-vous *à la lumière !* »
> Sur les routes ils *demeureront,*
> et sur tous les sentiers seront leurs *lieux d'habitation,* etc.

Au v. 8*bc*, le « temps de grâce » (ou du « bon plaisir » divin) et le « jour du salut » sont remplacés par deux notions qui sont de circonstance : l'accomplissement du « bon plaisir » de Dieu comme condition de la prière exaucée, et l'allusion à la détresse présente comme temps où Dieu promet la délivrance. Tout ce début est mis intentionnellement à la 2e personne du pluriel (cf. le pluriel du v. 7). Au v. 8*d*, le retour à la 2e personne du singulier montre peut-être qu'un arrêt dans la lecture a entraîné une paraphrase indépendante pour les deux lemmes du texte. Mais surtout, la phrase se transporte du passé à l'avenir : puisqu'il n'est plus question de la tâche pour laquelle le Serviteur individuel a reçu une mission, mais d'une promesse faite à la communauté personnifiée pour ses membres souffrants, il n'y a plus lieu de rappeler la vocation du Serviteur. A partir de cette vue globale des destinataires de l'oracle, la finale du v. 8 et le v. 9 peuvent être recomposés complètement en explicitant le sens attribué aux métaphores de l'hébreu. Du même coup, l'enchaînement avec le v. 9*b* est assuré ; mais la teneur de celui-ci est modifiée par la double mention des demeures, substituée à l'image des pâturages. La continuité de la pensée est totale dans cette seconde série de textes (vv. 1-9) : elle est en pleine cohérence avec la lecture de tout le Second Isaïe dans le Targoum.

C) Troisième série de textes (50,4-11)

On retrouve maintenant la lecture individuelle du texte. Mais il n'est plus question du Serviteur de YHWH, ni comme personne, ni comme personnification de la communauté d'Israël. Le targoumiste découvre, dans les deux morceaux qu'il distingue nettement (vv. 4-9 et 10-11), d'abord une confidence du prophète Isaïe, puis un discours adressé par lui à ses auditeurs d'aujourd'hui.

6. *Plainte du prophète persécuté* (50,4-9)

> [4] YHWH-Dieu m'a donné la langue *de ceux qui enseignent*, pour savoir *enseigner aux justes qui languissent après les paroles de sa Loi, la sagesse.*
> *Ainsi*, chaque matin, *il envoie au plus tôt ses prophètes, au cas où les* oreilles des pécheurs seraient ouvertes et où ils *accueilleraient l'enseignement.*
>
> [5] YHWH-Dieu *m'a envoyé prophétiser,* et moi, je n'ai pas regimbé, je n'ai pas retourné en arrière.
> [6] j'ai présenté mon dos à ceux qui frappaient, mes joues à ceux qui épilaient ;
> je n'ai pas dérobé mon visage à l'humiliation ni au crachat.
> [7] Mais YHWH-Dieu m'aidait ; c'est pourquoi je n'ai pas été humilié,
> C'est pourquoi j'ai rendu mon visage *dur* comme le silex, et je sais que ne rougirai pas.
> [8] *Ma justification* est proche : Qui discute avec moi ? Comparaissons ensemble !
> Quel est mon adversaire ? Qu'il s'avance contre moi !
> [9] Voici que YHWH-Dieu m'aide : qui est-ce qui m'inculpera ?
> Voici qu'ils sont tous comme *le* vêtement qui est usé, que la mite dévore.

La traduction de la finale contraste, par son littéralisme, avec celle du début du texte (vv. 4-5a). On a vu plus haut que le v. 4 avait une littéralité difficile et incertaine. La Septante l'avait déjà recomposé. Ici, la recomposition est beaucoup plus radicale : on retrouve à peine quelques mots du texte primitif. L'accent n'est plus mis sur la docilité montrée par celui qui reçoit la Parole de Dieu pour la transmettre, mais sur sa mission d'enseignement. Celle-ci ressemble à la fois à celle des docteurs qui instruisent les fidèles peinant sur la Loi, et à celle des prophètes qui avertissent les pécheurs afin de les convertir. La tonalité sapientielle du texte originel est ainsi renforcée par sa paraphrase ; mais le targoumiste n'en substitue pas moins, au v. 5a, une mention de la mission prophétique reportée sur Isaïe, à l'image primitive : « YHWH m'a ouvert l'oreille. » Il s'agit donc d'un autre texte. D'une certaine façon, l'interprète a fait une lecture « historique » des vv. 4-9, puisqu'il attribue à Isaïe l'expérience de la souffrance à laquelle le texte fait allusion. Mais le prophète persécuté, dont la tradition tardive a raconté le martyre sous le roi Manassé [53], est devenu en quelque sorte le type du Juste souffrant, sûr de son droit devant le tribunal de Dieu. Sous ce rapport, le Targoum est plus net encore que la Septante. En finale, il incorpore d'ailleurs, comme la version grecque, le distique du v. 9cd au discours du prophète.

7. *Exhortation adressée au peuple* (50,10-11)

A la suite du discours, le prophète reprend la parole en s'adressant au peuple. Mais c'est plutôt, en fait, le targoumiste qui s'adresse à ses auditeurs pour tirer la leçon de la lecture biblique. Dans la Bible rabbinique de Venise, suivie par les Polyglottes d'Anvers et de Londres, on trouve d'ailleurs deux longues additions au début du v. 10 et au début du v. 11 [54].

---

53. Le Targoum d'Isaïe a conservé cette tradition dans une *Tosephta* d'origine palestinienne, en marge d'Is 66,1. Au Codex Reuchlin s'ajoute maintenant le texte livré par le Codex *Vatican. Ebr. Urbin. 1* (cf. P. GRE-LOT, « Deux Tosephtas targoumiques inédites sur Isaïe 66 », *Revue Biblique*, 79 (1972), pp. 511-543). Il s'agit d'un commentaire traditionnel développé en marge de 2 R 21,10-16 et d'Is 66,1 (cf. *art. cit.*, p. 527), déjà connu de Flavius Josèphe et de l'épître aux Hébreux, sans parler du Pseudépigraphe qui raconte le *Martyre d'Isaïe*.

54. Ce texte est absent de l'édition de Stenning ; il figure en note dans

Comme elles ne figurent pas dans le Codex Reuchlin et les autres manuscrits, on peut les tenir pour secondaires ; mais il est intéressant de voir comment la tradition targoumique s'est développée, au-delà de l'adaptation ancienne du texte :

> [10] [*Le prophète dit : Le Saint (Béni soit-il !) va dire à toutes les nations :*]
> « Quel est parmi vous *celui d'entre ceux qui* craignent YHWH,
> *qui* écoute la voix de *ses* serviteurs *les prophètes,*
> *qui accomplit la Loi dans la tribulation*
> *comme un homme qui* marche dans les ténèbres et n'a pas de lumière ? Il espère dans le nom de YHWH et a confiance dans *la délivrance de son Dieu.* »
>
> [11] [*Les nations répondent et disent devant lui :*
> *« Ô notre maître ! Il ne nous est pas possible de peiner sur la Loi. Car tout le jour, nous sommes en conflit l'une contre l'autre dans la guerre. Et quand nous l'avons emporté l'une sur l'autre, nous avons brûlé leurs maisons au feu et déporté leurs femmes, leurs enfants et leurs biens. Et notre jour est rempli par cette affaire, et il ne nous est pas possible de peiner sur la Loi. » Le Saint (Béni soit-il !) répond et leur dit :*]
> « Voici que vous tous, vous attisez le feu, *vous brandissez une épée.*
> Allez *tomber* dans le feu *que vous avez attisé,*
> *et par l'épée que vous avez brandie !*
> Ceci vous *est* advenu par ma *Parole :* vous *retournerez à votre ruine.*

Les prophètes, serviteurs de Dieu, sont substitués au Serviteur par excellence. Il y a donc une généralisation de l'instruction donnée sur la docilité envers eux. Mais dans le v. 11, le thème de l'accomplissement de la Loi est ajouté au texte, grâce à un stratagème littéraire que rien ne laissait prévoir : l'image des ténèbres introduit l'évocation de la tribulation (ou de la détresse), et la fidélité à la Loi dans cette situation permet seule d'espérer la délivrance — qui n'est pas ici la rédemption

---

celle de Sperber, p. 103. Mais on se rapportera de préférence à la Bible de Venise, 2ᵉ éd., rééditée par M. GOSHEN-GOTTSTEIN, Jérusalem 1972, t. 3, p. 80, ou à la Polyglotte de Londres qui en reproduit le texte avec une traduction latine.

eschatologique, mais simplement la libération de la détresse éprouvée.

L'enchaînement du v. 11 sur le v. 10 est ensuite assuré par la mise en scène que présente l'addition tardive. Le texte primitif opposait les deux sorts réservés à ceux qui écoutent la voix du Serviteur et à ceux qui font figure d'opposants. Le targoumiste ne peut se résigner à placer ces derniers parmi les Israélites. Il reporte donc l'annonce du châtiment sur les nations païennes qui n'ont pas le souci d'observer la Tôrah. Comme il a introduit l'épée à la place des brandons (*zîqîm*) dont parlait le texte hébreu, il lui suffit de développer le thème que cette mention suggère : celui de la guerre dont il brosse un tableau succinct. Le manque d'attention à la Tôrah est évidemment en cause ; mais la mention des seules nations étrangères introduit une note de nationalisme religieux que le texte primitif ne comportait pas. Une fois de plus, c'est la situation actuelle du Judaïsme mis à l'épreuve, avec ses soucis fondamentaux et aussi ses limites, qui commande la recomposition du texte. Cette herméneutique, évidemment explicable, tend nettement à s'écarter de l'Écriture qu'elle commente en vue de l'édification de la communauté.

D) **Quatrième série de textes** (52,13 — 53,12)

La quatrième série de textes est d'autant plus importante que l'interprétation christologique des Poèmes du Serviteur s'est faite à partir d'elle, comme on l'a vu en examinant le dossier du Nouveau Testament [55]. Au temps de Jésus et des origines chrétiennes, ni le Judaïsme palestinien ni celui de la Diaspora grecque n'avaient l'idée d'interpréter Is 52,13—53,12 en l'appliquant au Messie davidique, ou d'identifier celui-ci au Serviteur souffrant. Les rares aphorismes rabbiniques qu'on peut citer [56], soit pour annoncer la gloire future du Messie sur la base d'Is 52,13, soit pour lui attribuer la souffrance sur la base d'Is 53,4-5, ne sont pas antérieurs au IIIe siècle. Le Targoum du Poème représente donc, sur ce point, une innovation importante à l'intérieur de la tradition juive ; mais il

---

55. *Supra,* p. 187.
56. *Supra,* p. 201 s.

faudra en chercher la raison. En lisant sa traduction, on constatera que les « unités de sens » y sont traduites indépendamment les unes des autres, — ce qui permet de les interpréter sans les rapporter uniformément au même « sujet » pour unifier l'ensemble du texte. De cette façon, le targoumiste peut attribuer au Messie davidique toutes les images de gloire ou les actes qui assurent le salut d'Israël, tandis que les images de souffrance et d'humiliation font l'objet d'une interprétation collective, comme c'était déjà le cas dans la paraphrase grecque [57].

(52) [13] Voici que mon serviteur *le Messie* triomphera :
il sera exalté, grandira, deviendra très puissant.
[14] De même que *la maison d'Israël a espéré en lui durant des jours nombreux,*
car leur aspect *était misérable parmi les nations*
et *leur* apparence, différente de celle *des* fils d'hommes.
[15] ainsi *dispersera-t-il* des nations nombreuses,
des rois *se tairont à son sujet :* ils *mettront leurs mains sur* leurs bouches,
car ils auront vu ce qui ne leur avait pas été raconté,
et ils auront compris ce qu'ils n'avaient pas entendu dire.

Le ton est donné : le texte ne parlera que de la grandeur du Messie, serviteur de Yhwh. C'est cette grandeur qui causera la stupéfaction des nations et des rois, et non le renversement de situation qui glorifierait le Serviteur souffrant après que sa mort aurait obtenu le salut d'Israël. En revanche, la misère d'Israël dispersé est déjà évoquée : le chap. 53 permettra d'en développer le tableau. Les modifications apportées au texte hébraïque ne résultent pas seulement de retouches mineures : il est clair que le targoumiste est prêt à le recomposer entièrement pour les besoins de sa thèse.

---

57. Outre la traduction de la Polyglotte de Londres, on peut voir celles de J.F. Stenning, *The Targum of Isaiah,* pp. 178-181 ; S.R. Driver-A. Neubauer, *The Fifty-Third Chapter of Isaiah,* pp. 5-6 ; S.H. Levey, *The Messiah : An Aramaic Interpretation. The Messianic Exegesis of the Targum,* Cincinnati 1974, pp. 63-67 (avec quelques notes critiques). Etude plus détaillée : H. Hegermann, *Jesaja 53 in Hexapla, Targum und Peshitta,* Gütersloh 1954, pp. 66-94.

(53) ¹Qui aurait cru cette bonne nouvelle qui est nôtre,
et la *puissance du* bras *fort* de YHWH, à qui a-t-elle été
révélée ?
²*Le(s) juste(s)* grandira(-*ont*) devant lui[58] comme des
surgeons *qui bourgeonnent ;*
et comme un arbre *qui envoie ses racines vers des courants
d'eau,*
ainsi croîtront les générations saintes sur la terre *qui avait
besoin de lui.*
Son aspect *ne sera pas celui d'un homme du commun,*
ni sa crainte, celle d'un homme ordinaire :
son éclat *sera l'éclat de sainteté,*
si bien que quiconque le verra, le *contemplera*[59].

Les additions du v. 1 ne sont que des redondances qui
amplifient l'effet oratoire du texte, mais celles du v. 2 n'ont
plus qu'un lointain rapport avec lui. L'image de la bouture et
de la racine voit son sens inversé ; elle est d'ailleurs reportée du
Serviteur sur « les générations saintes » qui vivront au temps du
Messie. Quant à l'absence de beauté et d'éclat (v. 2*cd*), elle est
exactement contredite par une affirmation qui s'aligne sur
52,13. Dans le verset suivant, les souffrances du Serviteur sont
reportées sur les royaumes païens :

³*Alors la gloire de tous les royaumes* sera livrée au mépris
et *prendra fin :*
ils seront infirmes et souffrants
*ainsi qu'*un homme de douleurs et habitué *aux* maladies ;
et de même que la face *de la Présence (divine) s'est retirée
de nous,*
ils seront méprisés et déconsidérés.

---

58. Le texte reçu comporte un verbe au singulier et un sujet au pluriel
(*wᵉyitrabba' ṣaddîqayyâ*). Le sujet est mis au singulier dans la Bible
rabbinique de Venise, les Polyglottes d'Anvers et de Londres, le Codex
Reuchlin et le Ms. p. 116 de la Bibliothèque Montefiore. Au contraire, le
verbe est mis au pluriel dans une citation du Targoum par Kimchi. Voir
l'apparat critique de A. SPERBER, *op. cit.*, p. 167, plus complet que celui de
Stenning. Il est hasardeux de respecter la littéralité du texte comme j'ai tenté
de le faire dans *L'espérance juive à l'heure de Jésus*, p. 219 : « Il grandira,
les justes (étant) devant lui comme des surgeons » etc.

59. Autre sens : « Quiconque le verra, deviendra avisé (*yistakkal*) grâce à
lui. » Ce sens a la préférence de S.H. LEVEY, *op. cit.*, p. 155, note 70.

> [4] Alors lui, *il priera pour nos péchés*
> et *nos iniquités seront pardonnées à cause de lui.*
>
> *Et nous, nous* étions regardés comme atteints *de maladie,*
> frappés par Dieu et humiliés.
> [5] Mais lui, il *bâtira le sanctuaire qui a été* souillé par nos péchés,
> *livré* à cause de nos iniquités,
> et *par son enseignement sa* paix *abondera* sur nous
> *et à cause de notre attachement à ses paroles nos péchés*
> *nous seront pardonnés.*

Après le renversement de situation qui livre les nations au mépris (v. 3), l'alternance des sujets grammaticaux « lui », « nous », « lui » est mieux respectée. Mais au v. 4*ab*, les péchés sont substitués aux douleurs du peuple d'Israël ; le Messie ne les prend pas en charge, mais obtient leur pardon par sa prière. Au v. 4*cd*, ce n'est plus le Serviteur qui est regardé comme frappé par Dieu, mais les Israélistes coupables. De même, au v. 5*ab*, ce n'est pas le Serviteur qui est transpercé à cause de leurs péchés et broyé à cause de leurs crimes, mais le sanctuaire qui est souillé (*ḥll* = « transpercer » ou « souiller ») et livré. Mais la paix revient sur eux grâce à l'enseignement du Messie (cf. l'hébreu *mûsar* = « châtiment » ou « enseignement »), et toute allusion à ses meurtrissures est effacée de l'évocation du pardon accordé.

> [6] Nous tous, comme des brebis, nous *avons été dispersés,*
> *nous avons été exilés,* chacun suivant son propre chemin,
> et *ce fut le bon plaisir de* YHWH
> *de pardonner* nos péchés à tous *à cause de lui.*
>
> [7] *Il priait et il était exaucé,*
> *il était agréé avant* qu'il eût ouvert la bouche.
> *Il livrera les nations* comme un agneau à l'égorgement
> et comme une brebis qui se tait devant ses tondeurs,
> *et il n'y aura personne qui* ouvre la bouche *devant lui*
> *ni qui prononce une parole.*

Le développement sur l'image des brebis est donc transféré, du Serviteur sur les nations et du passé dans l'avenir — du moins au v. 7, où il est question des animaux qui n'ouvrent pas la bouche. Mais les brebis dispersées fournissent aussi une comparaison pour évoquer le peuple en exil (v. 6). Le Messie-Serviteur joue un rôle des deux côtés : pour obtenir le pardon aux exilés, et pour punir les nations qui sont responsables de leur épreuve. La conscience du péché est forte dans la communauté juive, mais le nationalisme religieux est aussi fort, et l'attente du Messie est en rapport avec ces deux sentiments entremêlés.

> **⁸** *Des* châtiment*s* et de la *punition il tirera nos exilés :*
> *les merveilles qui se feront pour nous durant ses jours*, qui *pourra les* raconter ?
> Car *il* ôt*era* de la terre *d'Israël la domination des nations*
> et *il transférera sur elles* les péchés *dont* mon peuple *a été coupable.*

> **⁹** *Il livrera* les impies *à la Géhenne*,
> et ceux qui sont riches *de biens pris par force, à la mort de la perdition,*
> *afin que* les a*r*tisan*s de péché ne subsistent pas*
> et *qu'ils ne disent pas* de tromperie *avec* leur bouche.

Les vv. 8 et 9 ont une importance capitale dans le texte hébreu, puisqu'ils parlent explicitement de la mort du Serviteur. Le targoumiste joue habilement sur les mots du v. 8*a*, qu'on pourrait traduire littéralement : « De la coercition et du jugement il a été tiré » (*luqqaḥ,* avec *min* d'origine et non de cause). De même, dans la suite, on trouverait pour chaque stique un ou deux mots capables de suggérer le sens énoncé finalement, à condition de faire travailler l'imagination pour remplacer les expressions embarrassantes par d'autres, qui sont en cohérence avec la thèse de l'auteur. Le plus étrange est peut-être, au v. 8*d*, le transfert des péchés d'Israël (lire *yamṭē* au lieu de *yimṭē*) ⁶⁰ sur les nations et non plus sur le Serviteur. Quant au v. 9*ab*, il introduit les images de l'au-delà communes en théologie rabbinique à la place du tombeau et du tertre funèbre où le Serviteur avait été mis. Ainsi la doctrine

---

60. Cette correction est acceptée par tous les traducteurs, mais aucun manuscrit ne l'appuie. Elle a pour elle la correction du verbe parallèle *yiʿdē* (« il fera disparaître ») en *yaʿdē* dans le Ms. BM or. 1474. Voir les apparats critiques de Stenning et Sperber, *in loco*.

classique de la rétribution se substitue au problème douloureux
que pose l'assimilation du Serviteur aux pécheurs.

> [10] Ce fut le bon plaisir de YHWH *d'affiner et d'épurer le*
> *reste de son peuple*
> *afin de purifier leurs* âmes *des péchés :*
> ils verr*ont le règne de leur Messie ;*
> ils *multiplier*ont leu*rs fils* et leu*rs filles* et prolonger*ont*
> leurs *jours,*
> et *ceux qui accomplissent la Loi de* YHWH prospéreront
> selon *son bon plaisir.*

Le texte hébreu de ce verset est difficile. La paraphrase de la
Septante s'en écartait déjà beaucoup en y introduisant sans
préavis une phrase en « vous ». Mais ici, on n'en retrouve plus
que quelques vestiges : le bon plaisir de YHWH, l'âme, le
verbe « voir », la postérité (remplacée par les « les fils et les
filles »), le prolongement des jours, le verbe « prospérer » ou
« réussir »... La recomposition est totale, pour permettre de
présenter la doctrine rabbinique classique : purification du
péché, attente du Messie, attachement à la Loi qui assure une
juste rétribution. La finale du texte revient au tableau parallèle
de la réussite du Messie et du bonheur des fidèles sauvés :

> [11] *Il délivrera leur* âme *de la servitude des nations.*
> Ils verr*ont le châtiment de leurs ennemis,*
> ils *se rassasier*ont *des dépouilles de leurs rois.*
> Par sa *sagesse,* il justifiera *des justes*
> *afin d'en soumettre beaucoup à la Loi,*
> et il *priera pour* leurs péchés.
> [12] Alors je lui donnerai en partage *les dépouilles de nations*
> nombreuses,
> et il partagera *comme* un butin *les biens de villes* puissantes,
> en retour de ce qu'il a livré son âme à la mort
> *et soumis les rebelles à la Loi.*
> Et lui, il *priera pour* de nombreux péchés
> et *il sera pardonné aux rebelles grâce à lui.*

Comme dans les versets précédents, les traces du texte
hébraïque ne reparaissent que dans quelques bribes de phrases :
l'âme, le verbe « voir », le verbe « se rassasier », le verbe
« justifier », etc. Paradoxalement, au milieu de cette recomposition qui assigne au Messie-Serviteur des tâches de restauration

religieuse et politique, on note la conservation d'un fragment erratique qui détone par rapport au reste du portrait : le Messie reçoit en partage les dépouilles des nations et des villes (v. 12*ab*), « en retour de ce qu'il a livré son âme (= lui-même) à la mort » (v. 12*c*). Or, c'était là un point essentiel dans la théologie du Second Isaïe. Comment faut-il l'entendre ici ? On a vu [61] que le *Midrash Rabbâ* sur Nb 13,2 appliquait ce même texte aux souffrances des Israélites en exil ; mais il ne semble pas que le targoumiste fasse participer le Messie à ces souffrances. Il fait simplement allusion aux combats du Messie pour la délivrance de son peuple. En employant l'expression araméenne *m^{e}sar nafšeh*, il suggère que le Messie a « exposé sa vie » à la mort : on trouve l'expression (sans le complément *l^{e}mawtâ*) dans le Targoum de Jg 9,17 [62], pour dire que Yerubbal « a exposé sa vie au risque d'être tué » et libéré son peuple de la main des Madianites (l'hébreu porte : *wa-yašlēk 'èt-nafšô*). Le même sens se retrouve dans le Targoum du Pseudo-Jonathan sur Nb 31,5, pour désigner le recrutement des guerriers qui exposent leur vie au combat [63].

L'interprétation du texte est donc très différente de celle qu'on trouve dans le Nouveau Testament [64], quand il montre Jésus « livré pour nos fautes » (Rm 4,25), « se livrant pour nos péchés » (Ga 1,4) ou « se donnant pour nous » (Ga 2,20). On ne sort pas des perspectives classiques de la théologie rabbinique : à l'extérieur, le Messie libérera Israël de la servitude des nations ; à l'intérieur, il soumettra les foules à la Loi, et en particulier « les rebelles » ; mais c'est par sa prière qu'il obtiendra pour eux le pardon des péchés. L'insistance sur l'enseignement du Messie, dont la sagesse conduit les hommes à l'observation de la Loi, donne au morceau une tonalité un peu inhabituelle ; mais elle rappelle un point que le Targoum du

---

61. Cf. *supra*, p. 202.

62. Texte araméen : *û-m^{e}sar yāt nafšeh k$^{e\cdot}$al gab l$^{e\cdot}$itq^{e}țālā* (A. SPER-BER, *The Bible in Aramaic*. II. *The Former Prophets*, p. 66).

63. Ce passage est une amplification du texte biblique propre au Pseudo-Jonathan : *w$^{e\cdot}$itb^{e}harû gubrîn șaddîqîn û-m^{e}sarûn nafš^{e}hôn...* (voir le texte de la Polyglotte de Londres, *Triplex Targum*, p. 302 ; l'édition de M. GINSBURGER, *Pseudo-Jonathan*, Berlin 1903, p. 288 ; l'édition de D. RIEDER, *Targum Jonathan ben Uziel*, Jérusalem 1974, p. 242.) Ginsburger signale le parallèle de *Sifrê* sur les Nombres dans ce même verset.

64. Cf. *supra*, pp. 146-150.

Poème A (Is 42,1-4) n'ignorait pas. Par contre, la prière du Messie pour son peuple en vue du pardon des péchés (53,4*a*.6*cd*.11*f*.12*ef*) est une nouveauté qui mérite d'être notée [65]. Elle prend systématiquement la place du thème propre au texte hébreu : le Serviteur porte, prend en charge, prend à son compte les péchés de son peuple. Le Nouveau Testament trouvait dans ces expressions un appui pour élaborer sa doctrine de la rédemption, en montrant le Juste solidaire des pécheurs. Il semble bien que le targoumiste écarte intentionnellement cette idée. Mais le thème de la prière d'intercession a pu lui être fourni par le texte hébreu de 53,12*f* : « il intercédait (ou : intercédera) pour les criminels [66]. »

III. Traduction, interprétation ou recomposition ?

1. *Le cadre religieux et culturel du Targoum*

Le Targoum de Jonathan a été reçu comme interprétation officielle des Prophètes, probablement à l'époque des *Amoraïm*. De ce fait, il porte l'empreinte de la théologie rabbinique, plus que les fragments du Targoum palestinien qui subsistent pour certains morceaux du Corpus prophétique. Les targoumistes appelés à donner une interprétation orale de l'Écriture dans le cadre de la Synagogue ont vu leur liberté soumise à des impératifs très stricts. Le but n'était pas de savoir quel message le Second Isaïe — ou Isaïe tout court — avait apporté à ses contemporains de la part de Dieu en fonction des circonstances concrètes de leur temps, mais de savoir ce que la Parole de Dieu fixée dans le texte du Livre continuait de dire à ses lecteurs et auditeurs d'aujourd'hui, en fonction des circonstances nouvelles où ceux-ci se trouvaient. Sous ce rapport, le problème n'était pas différent de celui qui s'était posé aux adaptateurs grecs de la Septante et aux interprètes chrétiens des Écritures. Mais les circonstances n'étaient pas les mêmes, et les principes d'interprétation non

---

65. Le fait est signalé par S.H. Levey, *op. cit.*, p. 67 : «C'est une nouvelle note messianique qui résonne dans le pouvoir d'intercession du Messie, qui intercède pour le pardon des péchés d'Israël».

66. Cf. *supra*, p. 58 s.

plus. Dans les communautés juives réorganisées sur la base de la fidélité à la Tôrah après la ruine du Temple et le désastre des deux révoltes, il s'agissait de maintenir intacte la tradition et de garder l'espérance nationale, au milieu des empires romain et parthe auxquels le Judaïsme était assujetti, et en face des églises chrétiennes qui prenaient leur essor et contestaient la légitimité de l'exégèse juive en lui substituant une nouvelle interprétation des Écritures.

Le Targoum des Poèmes du Serviteur fait écho à tous ces soucis. Dans les groupes de textes B et C, il peut prolonger à sa façon l'interprétation déjà attestée dans la Septante : interprétation collective de la figure du Serviteur dans Is 49,1-9 ; interprétation individuelle d'Is 50,4-11 appliqué au prophète lui-même. Mais il en va autrement dans les groupes de textes A et D. Là, l'interprétation collective de la figure du Serviteur est difficile à maintenir, si on veut respecter au minimum la littéralité du texte. En outre, l'application chrétienne des Poèmes à Jésus, tenu pour Serviteur de Dieu et Messie d'Israël, doit être combattue sur son propre terrain, par une autre lecture du texte lui-même. L'abandon de la Septante s'impose, puisque les chrétiens en abusent. Mais la Bible hébraïque ne doit pas être laissée aux initiatives dangereuses des explications privées. Il importe donc de montrer la cohérence générale de tous les textes, à l'intérieur d'une Écriture que la tradition vivante reçoit et peut seule interpréter correctement. C'est pourquoi la Série A (42,1-7) fait l'objet d'une interprétation messianique qui, pour finir, énonce en clair les objectifs auxquels tendra le règne du Messie : ramener Israël à la Tôrah, libérer les exilés de la servitude des païens, établir ici-bas le Droit de Dieu. En face de l'universalisme chrétien, qui paraît mettre en doute le rôle particulier d'Israël dans le dessein de Dieu, il importe de poser nettement les bases d'un nationalisme religieux qui peut se réclamer de la littéralité des Écritures et qui a pour unique but le règne final du Dieu d'Israël. Quant à Série D (52,13— 53,12), elle est aussi — et plus encore — utilisée par les chrétiens pour justifier l'idée d'un Messie crucifié et d'une rédemption étrangère à toute perspective politique. L'interpellation des apologistes chrétiens — tels Justin et Origène [67] — interdit d'en rester à l'interprétation strictement collective que

---

67. Cf. *supra*, pp. 193-198.

les adaptateurs grecs avaient tenté d'en donner. Le texte d'Is 52,13 fournit une clef de lecture messianique qui ne contredit en rien l'image classique du roi fils de David, puisqu'il en annonce la gloire. Il faut donc sélectionner dans le Poème tous les traits qui sont en cohérence avec cette représentation. Mais puisque l'interprétation collective, classique au temps des origines chrétiennes, a déjà permis d'appliquer les images de souffrance à la communauté d'Israël, il est logique qu'elle soit conservée partout où le texte les comporte, et surtout s'il met en relation cette souffrance avec les péchés de la nation dispersée.

Tels sont les points de départ logiques de l'interprétation que le Targoum impose aux quatre Poèmes. On n'est donc plus devant un problème de *traduction,* même un peu large : plus encore que la Septante, le Targoum est une *recomposition* du texte qui a sa cohérence propre [68]. Les circonstances dans lesquelles le livre d'Isaïe est lu dans le cadre synagogal, fournissent une « pré-compréhension » de son contenu. Le tout est de montrer comment sa littéralité peut justifier cette compréhension préalable que la tradition vivante, prise en bloc, en fournit. D'une certaine manière, l'interprétation que les chrétiens en proposent à la même époque ne procède pas autrement : c'est la reconnaissance de Jésus crucifié comme Serviteur souffrant, puis de Jésus ressuscité comme Serviteur glorieux et comme Messie d'Israël, qui lui fournit une « pré-compréhension » des textes applicables à sa Passion et à son rôle actuel de médiateur [69]. Mais c'est justement là que

68. S.H. Levey, *op. cit.,* p. 66, note à juste titre : « Ce n'est pas une traduction, ce n'est pas non plus un commentaire libre et insignifiant. Il s'accroche aux mots et aux phrases de l'hébreu, ordinairement au mot ou à la phrase-clef dans le verset, et sur cette base il édifie son interprétation... Le trait le plus frappant du messianisme targoumique est ici le remaniement de la conception propre au Deutéro-Isaïe — celle du Serviteur souffrant, pour en faire une personnalité sublime, splendide et agressive, un champion qui prend les armes pour Israël méprisé, tyrannisé et souffrant, qui exerce un pouvoir destructif sur les ennemis du peuple et subjugue à son profit des rois puissants. Il restaure aussi Israël dans sa dignité nationale, reconstruit le sanctuaire, est un champion de la Tôrah, distribue aux méchants leur châtiment et les expédie dans la Géhenne. » Il est évident que ce messianisme, projeté de l'extérieur sur un texte qui ne mentionnait pas le Messie davidique par son nom ni son titre, n'a plus rien à voir avec le Serviteur de Yhwh dépeint par l'auteur primitif.

69. Cf. *supra,* pp. 184-186.

réside le principe de divergence entre les deux herméneutiques. Le Judaïsme, fortement secoué par la ruine du Temple, s'est réorganisé en fixant d'une certaine manière sa tradition autour de quelques points essentiels : la Tôrah, l'espérance messianique conçue comme une attente de la libération nationale [70]. Dans cette perspective, la mutation proposée par les chrétiens ne peut qu'être refusée : Jésus de Nazareth n'est ni le Serviteur souffrant, ni la «Lumière des nations», ni le médiateur de rédemption qui obtient par sa mort le pardon des péchés. Sans le dire explicitement, la paraphrase targoumique des Poèmes écarte ces prétentions contre lesquelles le Judaïsme rabbinique doit se défendre.

2. *Les procédés pratiques de l'exégèse*

Ces points étant reconnus, il faut poser la question des procédés pratiques employés par le Targoum pour valoriser à sa façon les textes qu'il interprète. Jusqu'à un certain point, ils prolongent ceux dont la Septante avait déjà largement usé. Parfois, ce sont de simples retouches dues à la réflexion sur le sens possible des mots, des groupes de mots, des formes verbales, etc. D'autres fois, c'est l'éclairage des expressions employées par des passages parallèles qui permettent d'en prolonger le sens. Mais il y a aussi des cas où le Targoum est un véritable midrash araméen, développé en marge du texte. Ou plutôt, il suppose un midrash préalable de forme savante, élaboré dans les écoles rabbiniques. On peut citer à ce sujet Is 42,7, Is 49,8-9, Is 50,10-11, et tout l'ensemble d'Is 52,13— 53,12. C'est dans ce dernier cas que la subtilité rabbinique se donne libre carrière, pour rattacher aux mots du texte hébreu un contenu qui en est le plus éloigné. Le texte finit par devenir un prétexte pour présenter la théologie que le targoumiste a dans l'esprit. On dira que les Pères de l'Église, ses contemporains, en faisaient autant dans leur interprétation des Poèmes. C'est vrai jusqu'à un certain point. Mais il faut au moins reconnaître qu'ils respectaient mieux la littéralité du texte comme tel —

---

70. On trouvera une étude détaillée sur la comparaison du Messie et du Serviteur de YHWH dans l'article de P. SEIDELIN, «Der Ebed Jahwe und die Messiasgestalt im Jesajatargum», *Zeitschrift für die Neutestamentliche Wissenschaft* 35 (1936), pp. 194-231. Mon propos ici est plus restreint : il concerne seulement l'herméneutique appliquée aux Poèmes du Serviteur par le Judaïsme post-chrétien.

même s'ils la prenaient dans la version grecque d'Isaïe. Ils s'efforçaient de la valoriser, non sans subtilité bien souvent. Mais ils n'en prenaient pas le contrepied, comme fait le targoumiste d'Is 52,13—53,12 dans un grand nombre de cas [71]. C'est là une simple constatation littéraire qui laisse intacte les motifs profonds de la controverse entre Juifs et Chrétiens. Au plan culturel, les premiers se sont retranchés à l'intérieur d'une tradition sémitique défiante de l'hellénisme, tandis que les seconds se sont installés en pleine culture hellénistique, non sans y introduire un bon nombre d'éléments venus en droite ligne du Judaïsme et de sa lecture des Écritures. Mais ce n'est pas de la confrontation entre les deux traditions qu'il s'agit ici : le problème à étudier est celui de l'herméneutique comme telle.

---

71. Voir le tableau des parallélismes antithétiques que donne H. HEGER-MANN, *Jesaia 53 in Hexapla, Targum und Peschitta,* pp. 115-118. Mais je doute qu'on puisse écarter les transformations secondaires introduites tardivement dans le Targoum d'Is 53, pour retrouver un Targoum primitif où le Serviteur de YHWH aurait déjà été identifié au Messie et où les souffrances du Messie auraient constitué une expiation pour les péchés d'Israël (pp. 130-131). Cette vue est acceptée trop facilement par J. JEREMIAS, *Théologie du Nouveau Testament. I. La prédication de Jésus,* trad. fr., Paris 1973, p. 370. Je ne pense pas que la tradition juive, représentée par l'interprétation targoumique d'Isaïe dans les synagogues, ait effectué l'identification du Messie davidique et du Serviteur souffrant avant l'époque du Nouveau Testament. Cette identification n'était pas nécessaire pour que Jésus — et les auteurs du Nouveau Testament à sa suite — aient pu trouver dans le Poème du Serviteur souffrant un point de départ pour comprendre la conformité de la croix au témoignage des Écritures. Il ne me paraît pas possible de dire quelle interprétation la tradition targoumique donnait, à son stade oral, des Poèmes A (Is 42,1-7) et D (Is 52,13—53,12). Cela n'empêche pas que Jésus ait pu prendre conscience de lui-même et interpréter par avance sa propre mort à la lumière d'Is 53 : on peut, sur ce point, donner raison à J. JEREMIAS, art. «Pais Théou», *TWNT,* t. 5 (1954), pp. 709-713. Mais c'est là un autre problème que celui de sa «conscience messianique» (pour reprendre une formule consacrée par l'usage). J'accepterais donc les conclusions de J. JEREMIAS, *Théologie du Nouveau Testament,* t. I, pp. 357-373 (tout en faisant une réserve sur l'équivalence du grec *lytron* et de l'hébreu *'āšām,* p. 365 ; cf. *supra,* pp. 146 s.). Mais je pense que l'interprétation collective du texte, commune dans le Judaïsme du temps, suffit pour expliquer son appropriation au cas personnel de Jésus (*supra,* pp. 186 s.).

Troisième partie

HERMÉNEUTIQUE
ET LECTURE CRITIQUE

Chap. VI. L'HERMÉNEUTIQUE, OPÉRATION PLURIELLE

CHAPITRE VII

L'HERMÉNEUTIQUE,
OPÉRATION PLURIELLE

L'enquête historique sur l'herméneutique appliquée aux Poèmes du Serviteur dans le Judaïsme ancien et le Christianisme primitif a fourni des résultats instructifs : elle a mis en évidence la pluralité des interprétations dont ces textes ont fait l'objet. Mais le critique d'aujourd'hui peut-il porter sur celles-ci un jugement de valeur à partir d'une lecture « neutre » et « objective » qui le mettrait à l'abri de ses préjugés personnels pour le placer devant le texte sans qu'il projette sur lui ses idées préconçues ? J'ai fait suffisamment allusion, en commençant, aux diverses hypothèses que les exégètes d'aujourd'hui mettent en avant pour expliquer les Poèmes : cette constatation doit rendre modeste le critique qui s'efforce de rester « objectif ». Chacun tente de mettre en évidence le sens qui, à son avis, correspond le mieux à la littéralité du texte et aux fonctions qu'il a remplies dans les circonstances où son auteur se trouvait. Mais le choc même des hypothèses entre lesquelles on est amené à prendre position montre bien que le sens originel du texte n'est pas si évident : toute hypothèse fait apercevoir, en quelque sorte, une *possibilité*, une *vraisemblance*, qui cherche des appuis dans les données extratextuelles — qu'il s'agisse de l'histoire événementielle ou de l'histoire des idées religieuses. Dans une perspective différente, les anciens interprètes des Poèmes se proposaient d'une certaine façon la même chose, à savoir : de mettre en valeur un *sens possible*, enclos dans la littéralité et comportant un message toujours actuel pour leurs contemporains. Pour y parvenir, eux aussi se référaient à des données extra-textuelles, non plus d'ordre historique mais d'ordre littéraire : d'une part, le « Message de consolation » (Is 40 — 55), l'ensemble du livre d'Isaïe, la totalité des Écritures inspirées, projetaient leur lumière sur chaque fragment particulier ; d'autre part, l'expérience spirituelle faite parallèlement dans le Judaïsme et dans le Christianisme naissant attirait l'attention sur tel ou tel point du texte, pour qu'une interprétation cohérente puisse se reconstruire autour de lui.

C'est justement là qu'un problème fondamental se pose : comment les interprètes juifs et chrétiens d'autrefois ont-ils pu aboutir légitimement à des résultats si dissemblables ? Faut-il parler dans chaque cas d'un *sens virtuel* qui aurait existé objectivement dans le texte avant qu'ils ne l'y découvre, ou bien ne doit-on pas plutôt dire qu'ils ont projeté sur sa lettre un sens issu de leur propre esprit en recourant à des artifices divers pour fonder cette opération ? Comment expliquer en outre que la différence des points de vue entre la lecture « historique » des modernes et la lecture plus « existentielle » des anciens produise un tel hiatus entre les deux ? Faut-il admettre que la critique et l'herméneutique (ou *les* herméneutiques) puissent ainsi cheminer séparément, par des chemins qui ne paraissent pas se recouper ? Ce sont là des questions générales qu'il faut examiner pour finir. Je le ferai en résumant ma pensée dans trois propositions : 1. La lecture critique est elle-même une herméneutique ; 2. L'étude historique des herméneutiques anciennes enrichit la lecture critique et invite à la dépasser ; 3. Lecture critique et herméneutique ont, en théologie chrétienne, un statut qui les oblige à se conjoindre pour se féconder mutuellement.

I. LA LECTURE CRITIQUE EST UNE HERMÉNEUTIQUE

Telle qu'elle est formulée, cette proposition peut surprendre. En effet, à première vue, la lecture critique n'a pas d'autre but que d'appliquer à n'importe quel texte des instruments d'analyse scientifique pour découvrir *le* sens qui s'y trouve *objectivement,* au-delà de celui qu'une lecture « naïve » pourrait lui attribuer spontanément.

Ces instruments d'analyse sont eux-mêmes diversifiés. La *critique textuelle* en est un. Dans le cas des Poèmes du

Serviteur, elle peut déjà faire apercevoir une pluralité d'interprétations anciennes sur quelques points particuliers, dans la mesure où les recensions du texte et la fixation de son vocalisme en sont les témoins : les commentateurs ne se sentent pas nécessairement liés au texte massorétique, si les manuscrits de Qumrân ou les leçons supposées par les anciennes versions le contredisent et paraissent éventuellement meilleurs. Les sciences humaines fournissent d'autres instruments auxquels je n'ai pratiquement pas recouru dans mon enquête. Comme il s'agit d'étudier des textes, leur *étude linguistique* pourrait dépasser les bornes de la sémantique et de la stylistique pour recourir à l'analyse sémiotique, qui est la forme la plus rigoureuse de l'analyse structurale ; mais ne touche-t-on pas ainsi aux racines mêmes de l'interprétation ? Parmi les thèmes qui se rencontrent dans les Poèmes, certains ont un *impact psychologique* considérable, notamment dans le dernier, où la souffrance et la mort du Juste solidaire des coupables soulève aux yeux de tout psychanalyste la question du rapport entre l'expiation du péché et la mort : dans *Moïse et le monothéisme,* Freud s'en est pris sur ce point à saint Paul, lu sur l'arrière-plan du problème posé par le sentiment de culpabilité. On peut faire beaucoup de réserves sur sa présentation de la doctrine paulinienne, connue peut-être à travers les seuls échos qu'il en percevait chez ses malades [1]. Mais savait-il au moins que cette doctrine se référait explicitement à Is 53 ? La dimension psychologique de ce texte, rapproché des autres Poèmes qui parlent du Serviteur individuel et confronté avec ceux où la communauté d'Israël reçoit le titre de Serviteur de YHWH, mériterait une étude spéciale — que je laisse à de plus compétents. La *sociologie,* l'*ethnologie,* l'*étude comparée des religions,* auraient aussi leur mot à dire. Mais cette fois, comme elles se rapportent à des textes et des réalités qui appartiennent au passé, elles entrent dans le champ de l'enquête historique à laquelle elles fournissent des apports indispensables. C'est donc finalement à l'*histoire* que la lecture critique nous ramène, quand nous entreprenons une enquête scientifique sur les Poèmes du Serviteur. Il va de soi que l'analyse psychologique des textes déboucherait sur une

---

1. J'ai touché à cette question dans *Péché originel et rédemption, examinés à partir de l'épître aux Romains,* Tournai-Paris 1973, pp. 20-53.

herméneutique ; mais peut-on en dire autant de leur étude historique ? Je pense qu'il faut répondre affirmativement à cette question.

1. *Toute étude historique est une herméneutique*

a) *Les exigences de la méthode.* — C'est d'abord au plan des principes que la réponse affirmative s'impose : elle vaut pour toute étude historique quelle qu'elle soit, aussi grand que puisse être son souci d'objectivité scientifique. En effet, *l'historien pratique toujours une certaine forme d'herméneutique,* et cela à un double titre.

En premier lieu, pour construire sa représentation du passé d'une façon cohérente, il doit réunir, confronter et comprendre *les documents* qui lui en parlent. Il mesure assurément la distance qui l'en sépare, s'il ne veut pas en faire une lecture plate et en reproduire les données sans les faire passer au crible de la critique pour les évaluer correctement. Mais *cette opération même est une interprétation,* et il est fort possible que les mêmes documents ne soient pas interprétés de la même façon par tous les historiens qui les utilisent. Les Poèmes du Serviteur en sont un exemple topique, puisque les critiques ne s'entendent ni sur leur objet exact — un personnage individuel ou une collectivité personnifiée, un personnage réel du présent ou un personnage idéal de l'avenir ? — ni sur leur *Sitz im Leben,* en dehors de leur situation générale après l'édit de Cyrus (538), ni même sur leur unité d'auteur et de composition. A partir de ces interprétations contradictoires, il est logique que les historiens s'en servent pour reconstruire de plusieurs façons différentes la situation et l'évolution de l'espérance juive entre l'édit de Cyrus et la dédicace du second Temple. Il faut en prendre son parti : l'historien se comporte, à sa façon, en « herméneute », même si le sens qu'il s'efforce de retrouver est celui que les premiers auditeurs du prophète de l'Exil ont pu comprendre au moment où les Poèmes furent prononcés — ou écrits, si l'on y voit des compositions écrites plutôt que des prédications orales.

En second lieu, *l'objet de l'enquête historique* ne se laisse pas définir en termes abstraits : le passé, les événements, les faits, etc. Qu'est-ce qu'un fait, un événement, sinon *une expérience humaine* advenue une seule fois, que l'historien s'efforce de ressaisir à partir des traces qu'elle a laissées dans les textes contemporains ou dans ceux qui en ont gardé la mémoire ? Or, on ne s'approche pas d'une expérience humaine sans faire un effort pour la cerner, la comprendre de l'intérieur, en épousant le point de vue de tel ou tel de ses participants, en y opérant des coupes pour en examiner l'aspect social, l'aspect politique, l'aspect psychologique, l'aspect religieux. Finalement, on la relie à d'autres pour lui découvrir un sens. *On en propose aussi une interprétation.*

b) *L'engagement pratique de l'historien.* — La subjectivité de l'historien n'est-elle pas engagée dans toutes ces opérations ? Elle est le « lieu » à partir duquel il observe d'autres hommes, difficiles à saisir à travers les brumes du temps.

S'il s'agit des textes, il lui faut étudier de près les conditions de leur « production » et les fonctions qu'ils ont remplies, dans un milieu qu'il reconstruit pour une part en se servant d'eux [2]. Mais il ne les aborde jamais sans en avoir une certaine *compréhension préalable*, quitte à la modifier à mesure qu'il avance dans son étude. S'il s'agit du milieu, des expériences humaines qui s'y sont déroulées, des épreuves et des espérances qui en ont marqué les acteurs, il ne s'en approche pas sans avoir une certaine idée de ce qui a pu s'y passer avec vraisemblance, quitte à voir renverser ses idées préconçues si les textes, ou leur coordination avec d'autres textes, l'obligent à envisager d'autres possibilités. Le rôle des hypothèses dans l'enquête historique se dévoile ici avec précision ; celle-ci n'est pas seulement une opération d'ajustage qui vise à reconstruire des ensembles où les textes trouvent leur meilleure explication ; elle est un effort d'interprétation qui concerne à la fois les textes-sources et l'expérience humaine à laquelle ils se rapportent. Les hypothèses représentent autant de tentatives d'interprétation.

Dans le cas des Poèmes du Serviteur celles qui ont été émises par les exégètes modernes ne relèvent-elles pas toutes d'un « Imaginaire » qui restaure, suivant divers modèles possibles, tout un corps vivant autour du squelette des textes ? Il faut se rendre à l'évidence : entre l'étude historique et

---

2. Je reviendrai plus loin sur certains modes de lecture qui ne laissent pas seulement de côté l'histoire par réserve méthodologique, mais qui prétendent s'en passer (cf. *infra*, p. 255 s).

l'herméneutique, il n'y a pas la césure qu'on imagine parfois. Tout critique, dans la mesure où il reconstruit et comprend le passé, est un herméneute en action qui doit mesurer lui-même le sens et la portée de ses opérations. Sans compter que celles-ci ne sont pas plus désintéressées que celles de n'importe quel pratiquant des sciences humaines : dans les expériences humaines du passé et dans les textes qui les font entrevoir, c'est nous-même que nous cherchons à comprendre, par affinité ou par différence, même — et surtout — si nous mesurons à notre aune les hommes d'autrefois avec leurs épreuves et leurs espoirs.

2. *Les hypothèses critiques et les interprétations traditionnelles*

Au-delà de cette question de principe qui concerne tout effort de lecture historique, on peut examiner de plus près le cas particulier des Poèmes du Serviteur, car la pluralité des interprétations que les critiques en proposent rappelle étonnamment l'histoire de leur herméneutique dans l'antiquité juive et chrétienne. Il n'est guère d'hypothèse moderne qui ne trouve là des anticipations, fût-ce à titre d'esquisses. Assurément, le nombre des explications possibles n'est pas indéfini, quand on s'efforce d'identifier la figure concrète qui est visée derrière le personnage énigmatique du Serviteur. Les raisonnements bâtis pour l'éclairer avec une probabilité suffisante s'inscrivent donc dans un cercle assez restreint. On peut néanmoins se demander légitimement si la formulation et le choix des hypothèses proposées ne sont pas quelquefois téléguidés, à l'insu des critiques eux-mêmes, par un Inconscient collectif — juif ou chrétien — qui donne plus de poids à tel ou tel argument particulier et fait finalement pencher la balance en sa faveur. La pré-*compréhension,* inévitable et même indispensable, risque alors de devenir un pré-*jugé* dont l'exégète, de très bonne foi, se débarrasse difficilement. Voici quelques exemples.

a) *Le « Messie souffrant ».* — C'est seulement à partir de la christologie chrétienne, admise au préalable, qu'on a pu parler du « Messie souffrant » à propos d'Is 52,13 — 53,12 [3] : aucun

---

3. L'expression a eu cours dans tous les Manuels d'apologétique, mais aussi dans les exposés des théologiens « classiques ». Elle est évitée à dessein par A. GELIN, art. « Messianisme », *SDB,* t. 5, col. 1192-1195, qui parle de

mot de ce texte ne suggère qu'il s'agit d'un personnage *royal* et le thème de l'*onction* n'y paraît pas. Même si on rapproche ce Poème des deux premiers, ni l'onction consécratoire ni les traits royaux ne marquent le Serviteur. Le don de l'Esprit de Dieu (42,1*c*) est susceptible de plusieurs applications. La mention de l'onction est réservée par le Second Isaïe au roi Cyrus (45,1). Les allusions à un rite d'investiture (42,6*ab*) et à des fonctions socio-politiques (42,7 ; 49,5-6) ne vont pas jusqu'à la collation d'une royauté sur Israël. Le mot « Messie » est donc tout à fait impropre. S'agit-il d'ailleurs d'une figure idéale projetée par le prophète sur l'écran de l'avenir ? On ne peut expliquer, dans cette hypothèse, les verbes qui évoquent au passé (= parfait hébraïque) la vocation du Serviteur, au présent (= participe hébraïque) son expérience de l'adversité et de la souffrance, au passé encore sa souffrance et sa mort. En vain se réfugie-t-on derrière la théorie du « parfait prophétique », en supposant que le prophète se mettrait dans une perspective idéale où ces faits seraient considérés comme déjà advenus. Il y a là un subterfuge exégétique qui cache mal une préoccupation apologétique : ce qu'on cherche à montrer, c'est que les événements prédits par le prophète se sont finalement déroulés comme il les avait montrés par avance, du moins dans leurs grandes lignes. Mais est-ce là une conception exacte de la prophétie, d'une part, et de l'accomplissement des Écritures, d'autre part ? La lecture de ces textes par les auteurs du Nouveau Testament ou même par des apologistes comme Justin et Origène montrait plus de souplesse : bien qu'elle insistât déjà sur la réalisation des faits annoncés d'avance, elle ne mécanisait pas à ce point l'argument prophétique, surtout quand la discussion mettait aux prises des chrétiens et des Juifs qui partageaient la même foi à l'inspiration des Écritures.

b) *Le médiateur du salut eschatologique*. — Là même où l'idée du Messie souffrant est écartée comme étrangère au texte des Poèmes, on peut se demander si l'identification du Serviteur à un médiateur de salut, présenté sous deux aspects différents mais renvoyé dans l'eschatologie, ne provient pas d'une pré-compréhension fournie par la lecture théologique de

---

« messianisme prophétique ». Mais le mot est encore inexact, car le terme d'« onction » ne figure pas dans les Poèmes, et les traits « prophétique » du Serviteur sont problématiques.

ces pages. Cela ne veut pas dire que cette lecture théologique soit fausse ou sans fondement dans leur littéralité. Mais il ne faut pas la prendre pour une indication *critique* qui fournirait, avant tout examen, l'interprétation *critique* qu'on devra nécessairement retrouver. On en dirait d'ailleurs autant de la lecture messianique que le Targoum a faite pour les Poèmes A et D : commandée par une défense contre la christologie chrétienne, elle supposait connu d'avance le résultat que l'examen détaillé des textes devait mettre en évidence. Le rapport entre la lecture critique et l'herméneutique théologique est, en réalité, beaucoup plus complexe que cela.

c) *Le Serviteur collectif.* — Il est vrai que d'autres exégètes, en se fondant sur le Poème B (Is 49,1-6) et sur les parallélismes du Second Isaïe, proposent de voir dans le Serviteur *la personnification d'une collectivité*. Mais l'identification exacte de cette collectivité fait problème : est-ce Israël en général ? est-ce le peuple aux prises avec les souffrances de l'exil ? est-ce le Reste des seuls justes qui obtiendrait le salut de la masse pécheresse ? est-ce le Reste « eschatologique » que le prophète mettrait par avance en relation avec la réussite finale du dessein de Dieu ? Les arguments critiques ne manquent pas pour donner quelques chances à cette explication. Mais on peut aussi se demander si elle ne prolonge pas tout simplement l'herméneutique pratiquée dans le Judaïsme pré-chrétien, de la Septante au livre de Daniel. Elle peut au moins s'en réclamer. Est-ce suffisant pour la fonder solidement ? Cette remarque n'a pas pour but de retirer toute valeur à l'interprétation collective, telle que l'herméneutique juive l'entendait. Certains parallélismes d'expression montrent effectivement un parallélisme de situation entre le Serviteur-Israël et le Serviteur des Poèmes en matière de vocation, de fonction auprès des nations devant lesquelles la gloire de Dieu doit être manifestée, d'expérience de l'épreuve. Aussi, la valeur salutaire de la souffrance et de la mort (Isaïe 52,13 — 53,12) peut-elle être reportée, du Serviteur individuel présenté comme le Juste par excellence, sur tout juste souffrant : ce raisonnement par généralisation n'est pas étranger au sens originaire du texte. Mais s'ensuit-il qu'on puisse, sans forcer le texte, y voir d'un bout à l'autre l'évocation d'une collectivité, quelle qu'elle soit ? Le Poème qui appuierait le plus cette hypothèse, puisqu'il donne au

Serviteur le nom d'Israël (Is 49,3*a*) est aussi celui dans lequel la distinction entre le Serviteur et Israël s'impose avec le plus de force (Is 49,5-6). La lecture critique du texte oblige donc à lire critiquement les propositions de l'herméneutique juive, en reconnaissant à la fois leur valeur et leurs limites.

d) *L'interprétation différentielle des Poèmes*. — On peut en dire autant, jusqu'à un certain point, des théories qui dissocient les Poèmes en mettant des sujets différents derrière l'appellation de « Serviteur de YHWH »[4]. La Septante le faisait déjà pour le Poème C (50,4-11), où elle voyait un texte autobiographique du prophète lui-même. Le Targoum l'a fait plus encore, en mettant le Messie derrière le Poème A, la communauté derrière le Poème B, le prophète derrière le Poème C, le Messie et la communauté en alternance derrière le Poème D. Or, plus d'un moderne est tenté de reprendre l'hypothèse, au moins pour le Poème C (ainsi J. Coppens). D'autres cherchent un personnage historique individuel derrière le Poème A (par exemple, pour P.E. Bonnard, il s'agirait de Cyrus), et la communauté personnifiée derrière les Poèmes B et D. Ici encore, les arguments ne manquent pas, mais deux choses sont sacrifiées : les recoupements entre les quatre textes et la progression de la situation qu'on observe du premier au dernier. Il ne faut certes pas se hâter d'attribuer à l'influence des interprétations anciennes les choix critiques effectués pour des motifs tout différents. Mais on peut constater certaines permanences d'opinions. Ainsi, l'identification du Serviteur souffrant à Israël, ou tout au moins aux justes d'Israël, est un trait constant de l'exégèse juive, de la Septante et du livre de Daniel au Targoum (d'une façon assez chaotique) et aux interprètes médiévaux et modernes, sauf de rares exceptions.

3. *L'enquête historique et la subjectivité des historiens*

J'ai rappelé plus haut que la subjectivité des historiens est toujours engagée dans leurs enquêtes, quand il leur faut interpréter les documents et les expériences humaines que ceux-ci rapportent. Il faut revenir sur ce point, en se demandant quel intérêt les critiques peuvent trouver à étudier les Poèmes du Serviteur.

---

4. Cf. *supra*, p. 24 s. (avec quelques références, qu'on pourrait aisément multiplier).

a) *Les présupposés de l'historien*. — On dira que la science historique est, en principe, une enquête désintéressée sur les faits objectifs qui sont advenus à tel ou tel moment du passé. Mais ces faits, en tant qu'expériences humaines, ne sont jamais neutres par rapport à l'existence actuelle des hommes — et des historiens eux-mêmes [5].

Aucun juif — même s'il a perdu la foi au Dieu d'Israël — ne peut lire « du dehors » les textes du Second Isaïe, intimement liés à la restauration de la nation et à l'organisation du Judaïsme après l'exil, au premier mouvement sioniste avec ses espoirs et ses déceptions, aux aspirations d'Israël vers un Salut qui manifestera la Justice libératrice de Dieu. Même si les Poèmes du Serviteur gardent des aspects énigmatiques, ils prennent place dans ce cadre. Dès lors, la théologie juive ne peut les négliger et les historiens juifs sont amenés, en raison de leur enracinement national, à y sentir la présence d'un message qui reste actuel pour la tradition à laquelle ils appartiennent.

Les exégètes et les historiens qui partagent la foi chrétienne ne sont pas davantage neutres en face de ces textes. Ils ne peuvent oublier que la formulation de la doctrine du Salut accompli en Jésus Christ a trouvé un point de départ important dans le Second Isaïe, et que l'élaboration de la première christologie dans le Nouveau Testament a recouru abondamment aux Poèmes du Serviteur. Même s'ils opèrent une distinction entre leur portée primitive, leur interprétation dans le Judaïsme pré-chrétien et leur réinterprétation chrétienne, ils sont obligés par leur foi elle-même de poser le problème du sens qu'il faut leur reconnaître dans leur contexte historique et maintenant, de la continuité et de la discontinuité qui existent entre les deux temps de leur interprétation. Tant de chefs politiques ont soulevé au cours des âges une espérance momentanée qui n'a pas été suivie d'effet, tant d'autres ont

5. On peut reprendre ici la méditation de Heidegger sur la source de l'intérêt que les hommes apportent à la recherche du passé, notamment dans *L'être et le temps*. IIe Section, § 73. «L'origine existentiale de la science-historique (*Historie*), à partir de l'historicité (*Geschichtlichkeit*) de la réalité-humaine (*Dasein*)». J'emprunte la traduction de H. CORBIN, *Qu'est-ce que la métaphysique?*, par Martin Heidegger, suivi d'extraits sur *L'être et le temps* et d'une conférence sur Hölderlin, Paris 1951, pp. 201-208. La «recherche du temps perdu» n'est jamais désintéressée.

subi un destin et une mort injustes ! Pourquoi le souvenir de celui-là et la réflexion sur sa mort ont-ils traversé le temps ? Pourquoi les textes qui l'ont salué, qui proviennent de lui ou qui ont été composés à propos de ses souffrances et de sa mort, ont-ils été pieusement conservés dans un recueil prophétique, médités dans le Judaïsme qui avait peut-être perdu la mémoire exacte de leur origine historique — si la proposition de lecture que j'ai faite plus haut [6] est exacte —, et finalement repris aux origines chrétiennes pour interpréter la mort puis le rôle médiateur de Jésus ? L'intérêt que la foi chrétienne attache à la personne de Jésus s'est reporté sur le milieu juif dont il avait assumé les valeurs, donc sur la façon dont il lisait ses Écritures, et finalement sur l'origine des Écritures où il reconnaissait la Parole de Dieu. Cet intérêt subjectif pour la relation de Jésus aux textes qu'il connaissait et des textes à Jésus dont ils ont éclairé la mission et la destinée, interdit au chrétien de lire les textes en question comme il lirait l'histoire de Pompée ou les *Poèmes du juste souffrant* dont on possède plusieurs recensions accadiennes [7]. Faut-il parler d'exégèse intéressée ? Bien sûr, et à juste titre, car la continuité de la tradition qui relie la composition des Poèmes à leurs lectures juive et chrétienne constitue un fait historique qu'aucun enquêteur ne peut négliger : la *Wirkungsgeschichte* d'un texte fait partie du sens de ce texte, même si elle en développe certaines virtualités bien au-delà de ce qui était prévisible au point de départ.

N'y aurait-il donc que les historiens détachés de toute foi qui pourraient se targuer d'une impartialité réelle, d'un désintéressement soucieux de la seule « Science » ? Ce serait une naïveté de le croire. Car eux aussi n'étudieront, n'évoqueront avec une minutie d'enquêteurs policiers, ne chercheront à rendre intelligibles, que les personnages, les faisceaux d'événements, les expériences humaines auxquels leur intérêt et celui de leurs lecteurs sont susceptibles de s'accrocher — pour des motifs évidemment subjectifs. C'est la confrontation entre ce passé

---

6. Cf. *supra*, pp. 67-73, 77-78.

7. Voir la publication de W.G. LAMBERT, *Babylonian Wisdom Literature,* Oxford 1960, pp. 21-62. Traduction française de R. LABAT, «Le Juste souffrant», dans *Les religions du Proche-Orient : Textes et traditions sacrés babyloniens, ougaritiques, hittites,* coll. «Le trésor spirituel de l'humanité», Paris 1970, pp. 328-341.

concret et notre présent qui nous attire dans les recherches historiques [8]. Parler d'espoirs vibrants puis déçus pour la communauté juive qui avait traversé une longue épreuve nationale, évoquer les difficultés, les souffrances et la mort de celui qui avait pour un temps cristallisé ces espoirs, c'est faire vibrer des cordes sensibles dans tout homme qui a fait ou pourrait faire de semblables expériences. Il est vrai que les historiens peuvent rencontrer ailleurs des cas assez analogues : le « Juste souffrant » babylonien reste un « type éternel » dans la littérature universelle. Tout cas concret assez bien connu présente un certain intérêt d'ordre général. La résurrection du passé est toujours faite pour éclairer le présent et l'avenir, soit à cause de l'analogie des situations, soit à cause des possibilités qui pourraient surgir encore. Pourquoi donc la mémoire humaine a-t-elle valorisé justement le cas particulier visé par les Poèmes, au point de leur donner une place importante dans les substructures du langage qui traduit la foi chrétienne ? C'est là aussi un fait qu'aucun historien, même étranger à cette foi ou détaché d'elle, ne peut ignorer : qu'il le veuille ou non, ce fait lui pose un problème qu'il doit prendre en compte. S'il pratique à son égard une politique de silence ou de banalisation volontaire, c'est encore l'indice de l'attitude subjective qu'il adopte devant le fait juif ou le fait chrétien, ou devant les deux.

b) *La pratique de l'« épochè » en histoire.* — Ainsi, dans tous les cas, l'historien est acculé à pratiquer l'herméneutique sous une forme ou sous une autre. L'essentiel est qu'il la pratique correctement, en respectant les impératifs fondamentaux de son enquête scientifique et de son art de raconter. L'objet de son étude le met dans une situation particulièrement difficile, parce qu'il échappe à ses prises directes. D'une certaine manière, l'histoire entre dans la catégorie générale des sciences humaines ; mais elle le fait d'une façon très particulière, puisqu'elle tente d'observer et de faire revivre en imagination des expériences humaines terminées, enfouies sous les décombres du temps, repérables seulement par les traces

---

8. Sur le rôle des idées préconçues dans l'effort de compréhension qu'exigent toutes les sciences humaines — et l'histoire en particulier, voir H.-G. GADAMER, *Histoire et vérité : Les grandes lignes d'une herméneutique philosophique* trad. fr., Paris 1973, pp. 103-130 (= éd. all. : *Wahrheit und Methode*, Tübingen 1965, pp. 250-275).

fragiles qu'elles ont laissées et qu'il faut interpréter. Mais il y a un point sur lequel les sciences humaines et l'histoire se rencontrent : c'est que *leur objet est un sujet humain,* et que *l'interprète de tout fait humain,* présent ou passé, *est impliqué lui-même dans sa propre interprétation.* Il est un homme qui va au-devant d'autres hommes, qui cherche à les comprendre de l'intérieur, à partir du point subjectif où il se trouve lui-même, mais en respectant leur différence au lieu de les ramener à soi pour faire du « Soi », individuel ou collectif, la mesure du monde. Sous ce rapport, l'effort d'interprétation auquel tout historien se livre bon gré mal gré rappelle tout à fait celui de la phénoménologie. C'est pourquoi l'historien se doit de pratiquer cette suspension du jugement que Husserl a dénommée l'*épochè.* Celle-ci, qui est une forme d'humilité intellectuelle, s'impose à toutes les étapes de la recherche historique ; elle conditionne la valeur des hypothèses proposées ; elle ne supprime pas la subjectivité des présupposés, en tant qu'ils fournissent une compréhension préalable des documents à exploiter, mais elle oblige à se détacher de soi pour les comprendre.

Puisque la question posée ici a été soulevée à propos des Poèmes du Serviteur, constatons que leur lecture « historique » peut être faite correctement, moyennant cette pratique de l'*épochè,* par des exégètes juifs, chrétiens ou détachés de ces deux formes de foi religieuse. Leurs divergences mêmes peuvent instaurer un dialogue fécond : ne sait-on pas que la *vérité* de l'histoire résulte du dialogue des historiens ? La même attitude s'impose ensuite pour l'étude des interprétations qui ont été appliquées aux Poèmes : n'est-ce pas là aussi une enquête *historique* qui exige autant de soin que celle que l'on consacre à leur composition et à leur édition primitive ? C'est dans cet esprit que j'ai tenté plus haut de mener les deux et d'interpréter à mon tour, d'abord les Poèmes dans leur contexte historique, puis les lectures qu'en ont faites les Juifs et les chrétiens jusqu'à une date relativement ancienne. Il me semble que le va-et-vient entre ces deux enquêtes était nécessaire à l'étude correcte des textes.

II. L'ÉTUDE DES HERMÉNEUTIQUES
OBLIGE A DÉPASSER LA LECTURE CRITIQUE

Ce qui vient d'être dit met en valeur la lecture « historique » des textes en énonçant les conditions de sa possibilité et en respectant celles de sa réalisation pratique, qui est soumise aux règles de la méthode en histoire. Il faut se demander maintenant si elle peut se suffire à elle-même et s'il n'y a pas dans les textes quelque chose qui invite à outrepasser ses limites. En d'autres termes, un historien qui ne veut être qu'historien est-il encore un bon historien, quand il veut rendre compte critiquement des textes qui servent de base à son étude ?

1. *De la production des textes aux textes produits*

a) *La critique comme étude de la « production » des textes.* — Remarquons pour commencer que la lecture « historique » des textes est très soucieuse de connaître les conditions dans lesquelles ils ont été « produits » : auteur, époque, milieu social, coordonnées historiques, cadre culturel, occasion, etc. C'est pourquoi ma lecture des Poèmes du Serviteur a commencé par une rapide enquête de ce genre. Je n'avais pas à reprendre les points sur lesquels tout le monde — ou à peu près — tombe d'accord. Mais j'ai cherché à repérer les indices qui me mettaient sur la voie pour découvrir le *Sitz im Leben* de chaque morceau particulier, en faisant spécialement attention à sa *forme* pour comprendre quelle *fonction* il avait remplie. J'ai aussi tenté de comprendre pourquoi ils ont été réunis par séries à l'intérieur du *Message de consolation* (Is 40 — 55), et, plus spécialement, pourquoi les morceaux autobiographiques attribuables au Serviteur historique ont été insérés dans l'œuvre du prophète auquel reviennent les oracles et les discours qu'il contient. J'ai formellement distingué le travail d'*édition* auquel les Poèmes doivent leur place actuelle et leur présentation en quatre (ou cinq) séries, du travail de *composition* qui portait sur des textes courts, adaptés à leur énonciation orale avant qu'on ne les ait fixés et rapprochés par écrit. Tout cela relevait d'une critique littéraire intimement liée à la critique historique. Mais l'étude de l'herméneutique appliquée aux Poèmes d'une façon différentielle dans le Judaïsme et le Christianisme primitif m'a

obligé à constater ensuite que ce souci de référence historique
n'était pas celui de leurs premiers interprètes. Assurément, j'ai
tenté aussi de retrouver le *Sitz im Leben* de chaque interprétation proposée : c'était encore là une opération de critique
littéraire pratiquée dans une perspective historique. Seulement,
la façon dont le texte était lu par l'adaptateur de la Septante,
l'auteur du livre de Daniel, les auteurs anonymes de la
communauté de Qumrân, les auteurs du Nouveau Testament —
et avant eux Jésus lui-même —, le (ou les) auteur(s) du
Targoum d'Isaïe, sans compter Justin et Origène avant ce
dernier stade de la tradition juive, différait totalement de celle
des exégètes modernes. Il est utile de s'y arrêter un instant sur
ce point.

b) *La lecture des textes comme « Parole de Dieu »*. — Pour
ces lecteurs croyants, il suffisait que *le texte,* tel qu'ils
pouvaient en avoir connaissance dans la (ou les) recension(s)
qui l'avaient transmis jusqu'à eux, représentât authentiquement
la Parole de Dieu par sa littéralité même[9]. Faut-il en conclure
qu'ils préludaient ainsi à l'attitude de certains modernes chez
qui le culte du texte comme texte a complètement étouffé le
souci de recourir à cet extra-texte qu'est l'histoire, comme si
celle-ci pouvait être mise entre parenthèses et comptée comme
quantité négligeable ? Assurément non. En effet, si le texte
représentait pour eux la Parole de Dieu, c'était en raison de sa
présence dans le livre patronné par un prophète déterminé.
Leur connaissance de son origine était certes très sommaire,
puisqu'ils attribuaient globalement à Isaïe la totalité du livre
transmis sous son nom. Mais il n'empêche que *le nom d'Isaïe
représentait concrètement pour eux la garantie de son inspiration prophétique.* Ce point va de soi pour la Septante et le
Targoum. Il est explicitement rappelé dans la plupart des
citations formelles des Poèmes que contient le Nouveau
Testament. Il ne faut donc pas oublier *cette référence implicite
à l'inscription de la Parole de Dieu dans l'histoire d'Israël*
comme *événement* advenu à un moment déterminé, relié aux
drames qui l'avaient précédé, aux bouleversements de son
temps, à l'avenir dont il esquissait les traits en tant qu'Avenir
de Dieu. Mais dans le détail des textes, il en allait autrement.

---

9. Cf. *supra*, p. 79 s.

Leur *contexte littéraire* — c'est-à-dire le livre d'Isaïe et derrière lui la Bible entière — comptait plus que leur *contexte historique* précis : quel auteur, juif ou chrétien, avait d'ailleurs une connaissance exacte de leur situation dans l'espace et dans le temps ? De la *production du texte* par un auteur dans des circonstances précises, on avait donc passé à l'examen du *texte produit*, en tant que réalité linguistique qui tenait sa valeur de Dieu dont il énonçait la Parole. L'idée de « Parole » est ici importante, car elle implique la présence d'un message codé : il s'agit de comprendre celui-ci en recourant à tous les codes que fournissent, d'une part, les autres Paroles de Dieu conservées dans les Écritures, et d'autre part, le déploiement historique du dessein de Dieu qui se manifeste dans des événements significatifs. Sous ce rapport, on peut dire que les lecteurs chrétiens et juifs des Poèmes avaient en commun le même principe général. Ce qui les séparait, c'était l'évaluation chrétienne de Jésus de Nazareth comme « Événement » où toutes les Écritures avaient trouvé leur accomplissement [10].

Il va de soi que ce regard jeté sur la littéralité du texte différait de celui que pourraient suggérer les sciences modernes du langage. A la limite, celles-ci ne s'intéressent pas au *message* intelligible enfermé dans le texte mais seulement au *fonctionnement* des éléments qui s'y combinent pour « produire du sens ». Les lecteurs juifs et chrétiens de l'antiquité s'intéressaient avant tout au sens produit. Mais ils étaient curieusement détachés de ce que la critique littéraire du XIXe siècle a appelé « l'intention de l'auteur » — entendons : de l'auteur *humain,* parlant ou écrivant dans les limites de certaines circonstances bien précises. Il leur suffisait que *Dieu*, derrière l'auteur humain, ait voulu adresser aux hommes un message valable *pour tous les temps*. De ce fait, ils estimaient que rien n'était laissé au hasard dans le texte : ses moindres mots ou rapprochements de mots, ses diverses possibilités de combinaison interne ou même de vocalisation, pouvaient devenir pour eux productrices de sens. Sans le savoir, ils préludaient ainsi à la conception moderne du texte comme *objet* linguistique qu'on a le droit de retourner en tous sens pour le faire parler, dans une opération très active qui prépare à son écoute. Toutefois, ils ne prétendaient pas que leur lecture avait

---

10. Cf. *supra*, pp. 183-189, 191-203.

une « objectivité » étrangère aux prétentions subjectives de l'herméneutique. Par l'attention même qu'ils portaient aux moindres particularités de la « lettre » et par le rapprochement qu'ils faisaient avec les problèmes de leur temps, ils posaient des questions au texte à partir de ces problèmes et ils proposaient des interprétations qui pouvaient servir de réponses. En s'attachant au texte produit plutôt qu'à leur production par un auteur, ils aboutissaient à en explorer toutes les virtualités afin de savoir ce que Dieu continuait à leur dire par là.

2. Des virtualités du texte au message pluriel de Dieu

a) *L'ouverture du sens littéral.* — La lecture du texte sacré était donc faite dans un but — et avec un esprit — d'interrogation. Pour en avoir quelque idée, il suffit de songer à l'auteur de Daniel lisant l'oracle de Jérémie sur les soixante-dix semaines d'années (Dn 9) : le prophète, qui se cache derrière la pseudonymie de son héros, s'accroche à un détail du texte biblique pour obtenir une lumière sur les problèmes de son temps. La réponse céleste lui permet d'actualiser l'oracle et d'obtenir ainsi une réponse à ses questions, même si la réponse est elle-même énoncée dans un style prophétique qui ouvre l'« Avenir de Dieu » suivant les conventions habituelles. La prière de Daniel et la réponse de l'Ange, qui donnent une forme concrète à l'idée d'*interprétation charismatique,* pourraient être transportées, d'une certaine façon, dans toutes les lectures des Poèmes du Serviteur que j'ai analysées précédemment. Dans Dn 9, l'Ange montre au voyant quelle *possibilité d'interprétation* s'offre à ses contemporains, pour découvrir l'actualité d'un oracle que les événements ont paru contredire : la fin de l'exil, au terme des soixante-dix années symboliques, n'a pas apporté avec elle la fin de l'épreuve d'Israël ni l'accomplissement plénier des promesses divines. Comment faut-il donc interpréter ce texte énigmatique, pour comprendre qu'il ouvrait alors l'« Avenir de Dieu » et qu'il continue de l'ouvrir aujourd'hui ? La question posée au sujet des Poèmes du Serviteur est fondamentalement la même, dans la Septante comme dans Dn 12, durant la vie de Jésus comme aux origines chrétiennes, chez les Pères de l'Église comme chez les targoumistes qui défendent les communautés juives contre leur apologétique.

La réponse apportée à cette question consiste à *examiner toutes les possibilités de sens que la lettre du texte renferme*, pour peu qu'on sache la faire parler. Détachée des conditions dans lesquelles elle a été produite, elle présente en effet des virtualités multiples. Il suffit de les faire jouer séparément pour que des points particuliers du message primitif, qui pouvaient paraître initialement minimes, prennent de l'ampleur et projettent une lumière sur les circonstances présentes. Les moyens employés pour faire cette opération n'ont qu'une importance mineure. Il est entendu qu'ils sont situés, au point de vue culturel, dans un cadre de pensée très différent du nôtre. Mais au lieu de les mesurer d'après nos propres canons, que nous sommes trop portés à regarder comme universels et absolus, nous devons pratiquer à leur égard l'*épochè* des phénoménologistes, pour les accepter dans le cadre de l'ensemble culturel auquel ils se relient : c'est comme éléments constitutifs de cette structure qu'ils prennent sens. Ils s'avèrent alors plus intelligents et plus subtils que notre lourdeur d'esprit ne nous porterait à le penser. Du même coup, nous prenons aussi nos distances par rapport à notre conception « scientifique » du *sens littéral unique* qui constituerait le seul message enfermé dans le texte, parce que l'auteur primitif l'y a *intentionnellement* inséré en connexion étroite avec les problèmes de son temps. *Dans le texte produit par lui, et dans son esprit même, il pouvait y avoir plus de choses qu'il ne le prévoyait pendant son travail de composition.* Certaines d'entre elles étaient présentes à l'état latent : dans l'emploi d'un mot ou dans un silence, dans une combinaison de mots ou un tour de phrase, dans une allusion occasionnelle à tel personnage ou à telle situation dont l'auteur n'avait pas nécessairement analysé en détail toutes les implications. Même la juxtaposition que l'auteur du *Message de consolation* puis le compilateur du livre d'Isaïe ont opérée pour donner une place aux Poèmes du Serviteur, a pu surcharger ceux-ci de résonances nouvelles, qu'on n'entendrait peut-être pas s'ils n'étaient pas ainsi coordonnés avec d'autres textes.

Ce n'est pas là une *négation* du sens primitif et de son importance primordiale. C'est plutôt *son ouverture en direction des possibilités de sens* que la lecture du texte y a découvertes, à mesure que le dessein de Dieu se dévoilait par la médiation d'événements significatifs : la durée de la dispersion d'Israël au milieu des nations païennes ; son épreuve continue, qui paraissait contredire les promesses de Dieu ; la mise à mort des Juifs fidèles durant la persécution d'Antiochus Épiphane ; l'annonce de l'Évangile par Jésus, l'échec de sa mission et son cheminement vers la mort ; sa manifestation en gloire, comprise comme signe de l'accomplissement du Salut annoncé dans les Écritures ; la nouvelle épreuve d'Israël à la suite de la ruine du Temple (en 70)... Il va de soi que ces derniers événements ont été interprétés de façons contradictoires par les Juifs et les chrétiens, mais tous ont marqué des jalons dans la relecture des Poèmes du Serviteur. *L'histoire de leur herméneutique montre ainsi l'émergence de leurs virtualités dans la conscience de leurs interprètes.* Comment ces virtualités seraient-elles venues ainsi à la surface, si elles n'avaient pas été présentes en quelque façon sous l'écorce de la lettre ? Qui dit « virtualité », dit possibilité objective, prête à surgir si un événement nouveau joue un rôle de « révélateur » (au sens photographique du mot).

C'est donc la notion de « *sens littéral* » qu'il faut élargir. Non pour écarter l'intention réelle de l'auteur, toujours liée à la fonction de son texte dans le milieu et dans les circonstances où il le prononce ou l'écrit, mais pour y intégrer les irradiations que ce texte incluait dès l'origine dans sa *littera* et que de nouvelles « mises en situation » ont amené à la lumière. Pour le faire, il n'est pas indispensable de recourir aux théories modernes du texte-objet auquel le travail du lecteur ferait produire du sens indépendamment de son façonnage originel. Il suffit de se rappeler que le *sensus litteralis* des médiévaux englobait toutes ces virtualités [11], que la confrontation de chaque texte avec la totalité de l'Écriture permet de découvrir. Assurément, cette notion se reliait intimement à la théologie de l'inspiration qui faisait de Dieu l'auteur premier du texte ; mais elle réservait l'activité propre de l'auteur « instrumental », c'est-à-dire de l'écrivain sacré dont elle reconnaissait l'intention propre et les limites.

b) *La fonction critique du sens littéral.* — On voit aisément le danger que peut entraîner cette « ouverture » : celui de

---

11. Cf. *Sens chrétien de l'Ancien Testament*, p. 450. Cette conception du *sensus litteralis* correspondrait, en fait, à ce que les théologiens récents ont appelé « sens plénier » (*Ibid.*, pp. 448-455, 458-499 ; repris dans *La Bible, Parole de Dieu*, Tournai-Paris 1965, pp. 316-327 et 368-391).

justifier les résultats de n'importe quelle lecture, et donc d'appuyer les constructions chimériques que l'imagination d'un lecteur habile rattacherait vaille que vaille à une *Littera* pliable en tous sens. Mais alors la situation se retourne : *la lecture critique, avec ses soucis historiques, retrouve son rôle pour permettre un discernement entre des possibilités objectives et des élucubrations sans fondement.* Les premières ne sont pas sans attaches avec le sens littéral, au sens moderne du mot. Les résonances du vocabulaire et des images employées par l'auteur, l'*aura* religieuse des situations et des expériences qu'il évoque, font partie d'un système symbolique global qui traduit concrètement la relation entre les hommes et Dieu, aussi bien dans la foi juive que dans la foi chrétienne, mais avec une différence entre les deux en raison de leur appréciation différente de Jésus. Tout sens qui s'en écarterait serait certainement hétérogène au texte et étranger à ses virtualités objectives.

On peut pousser l'analyse plus loin, car l'exploitation des virtualités réelles par les lecteurs repose toujours sur des raisonnements implicites qui justifient le transfert du texte d'un objet à un autre : raisonnement du particulier au général ou du général au particulier, raisonnement fondé sur des analogies repérables. Prenons des exemples dans l'histoire de l'herméneutique exposée plus haut. L'interprétation collective de la figure du Serviteur dans la Septante ou le livre de Daniel (pour Is 53) respecte la thématique des textes en les faisant passer du particulier au général : le nom d'Israël donné au Serviteur dans Is 49,3 montre que l'auteur des textes — ou peut-être un recenseur des textes déjà recueillis — avait lui-même opéré un passage du général au particulier pour reporter sur le Serviteur historique une prédestination, une vocation et une mission qui n'étaient pas étrangère à la communauté juive : ce qui est dit pour *le* Juste ne vaut-il pas d'une certaine manière pour *tout* juste ? L'application des Poèmes à Jésus dans le Christianisme primitif manifeste un trajet inverse, puisqu'elle avait pour point de départ non le texte seul, mais le texte lu au sein de la communauté juive qui l'interprétait collectivement. Il y a eu passage du général au particulier, à partir du moment où la foi chrétienne reconnut en Jésus le *seul* Juste auquel le texte d'Is 53 pouvait s'appliquer intégralement. Mais pour le Poème du Serviteur souffrant, l'analogie des situations ne jouait-elle pas un rôle identique dans ce double mouvement d'interprétation : du Serviteur historique aux justes en général (et spécialement aux martyrs de la persécution grecque, d'après Dn 12), puis des justes souffrants à Jésus persécuté et mourant en croix ?

Le sens littéral du Poème n'était donc pas *méconnu* par ces lectures nouvelles : il se gonflait au contraire d'une *plénitude* que la lecture critique ne saurait méconnaître sans inconvénients sérieux. On ne peut en dire autant de tous les artifices employés dans le Targoum d'Is 52,13 — 53,12 pour couper les unes des autres les images de gloire et d'humiliation, en reportant les premières sur le Messie futur et les secondes tantôt sur le peuple, tantôt sur le Temple, tantôt sur les nations étrangères elles-mêmes, mais jamais sur ce Serviteur « messianique » dont l'évocation a été introduite dans le texte pour faire pièce à la christologie chrétienne. Dans ce cas, il ne semble pas que les lois de l'analogie « créatrice de sens » soient suffisamment respectées, ni que les résonances de la *Littera* hébraïque soient perçues avec justesse : le sens produit est surimposé de l'extérieur, à partir de la situation expérimentée et des textes scripturaires qui entretiennent malgré tout l'espérance, mais en disloquant souvent cette *Littera* quand elle se prête mal à l'interprétation désirée.

Bref, il est important de toujours regarder le texte littéral comme *ouvert,* mais il faut *vérifier critiquement* les directions dans lesquelles on pense qu'il s'ouvre. Le sens littéral peut et doit s'ouvrir en direction d'un sens « plénier » : l'expérience des diverses herméneutiques le montre nettement. Mais le sens plénier n'est valide que s'il se développe dans l'orbite du sens littéral et à partir de ses virtualités objectives [12]. La critique biblique garde sur ce point son rôle de pondération pour tester les suggestions de l'Imaginaire. Le message contenu dans la

---

12. Voir la bibliographie donnée dans la note 11 : j'ai tenté, dans ces livres, d'esquisser systématiquement une méthode pour relier la recherche du sens littéral entendu à la façon moderne, au sens plénier où je reconnais le « sensus litteralis » de saint Thomas. Je ne prétends évidemment pas que toutes les propositions pratiques des herméneutiques juive et chrétienne anciennes entreraient dans le cadre d'un sens plénier rigoureux. Je dis seulement qu'elles tendent vers lui d'une façon globale, à travers des opérations qui répondent à d'autres habitudes pratiques, suivant la culture du temps.

Littera ne peut être enfermé dans les étroitesses éventuelles de la lecture «historique», car la Parole de Dieu est «plurielle» par nature et sa lumière peut se diffracter dans tous les sens. Mais les diffractions doivent être soigneusement contrôlées, surtout si l'on y voit des possibilités de sens auxquelles la foi s'attacherait en y reconnaissant la Parole de Dieu. Même le recours global au système symbolique juif ou chrétien perdrait son sens, si la référence à l'expérience historique où les textes sont enracinés était négligée. Il est possible que, dans d'autres systèmes symboliques, l'intemporalité des textes religieux permette de leur faire «produire du sens» indépendamment de leur situation primitive : il suffit de songer au commentaire des textes védiques chez les philosophes de l'Inde médiévale [13]. Mais *l'expérience historique est un élément essentiel du système issu de la Bible,* sur son versant juif comme sur son versant chrétien. Ce point important exigerait un développement qui ne serait pas ici à sa place.

3. *De la lecture historique à la lecture existentielle*

Un dernier point peut retenir l'attention, au terme d'une étude qui a suivi la *Wirkungsgeschichte* des Poèmes du Serviteur jusqu'au cœur des débats entre les deux «confessions de foi», juive et chrétienne. Cette histoire a montré que le but poursuivi par les divers lecteurs, juifs comme chrétiens, avait

---

13. La philosophie indienne classique se présente indéfiniment sous la forme de commentaires, et de commentaires des commentaires. Par exemple, la Mīmāṃsa est une exégèse des Brāhmaṇa et le Vedānta est une exégèse des Upaniṣad (cf. L. RENOU, dans *L'Inde classique,* t. 2, Paris 1953, pp. 8-19). Mais le premier maître dont on ait conservé des œuvres, Çaṅkara, est aussi un commentateur des Sūtra, et la littérature qui provient de son école est le plus souvent un commentaire de ses commentaires (*Ibid.,* pp. 19-21 ; voir la présentation faite pour le grand public par P. MARTIN-DUBOST, *Çaṅkara et le Vedānta,* Paris 1973). Sur les autres commentateurs médiévaux, voir L. RENOU, *op. cit.,* pp. 21-23. Des textes sont réunis par L. RENOU, *Anthologie sanscrite,* Paris 1947, pp. 211-265. On peut légitimement se demander ce qu'il adviendra du commentaire de la Bible, quand son texte sera abordé avec les présupposés méthodologiques de la culture indienne. Le cas sera analogue à celui de la rencontre entre la Bible et la culture grecque, qui a donné lieu à l'exégèse allégorique comme instrument de «l'herméneutique des symboles» rencontrés dans le langage de l'Écriture. Le danger du syncrétisme où la pensée biblique se dissout fera pendant à celui que constitua l'exégèse gnostique. Mais pourquoi l'Inde ne trouverait-elle pas son Philon et, mieux encore, son Origène ?

un rapport étroit avec leurs problèmes de vie. Ce qu'ils cherchaient à faire, c'était l'*actualisation* des textes en tant que Paroles de Dieu résonnant dans l'*Aujourd'hui* de Dieu. L'enquête historique s'efforce assurément de remettre toujours les textes dans l'*Aujourd'hui* de leur auteur et celui de la communauté à laquelle il appartenait et pour laquelle il parlait ou écrivait. Mais dans le cas des textes bibliques, peut-on faire abstraction du fait que cet *Aujourd'hui* était, pour l'auteur et la communauté eux-mêmes, l'Aujourd'hui *de Dieu?* Il y a là une dimension des textes que nulle enquête critique ne peut négliger.

Or, si l'on y prête attention, l'enquête en question ne conduit pas seulement le chercheur au cœur d'une *expérience historique* à jamais révolue et difficile à reconstruire sous ses aspects empiriques, mais au seuil d'une *expérience spirituelle* qui a des prolongements actuels dans la vie de foi des Juifs et dans celle des chrétiens. On retrouve ici le fait de la liaison entre foi et histoire dans le monde de la Bible, tel qu'il a été signalé plus haut. Il oblige la lecture critique à prendre davantage en compte l'aspect *existentiel* des textes : celui auquel les herméneutiques juive et chrétienne se sont particulièrement attachées pour entendre le message originel dans son actualité permanente ; celui auquel notre propre herméneutique devrait aussi être attentive, pour que les textes deviennent parlants dans notre temps et dans nos situations. En confrontant notre propre existence avec l'expérience intérieure que ces textes font entrevoir, ne trouverions-nous pas le moyen de déchiffrer le sens de nos épreuves et de nos espoirs, de notre mort et de nos relations avec Dieu, en dépit des différences aisément repérables entre la situation historique des Juifs d'alors et la nôtre ?

D'une certaine façon, la lecture juive des Poèmes du Serviteur s'est toujours orientée dans cette direction. A ce titre, on pourrait la qualifier d'interprétation *existentiale,* dans la mesure même où elle mettait au jour certaines catégories essentielles qui définissent l'existence juive. Peut-on en dire autant de l'interprétation chrétienne ? Oui, mais à condition de remarquer que *la médiation de Jésus, Serviteur de Dieu souffrant et glorifié, intervient toujours pour que le chrétien comprenne sa propre existence.* C'est en effet sur la personne de Jésus que le Nouveau Testament tout entier a concentré son attention pour expliquer ces pages d'Isaïe, parce qu'il y découvrait l'interprétation anticipée de Jésus dans sa mission, ses souffrances, sa mort, sa glorification, sa fonction en vue de l'accomplissement des promesses de Dieu. A partir de là, saint Paul a pu adapter certains passages des Poèmes à l'*Aujourd'hui* de l'existence chrétienne et à son rôle d'apôtre de Jésus Christ [14]. Il est permis de parler ici d'*interprétation existentiale,* accueillie en théologie pour fonder une part notable de la réflexion [15]. En effet, la théologie du Nouveau Testament issue de ces textes se présente beaucoup moins comme une spéculation sur l'être de Jésus que comme une réflexion concrète sur son existence, depuis sa vocation dans le sein de sa mère jusqu'à sa mort et au-delà, sur sa relation à Dieu et aux hommes pécheurs, sur son rôle d'« alliance du peuple et lumière des nations » : autant de thèmes qui sont essentiels en christologie néo-testamentaire et qui fondent en dernier ressort la compréhension de l'existence chrétienne. Une voie est ainsi ouverte, qui peut être prolongée indéfiniment. A condition toutefois que la référence à la lecture critique des textes ne perde jamais ses droits. Mais celle-ci ne conduit-elle pas justement au seuil d'une expérience existentielle — celle du Serviteur historique — qui a esquissé celle de Jésus, parce que — dirait la théologie chrétienne la plus classique — elle y participait d'avance ?

III. CRITIQUE ET HERMÉNEUTIQUE EN THÉOLOGIE CHRÉTIENNE

Les conclusions tirées à propos de ce cas particulier peuvent être généralisées et appliquées à tous les autres textes bibliques. On est alors en face de deux questions qui sont fondamentales pour l'exégèse comme pour la réflexion théologique : celle du

14. *Supra,* pp. 150-152.
15. Je dois reprendre ici une remarque faite ailleurs : « Je ne garantis pas que Heidegger serait d'accord avec l'usage théologique que je fais de son langage philosophique ; je n'y recours que parce qu'il sert mon projet » (*Péché originel et rédemption,* p. 346, note 77). Un texte est un « objet » dont la lecture est créatrice de sens. De même, les mots sont des objets linguistiques qui appartiennent à tout le monde à partir du moment où ils ont été lancés sur le marché : leur emploi est créateur de sens. C'est donc en toute liberté que j'utilise parallèlement les mots « existentiel » et « existential », dans un contexte qui explicite leur portée.

rapport qu'elles entretiennent, d'une part, avec la lecture historique, et d'autre part, avec la connaissance des anciennes herméneutiques ; celle du statut qu'elles leur attribuent à l'intérieur de leurs domaines respectifs. La réponse à de telles questions commande en partie leur propre pratique de l'herméneutique. Mais elle se pose différemment pour l'une et l'autre, car l'exégèse a pour objet direct l'étude des *textes* bibliques eux-mêmes, tandis que la théologie s'y réfère pour viser globalement une réalité située au-delà d'eux : ils y touchent tous, mais aucun ne l'évoque jamais dans sa totalité. N'en déplaise à ceux que la phobie d'une certaine onto-théologie conduit à dire que « tout est langage » et que la théologie n'est jamais qu'une opération sur le langage, l'objet de la foi — juive ou chrétienne — n'est pas constitué par les *textes* bibliques, ou les jeux de langage qui s'y déploient, mais par la *réalité* qu'ils désignent et traduisent diversement, chacun à l'intérieur de ses limites [16]. Or, la théologie est, par essence, un effort d'intelligence de la foi. Sa recherche d'un langage adéquat, toujours conditionnée par la culture d'un temps, traduit cet effort d'intelligence en vue d'en communiquer les résultats. Mais la mise en forme du langage ne remplace pas l'intuition globale de la connaissance de foi, qui la dépasse toujours pour viser la *réalité* dévoilée par Dieu au-delà des énonciations qui la cernent d'une façon imparfaite. Le cas particulier des Poèmes du Serviteur permet d'aborder par un biais ces problèmes complexes, pour les poser au moins correctement.

---

16. Tout langage religieux est symbolique, celui de la Bible comme tous les autres, mais suivant des modalités qui lui sont propres. Or, ce ne sont pas ses *mots* qui renvoient à la Réalité perçue obscurément dans la foi, ce sont les *réalités* sensibles que ces mots désignent dans leur sens premier. Sous ce rapport, la référence *historique* du langage de l'Écriture est indissociable de la création de son propre langage symbolique. C'est pourquoi celui-ci renvoie à une expérience qu'on ne peut pas abstraire de l'histoire. Quant au fait que l'objet de la foi *n'est pas* le langage comme tel, il suffit de rappeler l'excellent principe posé par S. Thomas : « Actus credentis non terminatur ad *enuntiabile*, sed ad *rem*. Non enim formamus enuntiabilia (voilà pour la création du langage !!) nisi ut per ea *de rebus* cognitionem habeamus (voilà pour la visée de l'énonciation, dans le langage oral ou écrit), sicut in scientia, ita et in fide » (II^a II^{ae}, q. 1, art. 2, ad 2). Mais il faudrait construire ici toute une théorie du rapport entre la réalité, que Dieu donne à connaître par sa révélation, et le langage (toujours symbolique) qui sert de véhicule à cette connaissance. L'examen de ce point nous entraînerait trop loin.

1. *Les services rendus par l'histoire de l'herméneutique*

a) *En exégèse,* tout d'abord, la connaissance des interprétations proposées pour les Poèmes du Serviteur dans l'antiquité juive et chrétienne contribue à démythiser les prétentions possibles de la lecture historique. Ceux qui la pratiquent entrent à leur manière dans le champ de l'herméneutique. A leur niveau, avec leurs buts et leurs méthodes propres, ils prennent place dans une tradition d'interprétation qu'ils ne peuvent pas mettre entre parenthèses, comme s'ils étaient les premiers à s'occuper intelligemment des textes bibliques. Leur façon de lire ces textes s'inscrit dans un ensemble culturel, né vers la fin du XVIIe siècle, où se sont développés depuis lors d'autres modes de lecture qui contestent éventuellement le leur mais n'ont pas davantage le droit de s'identifier à la « modernité ». L'ethnologie structurale de Cl. Lévi-Strauss trouverait ici une application intéressante, car pourquoi la réserverait-on aux civilisations non-écrites des peuplades dites « primitives » ? La modernité occidentale présente, dans ses pratiques, certaines structures particulières qu'il n'y a pas lieu d'absolutiser en les regardant comme la pointe avancée d'un progrès humain rectiligne. Les lectures de l'Écriture pratiquées en leur temps par le Judaïsme ancien et le Christianisme primitif relevaient aussi de la « modernité », par rapport aux textes auxquels elles étaient appliquées.

Toutefois, il n'est pas contestable que la lecture « historique » marque une avancée par rapport à ces lectures-là, *sur le plan où elle se place :* l'effort fait pour rejoindre les textes en leur point originaire et pour en comprendre la fonction dans le milieu où ils furent composés, constitue un acquis sur lequel on ne peut revenir. Même si les anciens avaient voulu le faire, ils ne l'auraient pas pu, faute de moyens. Mais il est peut-être significatif qu'ils ne l'aient pas voulu et que néanmoins leur lecture ait eu sa validité propre. Leur attention à l'*historicité* des textes n'était pourtant jamais absente : la Parole de Dieu était pour eux — j'entends : pour les Juifs et les Chrétiens — un *événement* advenu dans le temps, par la médiation humaine d'un prophète ou d'un écrivain inspiré. Si la méthode historique permet aux modernes de mieux cerner les contours de cet événement, elle se relie donc à un souci majeur des anciens interprètes : elle permet d'y faire droit mieux qu'ils n'avaient pu le faire eux-mêmes. Mais les anciens interprètes n'en ont pas moins quelques leçons à lui donner. J'ai dit plus haut que certaines de ses hypothèses de lecture s'inscrivent souvent dans le cercle tracé par les leurs : cette coïncidence, qui peut être le signe d'une dépendance indirecte ou inconsciente, ne doit pas être négligée. Mais c'est surtout leur attention à la dimension existentielle des textes qui doit inciter les modernes à élargir leurs perspectives : ils ont tout à y gagner.

D'autre part, l'étude des interprétations anciennes relève aussi de la méthode historique. Elle ouvre un champ nouveau à la recherche exégétique. Bien mieux, c'est à travers elle qu'on saisit le mieux le développement de certains aspects de la foi, juive et chrétienne. Un fil continu relie la présentation originaire de la mission du Serviteur historique et la méditation sur son destin tragique, à la réflexion sur le sens des autres Justes souffrants dans le Judaïsme, puis à la présentation évangélique de Jésus comme Juste souffrant et Serviteur de Dieu par excellence. Les textes suscités par l'événement initial — les Poèmes du Serviteur — n'ont-ils pas servi à éclairer le cas des autres Justes souffrants puis le cas de Jésus, tandis qu'inversement les événements qui leur donnaient un regain d'actualité projetaient sur eux une lumière rétrospective et y faisaient apparaître de nouvelles possibilités de sens ? Comment l'exégèse pourrait-elle accomplir complètement sa tâche sans être attentive à ces possibilités de sens ? Sa situation même ne la place-t-elle pas au carrefour de deux voies d'accès qui conduisent vers les mêmes textes et permettent de jeter sur eux un regard plus pénétrant ? L'histoire de l'herméneutique est éclairante pour tout effort d'herméneutique, même s'il se donne pour objectif, direct mais limité, la simple recherche historique. Il ne faut pas brouiller les points de vue ni les méthodes, mais il faut les situer correctement les uns par rapport aux autres.

b) *En théologie,* la situation est semblable, car on se tromperait sur sa nature même si on la ramenait à un acte spéculatif accroché en l'air. La foi, juive comme chrétienne, est née de la Parole de Dieu, sans laquelle elle ne serait qu'une collection de croyances aléatoires. Or, la Parole de Dieu énoncée en mots humains a pris forme, aux yeux des croyants, dans des textes qui ont progressivement enrichi et approfondi leur compréhension de la relation entre les hommes et Dieu. La relecture de ces textes, et donc leur réinterprétation constamment reprise dans des circonstances nouvelles, a constitué un moyen essentiel de son développement. L'histoire de l'interprétation appliquée aux Poèmes du Serviteur dans la communauté juive puis, à partir d'elle et sans rupture du cordon ombilical qui l'y rattachait, dans la communauté chrétienne, l'a montré d'une façon claire pour certains points essentiels de la théologie.

Imaginons ce qui se serait passé si ces Poèmes n'avaient pas été écrits et conservés, soit dans le Judaïsme qui y a trouvé une lumière mineure sur le Salut attendu et sur le sens de la souffrance des justes, soit dans le Christianisme qui y a puisé une lumière majeure pour comprendre la mort de Jésus et, à partir de là, le sens de sa mission et de sa médiation rédemptrice : les énigmes se seraient multipliées. C'est en théologie chrétienne que le vide serait ressenti le plus fortement. Car les sources néo-testamentaires elles-mêmes ne pourraient pas être ce qu'elles sont, sur ces points qui sont au centre de la foi. Les exégètes du Nouveau Testament qui se contentent de les confronter avec le texte des Poèmes, *prout sonat*, n'opèrent-ils pas un raccourci dangereux en ignorant la façon dont ils étaient lus dans le Judaïsme contemporain ? Jésus le Juif n'avait-il pas assumé pour son compte personnel cette façon de les lire, afin de pouvoir se les approprier ? C'est donc l'histoire de l'herméneutique qui conduit le théologien jusqu'au seuil de la conscience de Jésus, Serviteur de Dieu : la réflexion christologique peut-elle l'ignorer ?

2. *Situation de la lecture historique*

a) *En exégèse,* la lecture historique va aujourd'hui de soi. Il n'en fut pas toujours ainsi, car les exégèses juive, patristique et médiévale, les exégèses « spirituelle » et symbolique, les exégèses prétendûment théologiques pour qui le sens des textes était donné d'avance dans une « tradition » d'allure dogmatiste, l'ont souvent négligée et parfois combattue. Mais comme je viens de le dire, c'est une des requêtes fondamentales de la foi que le recours à cette méthode permet de satisfaire au mieux, même si la pluralité des hypothèses critiques laisse dans un certain flou quelques aspects du sens originel des textes. Il est heureux que cette requête recoupe celle de notre culture, attentive plus que toute autre à la condition et à l'expérience historiques de l'humanité. Sous ce rapport, la foi elle-même est stimulante. Comme elle pose en principe que la révélation est advenue progressivement, qu'il n'y a pas à en chercher la vérité totale dans les textes écrits au cours de ses étapes préparatoires, que toute Parole de Dieu transmise par des hommes a été en rapport concret avec les situations et les problèmes de chaque temps, elle incite le croyant à remettre chaque texte dans son cadre précis pour savoir quel message il comporta au moment où il fut prononcé ou écrit. Ses relectures au cours des âges constituent un autre problème, exégétique aussi mais d'une autre façon.

Il faut toutefois noter que la lecture historique des textes bibliques est aussi mise en question, de nos jours, par un structuralisme intempérant qui croit pouvoir s'en passer. Le raisonnement est assez simple. Comment peut-on faire de l'histoire sans être renvoyé aux textes qui servent de sources ? Ce sont donc les textes qui comptent, seules reliques d'un passé mort. Leur sens originel est à jamais inaccessible, car il est vain de prétendre connaître l'intention de leurs auteurs. Au contraire, comme « objets linguistiques », ils s'offrent à l'analyse directe. Leur structure peut être abordée par des voies qui se recoupent finalement. Lévi-Strauss, Lacan, Derrida, deviennent ici les maîtres d'une opération qui caractérise l'âge « post-historique » — si l'on peut dire. Ne nous aident-ils pas à reconnaître par leurs diverses procédures, à partir des textes, la structure d'un « Imaginaire croyant » sur lequel nous moulons justement le nôtre, si nous professons la même foi [17] ? A quoi sert de connaître les circonstances dans lesquelles a pu vivre le Serviteur historique que l'on prétend découvrir derrière les Poèmes étudiés plus haut ? Les textes n'auraient-ils pas la même structure, si ce Serviteur n'était qu'un être de raison

---

17. Comment cette foi serait-elle professée pour constituer l'Imaginaire croyant, sans l'enracinement historique du lecteur dans la communauté porteuse de l'Écriture biblique ? La continuité de cette communauté croyante à travers les temps est la condition même de sa lecture actuelle : il ne reçoit pas son Imaginaire croyant des textes qu'il lit, mais de la communauté qui lui transmet les textes. C'est à partir de là qu'il peut en projeter le contenu sur sa lecture pour devenir créateur de sens. Tel est le présupposé fondamental de son interprétation croyante, identique à ce qu'il appelle sa « lecture ».

imaginé par le poète dont l'œuvre nous est parvenue ? L'accès au texte par des analyses structurale et psychologique ne suffit-il pas pour reconnaître les éléments qui y fonctionnent et sont susceptibles de produire du sens ? Quant au sens, c'est à nous de le produire par le travail que nous effectuons sur le texte... Malheureusement, la structure des textes a été déterminée par leur situation historique exacte, au point de vue linguistique comme au point de vue psychologique, si bien que nous sommes au rouet : texte et histoire s'enroulent mutuellement l'un dans l'autre !

Cette opération a peut-être des antécédents historiques qu'il serait éclairant de connaître pour en apprécier la valeur et les limites. L'exégèse allégorique qui fut pratiquée de façon systématique dans le milieu alexandrin s'attaquait, elle aussi, à un « texte-objet » qu'elle démontait pour repérer le système symbolique sous-jacent à ses structures. Il ne serait pas sans intérêt d'étudier sous ce rapport Philon d'Alexandrie, les commentateurs gnostiques et Origène. Pour valoriser les textes anciens et leur faire « produire du sens », l'allégorie exploitait un système de correspondances complexes qui provenait, pour une part — cosmologique et anthropologique —, des anciennes cultures orientales, et, pour une autre part, des récurrences de mots, d'images, d'institutions, de personnages, d'événements toujours symboliques qu'on trouve dans les textes bibliques eux-mêmes. Ces deux sources entremêlées permettaient de faire résonner autour de chaque texte, de chaque phrase, de chaque mot, tout un jeu d'harmoniques qui suggéraient une multiplicité de sens possibles. Le texte fournissait donc un point de départ pour exposer les croyances auxquelles on tenait le plus, avec un souci d'actualisation constant. Dans un cadre culturel différent du nôtre, cette méthode présente un parallélisme évident avec celle dont je viens de parler. Mais la négligence de l'histoire est-elle la même des deux côtés ? En dépit de certaines apparences, il faut introduire ici des distinctions importantes. Dans l'exégèse gnostique [18], elle était

---

18. Le langage symbolique de la Gnose païenne est fondé sur une imagerie cosmique qui fait écho à de multiples mythologies (cf. H. JONAS, *La religion gnostique*, trad. fr., Paris 1978, pp. 71-137). En conséquence, la reprise des textes des deux Testaments ou de certaines traditions qui leur étaient connexes, très abondante à partir du IIᵉ siècle (cf. J. DORESSE, « La Gnose », dans H. Ch. PUECH, éd., *Histoire des religions*, Encyclopédie de la Pléiade,

effectivement totale : tous les récits bibliques y étaient traités comme des mythes extra-temporels et les discours, comme des exposés spéculatifs dont il fallait décrypter les sous-entendus. Chez Philon [19], il en allait de même quand l'anthropologie et la mystique du moyen-platonisme dominaient l'exégèse pour moderniser la Bible ; mais la référence implicite à Moïse et aux prophètes supposait néanmoins une attention générale à l'aspect historique de l'Écriture. Chez Origène [20], l'attention à l'histoire est beaucoup plus forte qu'on ne le dit souvent. D'abord, parce que le commentateur des textes bibliques en lit tous les récits comme « historiques » au sens où l'entendait la culture grecque : le commentaire allégorique ne fait que de jouer sur les symbolismes objectivement enclos dans les événements rapportés pour en montrer la portée actuelle. Ensuite, parce que le même Origène qui les commente librement s'applique, dans son livre *Contre Celse,* à en défendre l'historicité et à les distinguer radicalement des récits mythologiques dont le philosophe païen cherchait à les rapprocher. Cet autre versant de l'activité du docteur chrétien provient de sa foi à l'Évangile, ou plutôt, de sa foi en Jésus Christ sans lequel l'Évangile serait lettre morte : toute l'Écriture fait corps avec le Christ, qui la transforme en Évangile [21] mais requiert aussi son historicité. De

---

t. 2, Paris 1972, pp. 408-410 et 414-417), conduisit à une réduction mythologique de tout ce qui s'y présentait comme récit ou histoire (voir quelques exemples dans J. DANIÉLOU, *Origène,* Paris 1948, pp. 190-198). Mais le Gnosticisme s'est attaché surtout à quelques pages choisies de l'Ancien Testament, puis aux textes du Nouveau qui rendaient ses spéculations aisées. Origène est en réaction consciente contre cette réduction des Écritures comme il l'explique dans son *Commentaire sur S. Jean,* V, vi et viii (édition des « Sources chrétiennes », vol. 1, Paris 1966, pp. 382 s., 389 s.). C'est pourquoi il commente la Bible par la Bible, en respectant l'historicité de la Bible.

19. Cf. J. DANIÉLOU, *Philon d'Alexandrie,* Paris 1958, pp. 85-142, et surtout V. NIKIPROWETZKY, *Le commentaire de l'Écriture chez Philon d'Alexandrie,* Paris 1977. Sur la technique exégétique de Philon : I. CHRISTIANSSEN, *Die Technik der allegorischen Auslegungswissenschaft bei Philon von Alexandria,* Tübingen 1969.

20. H. de LUBAC, *Histoire et esprit : L'intelligence de l'Écriture d'après Origène,* Paris 1950, pp. 92-138 (« Le sens littéral ») et 195-206 (« Histoire et sens spirituel »).

21. « Avant l'avènement du Christ, la Loi et les Prophètes n'avaient pas encore l'annonce de ce qui est clairement défini dans l'Évangile, parce que celui qui devait éclairer leurs mystères n'était pas encore venu. Mais lorsque

la sorte, la dimension historique des textes est toujours supposée par le commentateur de l'Ancien Testament : sans elle, son commentaire n'aurait plus de base.

Il en va de même aujourd'hui. On peut accorder tout ce que l'on veut à la liberté des commentateurs structuralistes de la Bible, quelles que soient les méthodes auxquelles ils ont recours : ils ont le droit de projeter ainsi sur les textes le sens qu'ils ont déjà dans l'esprit, puisqu'ils le tiennent de leur participation à la foi de l'Église — s'ils sont chrétiens. Mais on est en droit de leur demander de ne pas céder à la tentation du Gnosticisme en rénovant, sous une autre forme, sa méthode d'exégèse détachée de l'histoire [22].

b) *En théologie,* cette requête s'impose plus encore. Il est vrai que, si la théologie chrétienne comporte nécessairement une herméneutique des textes scripturaires, toute herméneutique n'est pas théologique : la philosophie générale, l'anthropologie, la psychanalyse, ont aussi le droit de la pratiquer à leur façon. Je doute que la sociologie et l'ethnologie puissent le faire sans recourir à la méthode historique pour éclairer les textes, car leur objet se situe ici dans un passé révolu. Les analyses linguistiques et la sémiotique peuvent en faire méthodiquement abstraction en débouchant par d'autres voies sur le problème du sens ; mais leur finalité est restreinte. La théologie, elle, ne le peut pas, parce que l'objet de la foi dont elle cherche à comprendre les divers aspects est le surgissement de Dieu au cœur de l'histoire humaine, dans un entrecroisement de *paroles* et d'*événements* qui constitua jadis une *expérience signifiante* où notre propre expérience trouve la clef de sa signification [23].

---

le Sauveur fut venu à nous et qu'il eut donné un corps à l'Évangile, alors, par l'Évangile, il fit que tout fût semblable à l'Évangile» (ORIGÈNE, *Commentaire sur S. Jean,* I, vi, 33 ; éditions des «Sources chrétiennes» 120, pp. 76-79 ; je cite la traduction de H. de LUBAC, *Histoire et esprit,* p. 274).

22. Il est important de savoir ce qu'on peut demander à chaque méthode de lecture — toute lecture étant nécessairement interprétative, qu'elle le veuille ou non. La méthode à laquelle je fais allusion a une aptitude réelle à l'*exposition* de la foi, puisque l'Écriture fournit un point de départ normal pour comprendre de l'intérieur la «symbolique» chrétienne. Mais elle n'est pas apte à *poser les fondements* de la foi d'une façon démonstrative, puisqu'elle laisse de côté la dimension historique des textes.

23. Les textes de l'Écriture ont une fonction particulière en théologie,

Il n'est pas indifférent à la théologie que les Poèmes du Serviteur n'aient pas été des spéculations en l'air, mais des textes fonctionnels liés à une expérience historique dont l'historien actuel entrevoit les contours et les étapes. Le théologien peut en faire la lecture à divers niveaux, tous enrichissants pour sa réflexion : celui de leur composition primitive, où l'expérience d'une communauté et d'un homme permirent à un prophète d'esquisser certains traits de l'« Avenir de Dieu » ; celui de leur relecture juive, qui généralisa la figure du Serviteur en reconnaissant ses connexions avec la communauté d'Israël et les justes qui portaient son épreuve et son espérance ; celui de leur relecture chrétienne, qui concentra les résultats de la précédente dans la personne de Jésus de Nazareth ; celui même de la lecture juive plus tardive, qui prolongea la plus ancienne en posant le problème de la permanence d'Israël, peuple éprouvé mais toujours tendu vers l'Avenir de Dieu. Aucun théologien chrétien ne sera surpris de constater que le Serviteur ait pu être une personnalité historique réelle, dépositaire de l'espérance juive puis fauchée par la mort. Si les textes relatifs à cet homme ont servi à éclairer plus tard la mission, la mort et la résurrection de Jésus, en retour, cette mission, cette mort et cette résurrection ont conféré aux textes une plénitude singulière : le Christ dévoile rétrospectivement le sens de ses « figures », car celles-ci contenaient déjà, dans leur existence historique et dans leur expérience humaine, une part de la réalité mystérieuse que la foi découvre en lui [24]. Je parle ici évidemment en théologien chrétien. Mais la théologie est une herméneutique, et il n'y pas d'herméneutique neutre. L'essentiel est de savoir comment les diverses disciplines s'articulent les unes sur les autres, pour respecter la formalité de chacune. J'espère l'avoir fait correctement.

---

parce qu'ils sont les témoins directs de cette *expérience*. Mais la continuité de cette expérience dans la communauté qui les porte a aussi une fonction indispensable. Il n'y a pas de théologie authentiquement chrétienne en dehors de leur recoupement.

24. Sur la notion des figures bibliques, voir *supra*, p. 189, la note 76 du chap. IV (avec bibliographie).

TABLE DES CITATIONS BIBLIQUES

Zacharie

3, 8-9	: 70
8	: 68
4, 7	: 202
8	: 28
9	: 68
6, 11	: 70
12-13	: 69, 70
12	: 68

NOUVEAU TESTAMENT

Actes des apôtres

1, 1-2	: 138
4-8	: 177
2, 23	: 179
3, 13-26	: 171
14	: 172
4, 24-30	: 171s.
27	: 172, 186
6, 1–8, 1	: 142
8, 30-35	: 172-74
13, 14-42	: 141
29	: 179
34	: 112
24, 14	: 179
26, 16-18	: 174, 182
22-23	: 175
28, 18	: 205
27-28	: 182

Apocalypse

1, 12-19	: 139
13	: 180
6, 9-11	: 107
19, 11-21	: 136
13	: 180

1 Corinthiens

1, 13	: 143
23	: 197

11, 18	: 138
23-25	: 144s.
15, 1	: 174
3-4	: 141-44
3	: 154, 155, 174
5	: 174

2 Corinthiens

4, 13	: 179
5, 14—6, 2	: 148s.
5, 14-15	: 149s.
6, 1-2	: 150, 197

Galates

1, 4	: 142, 143, 146, 160, 219
15	: 150
2, 7-9	: 151
20	: 146, 160, 219
4, 25	: 149
5, 14	: 179

Hébreux

1, 11	: 157
8, 6-12	: 153
12	: 154
9, 9	: 153
12	: 154
20	: 161
26	: 153
28	: 153
10, 15-17	: 153
12, 5-7	: 105

Jean

1, 18	: 192
29	: 180s.
8, 12	: 181
9, 5	: 181
10, 11-18	: 146, 160
11, 48-42	: 181
12, 37-43	: 182
38	: 182s.
46	: 181

TABLE DES AUTEURS CITÉS

INDEX ANALYTIQUE

TABLE DES MATIÈRES

Troisième Partie :

HERMÉNEUTIQUE ET LECTURE CRITIQUE

Achevé d'imprimer en janvier 1981
sur les presses de l'imprimerie Laballery et C^{le}
58500 Clamecy
Dépôt légal : 1er trimestre 1981
Numéro d'imprimeur : 19737
Numéro d'éditeur : 7254

COLLECTION LECTIO DIVINA